LE GUIDE

CUR US

L'EXPÉRIENCE DE S'ORIENTER
À PARTIR DE SOI

MARIUS CYR / YVES MAURAIS

Septembre
éditeur

Catalogage avant publication de la Bibliothèque nationale du Canada

Maurais, Yves

Le guide Cursus : l'expérience de s'orienter à partir de soi

Nouv. éd.

Publ. antérieurement sous le titre: S'orienter à partir de soi.

Comprend un index.

ISBN 2-89471-226-X

1. Intérêts professionnels. 2. Orientation professionnelle. 3. Orientation scolaire. I. Cyr, Marius. II. Titre. III. Titre: S'orienter à partir de soi.

HF5381.5.C97 2004   331.702'3   C2004-940800-3

Auteurs
Marius Cyr
Yves Maurais

Coordination du projet
Lise Turgeon

Révision linguistique
Marc Bosquart

Conception visuelle
Bernard Méoule

Infographie
Nathalie Perreault

Septembre éditeur S.E.N.C.

Président
André Provencher

Éditeur
Denis Pelletier, c.o.

**Directeur général et
éditeur adjoint**
Martin Rochette

© **Septembre éditeur S.E.N.C.
Tous droits réservés**

Dépôt légal – 2e trimestre 2004
Bibliothèque nationale du Québec
Bibliothèque nationale du Canada

ISBN – 2-89471-226-X
Imprimé et relié au Québec

2825, chemin des Quatre-Bourgeois
Sainte-Foy (Québec)
G1V 4B8
Téléphone : (418) 658-9123
Sans frais : 1 800 361-7755
Télécopieur : (418) 652-0986
www.septembre.com

*CANADA – « Nous reconnaissons l'aide
financière du gouvernement du Canada par
l'entremise du Programme d'aide au
développement de l'industrie de l'édition
(PADIÉ) pour nos activités d'édition. »*

MARIUS CYR est conseiller d'orientation et partage son temps entre la pratique privée, l'écriture et le travail à contrat dans le domaine de l'éducation. Il a d'abord exercé sa profession en milieu scolaire pendant une dizaine d'années et il a ensuite été directeur adjoint et responsable de l'information au Service régional d'admission au collégial de Québec (SRAQ) durant plus d'une vingtaine d'années.

En plus du présent ouvrage, Marius Cyr est coauteur de trois livres : *Cursus – Guide d'information et d'orientation* (1997), *La part des parents dans l'orientation au secondaire* (1997) et *S'orienter à partir de soi – Cursus Plus* (1999).

Marius Cyr a reçu le *Prix Reconnaissance Emmanuel-Pomerleau* décerné par l'Association québécoise d'information scolaire et professionnelle (1996) et le *Prix de l'Ordre* décerné par l'Ordre des conseillers et conseillères d'orientation et des psychoéducateurs et psychoéducatrices du Québec (1997).

YVES MAURAIS est conseiller d'orientation à l'école secondaire Louis-Jacques-Casault à Montmagny et il exerce également en pratique privée.

Yves Maurais a collaboré à plusieurs comités de travail au ministère de l'Éducation ainsi qu'au Service régional d'admission au collégial de Québec (SRAQ). Il est coauteur des deux précédents ouvrages portant sur la démarche CURSUS : *Cursus – Guide d'information et d'orientation* (Prix de l'Ordre 1997) et *S'orienter à partir de soi – Cursus Plus* (1999). En mai 2001, M. Maurais, qui est également formateur, a créé et lancé, en collaboration avec Septembre éditeur, une trousse pédagogique intitulée *Les ateliers Cursus*.

Plus récemment, Yves Maurais a collaboré à l'ouvrage de Denis Pelletier *L'approche orientante : la clé de la réussite scolaire et professionnelle*. Il est également l'auteur de fascicules intitulés *Cursus, l'école, l'économie et moi* dans lesquels il propose des activités en rapport avec l'approche orientante.

Marius Cyr et Yves Maurais sont tous deux membres de l'Ordre des conseillers et conseillères d'orientation et des psychoéducateurs et des psychoéducatrices du Québec, de même que de l'Association québécoise d'information scolaire et professionnelle.

Table des matières

Introduction

L'évolution fulgurante, au cours des dernières années, des domaines de l'information scolaire et professionnelle et de l'orientation, en particulier l'essor d'Internet, entraîne autant d'inconvénients que d'avantages. En effet, les personnes en quête d'un projet d'études ou de carrière ainsi que les professionnels chargés de les accompagner dans cette démarche sont de plus en plus sollicités par une surabondance de renseignements susceptibles d'influencer leur réflexion : une information complète et à jour sur le marché du travail, des palmarès de professions recherchées, des inventaires d'options gagnantes (et la liste pourrait s'allonger encore).

Pourtant, une démarche d'orientation demeure une expérience toute personnelle qui n'a de chance de réussir que si elle se fonde sur ce que l'individu aime, désire et ressent comme profondément passionnant pour lui. C'est en ce sens que *Le guide Cursus* innove, car il tient compte de cette exigence et suggère une démarche d'orientation qui repose essentiellement sur le profil personnel des utilisateurs.

Le guide Cursus présente une classification originale du monde du travail. Celle-ci regroupe en effet, répartis en 5 domaines et 22 familles, des centaines de programmes d'études, de matières scolaires, de métiers et de professions. Au cours de leur démarche d'orientation, les utilisateurs seront invités à reconnaître, parmi une série d'indices propres au profil des travailleurs des familles concernées, ceux qui correspondent à l'idée qu'ils se font d'eux-mêmes et de leur expérience de vie. Cette approche leur permettra, éventuellement, de passer du processus d'exploration à la formulation d'un projet professionnel adapté à leurs caractéristiques personnelles ainsi qu'à leurs attentes.

Bien sûr, *Le guide Cursus* contient aussi la liste – impressionnante – des programmes d'études offerts au Québec dans les trois ordres d'enseignement ainsi que les noms des professions et des métiers auxquels ils conduisent. Mais il y plus encore, puisque chaque personne qui utilisera ce guide est assurée d'en apprendre beaucoup sur elle-même, sur la valeur « orientante » de ses expériences ainsi que sur ses aspirations professionnelles.

Bonne lecture et bon parcours d'orientation!

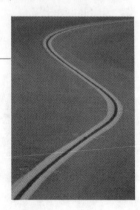

DOMAINE
le Vivant

FAMILLES

1.1 La santé humaine

1.2 La vie végétale et animale

DOMAINE
la Matière

FAMILLES

2.1 La matière analysée

2.2 Les biens et les matériaux

2.3 L'habitat

2.4 Le transport

DOMAINE
l'Humain

FAMILLES

3.1 La société humaine

3.2 La relation d'aide

3.3 L'éducation et les loisirs

3.4 La loi

DOMAINE
la **G**estion

FAMILLES

DOMAINE
la **C**ulture

FAMILLES

Modalités d'utilisation de l'ouvrage ◄

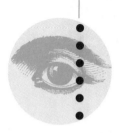

Le guide Cursus vous propose d'explorer le monde de la formation et du travail à partir de vos expériences personnelles et de vos préférences professionnelles. Vous pouvez donc vous servir du guide et le consulter de trois manières différentes. Choisissez celle qui correspond à votre situation.

1. **Exploration systématique des cinq domaines et de leurs familles**
   - Consultez la table des matières (page 4) pour découvrir les 5 domaines et les 22 familles de Cursus.
   - Explorez chacun des domaines et les familles qui les composent (les indications pour explorer les familles sont regroupées aux pages 18 et 19).

2. **Exploration limitée à un ou deux domaines**
   - Remplissez la fiche d'autoévaluation relative à chacun des cinq domaines. Ces fiches sont regroupées aux pages 26 à 35.
   - Explorez les familles associées au domaine ou aux domaines qui vous intéressent particulièrement (les indications pour explorer les familles sont regroupées aux pages 18 et 19).

3. **Exploration en fonction d'un besoin précis**
   - Choisissez, parmi les suivants, le scénario qui correspond à votre besoin et suivez les indications fournies à la page indiquée.

Scénario 1
Je suis au neutre. (page 9)

Scénario 2
J'ai deux ou trois champs d'intérêt dominants. (page 10)

Scénario 3
J'ai un projet de formation en tête, mais me convient-il vraiment? (page 11)

Scénario 4
Je m'intéresse à des programmes d'études très différents les uns des autres. (page 12)

Scénario 5
Je tiens avant tout à avoir une bonne qualité de vie au travail. (page 13)

Scénario 6
Je connais mon profil RIASECZ. (page 14)

Scénario 7
Je me connais bien et j'ai vécu certaines expériences, mais je ne sais pas quoi faire! (page 15)

Scénario 8
Je m'intéresse à une profession et je veux m'assurer qu'elle me convient vraiment. (page 16)

Scénario 9
Je connais deux ou trois fonctions de travail auxquelles je tiens vraiment et je veux trouver les programmes d'études les plus appropriés pour pouvoir les exercer. (page 17)

Scénario 1
Je suis au neutre.

Je n'arrive pas à me faire une image de moi-même ou je ne trouve pas les mots pour exprimer ce qui me tient à cœur.

Je suis souvent incapable de me prononcer quand vient le moment de prendre une décision ou d'émettre une opinion.

Les réponses aux questions qu'on me pose sont souvent accompagnées de « peut-être », « je ne sais pas », « des fois oui, des fois non ».

Même les résultats des tests que j'ai passés ne sont pas révélateurs ou ne suffisent pas à m'éclairer.

J'éprouve de la difficulté à faire des liens entre mes expériences et les possibilités entre lesquelles choisir. C'est trop compliqué pour moi.

J'ai besoin de faire une exploration qui tiendrait compte de ce qui me ressemble.

Démarche proposée

1. Remplissez la fiche d'autoévaluation relative à chacun des cinq grands domaines de la classification CURSUS (les fiches sont regroupées aux pages 26 à 35). Cette première étape devrait vous permettre de déterminer le ou les domaines qui correspondent le plus à votre profil et à vos expériences.

2. Explorez les familles associées aux domaines retenus en suivant les indications fournies aux pages 18 et 19. Nous vous invitons à lire attentivement chacun des indices d'orientation, car vous y puiserez des indications qui vous aideront à mieux vous connaître et à sélectionner le ou les programmes d'études qui pourraient vous convenir.

Cas type

Je suis quelqu'un de peu loquace. Je n'aime surtout pas parler de moi. Quand quelqu'un me pose des questions sur ce que j'aime, je ne trouve rien à dire. Pourtant, je suis actif, je n'aime pas rester à ne rien faire. Mais rien ne me passionne vraiment.

Lorsque j'ai rempli les cinq fiches d'autoévaluation de l'ouvrage *Le guide Cursus*, je me suis rendu compte que plusieurs de mes activités et de mes champs d'intérêt étaient en rapport avec la nature. J'ai eu envie d'explorer davantage le domaine du Vivant, en particulier la famille **La vie végétale et animale**.

Après avoir découvert les caractéristiques communes aux travailleurs de cette famille et avoir lu les rubriques « Indices d'orientation tirés de … », j'ai constaté que j'avais plusieurs caractéristiques semblables à celles des travailleurs de cette famille. J'ai eu envie d'aller plus loin pour connaître les carrières et les programmes d'études correspondants. J'ai poursuivi ma lecture et j'en ai trouvé quelques-uns qui m'intéressaient particulièrement.

Comme je voulais en savoir plus long et que je ne savais pas quel ordre d'enseignement pourrait me convenir, j'ai consulté un conseiller d'orientation. Cette fois, j'étais content de pouvoir lui dire ce qui m'intéressait. Comme j'ai de la difficulté à m'exprimer, je lui ai montré les indices d'orientation que j'avais cochés dans le livre.

J'hésite encore entre deux ou trois programmes de formation professionnelle au secondaire. J'envisage de visiter les centres de formation professionnelle où ces programmes sont offerts. Enfin, j'ai trouvé quelques avenues à explorer!

Scénario 2
J'ai deux ou trois champs d'intérêt dominants.

Je me connais peu, mais je suis capable de nommer quelques champs d'intérêt et quelques objectifs en rapport avec mon projet d'orientation. Je pense déjà à un milieu de travail, mais je n'y ai pas encore longuement réfléchi.

Je n'arrive pas à trouver les programmes d'études et les carrières en rapport avec mes champs d'intérêt et je ne voudrais pas en oublier. J'ai besoin de mieux cerner mes aspirations.

Démarche proposée

1. *Lisez attentivement, aux pages 37, 63, 111, 145 et 181, la présentation des cinq grands domaines. Cela fait, vous devriez être en mesure d'associer vos champs d'intérêt ou vos objectifs les plus importants avec un ou deux de ces domaines.*

2. *Explorez ensuite, en suivant les indications fournies aux pages 18 et 19, les familles correspondant à chacun des domaines sélectionnés. Les indices d'orientation proposés dans chaque famille vous permettront de mieux déterminer vos objectifs. L'exercice qui consiste à choisir des fonctions de travail à partir de vos préférences vous aidera à découvrir les programmes d'études qui pourraient correspondre à votre profil.*

Cas type

Moi, j'ai toujours voulu aider les autres. Les personnes de mon entourage disent que je suis accueillante et que c'est agréable de parler avec moi. J'aime tout le monde, jeunes ou vieux, et je suis toujours prête à rendre service. Je me demande quelles carrières pourraient me convenir.

En lisant la présentation des cinq domaines de la classification CURSUS, j'ai tout de suite compris que les domaines du Vivant et de l'Humain allaient me permettre de trouver toutes les professions qui font appel à la relation d'aide.

J'ai constaté aussi qu'il me fallait déterminer une foule de choses, comme le milieu de travail dans lequel je souhaiterais exercer mon métier, le type d'aide que je voudrais offrir (physique ou psychologique) et plusieurs autres aspects du travail.

Finalement, j'ai découvert que la famille **La relation d'aide** (domaine de l'Humain) est celle qui correspond le plus à ce que je recherche. J'ai éliminé la famille **La santé humaine**, car je ne suis pas très bonne en sciences.

En prenant connaissance du tableau **Programmes d'études et fonctions de travail**, j'ai constaté que j'allais devoir faire des études universitaires pour atteindre mon but. Je n'avais jamais envisagé d'étudier si longtemps. La psychologie et l'orientation scolaire et professionnelle m'intéressent particulièrement. J'ai reçu beaucoup d'encouragements et je pense maintenant être prête à entreprendre les études exigées pour accéder à l'une ou l'autre de ces professions.

Scénario 3

J'ai un projet de formation en tête, mais me convient-il vraiment?

J'ai en tête un projet de formation particulier mais, avant de faire un choix définitif, je veux m'assurer de connaître tous les autres programmes d'études qui lui sont apparentés.

J'ai trouvé un programme d'études qui correspond à mes attentes, mais est-ce le seul? Je ne veux pas en oublier!

Démarche proposée

1. *Consultez l'index alphabétique des programmes d'études, présenté aux pages 247 à 255, de manière à repérer le programme qui vous intéresse.*

2. *À la page indiquée, trouvez ce programme dans le tableau* **Programmes d'études et fonctions de travail.** *Placez une règle sous le titre du programme concerné et voyez à quelles fonctions de travail correspondent les colonnes portant des points (•/••/•••).*

3. *Recherchez dans ce tableau les autres programmes qui accordent de l'importance aux mêmes fonctions de travail que celles que vous venez d'identifier.*

Cas type

J'étais sûr que je devais faire des études collégiales pour m'assurer un bel avenir. Comme je m'intéresse aux machines-outils, j'avais en tête de m'inscrire au programme *Techniques de génie mécanique.*

Or, récemment, j'ai visité avec ma classe le centre de formation professionnelle situé près de mon école. J'ai découvert que le programme de formation professionnelle *Techniques d'usinage* préparait exactement aux tâches que je rêvais de faire.

Hésitant de nouveau, j'ai consulté un conseiller d'information scolaire et professionnelle pour connaître tous les programmes d'études pouvant correspondre à ce que je cherchais et pour connaître les perspectives d'emploi.

À l'aide de l'ouvrage *Le guide Cursus*, le conseiller m'a aidé à déterminer les fonctions de travail qui m'intéressaient le plus et à faire l'inventaire des programmes d'études pertinents. On a parlé aussi, bien sûr, des perspectives d'emploi.

Heureusement que j'ai fait cette démarche! Je me suis en effet rendu compte que mes aspirations pourraient être satisfaites en suivant un programme de formation professionnelle au secondaire et, en plus, que j'avais le choix entre plusieurs programmes tous aussi prometteurs les uns que les autres.

J'ai choisi le programme *Montage mécanique en aérospatiale* et j'en suis très heureux, même si j'ai dû aller habiter dans la grande ville de Montréal. Je me suis ennuyé de mon patelin au début, mais maintenant je suis fier d'avoir pris cette décision. On m'a déjà proposé un emploi. Je commencerai à travailler dès que j'aurai terminé mes études.

Scénario 4
Je m'intéresse à des programmes d'études très différents les uns des autres.

J'ai quelques projets d'études en tête, tous aussi intéressants les uns que les autres, mais très différents.

J'ai un choix déchirant à faire, car je devrai renoncer à certaines carrières qui m'attirent également.

Je voudrais avoir la certitude que je ferai le meilleur choix.

Démarche proposée

1. Consultez, à la page 247 du présent document, l'index alphabétique des programmes d'études de manière à repérer les programmes qui vous intéressent.

2. Aux pages indiquées, trouvez ces programmes dans le tableau **Programmes d'études et fonctions de travail**. Il est possible que ces programmes soient classés dans différentes familles.

3. Prenez le temps d'explorer chacune des familles dont relèvent les programmes qui vous intéressent. Cela devrait vous permettre de tracer votre profil et de trouver les programmes d'études qui y correspondent.

Cas type

Je suis du genre à ne rien laisser tomber. Je suis très active, tant à l'école qu'à l'extérieur. Je réussis bien dans toutes les matières et je vois mal comment je pourrais me résoudre à mettre de côté plusieurs projets que j'aime pour m'engager dans une seule carrière.

J'aimerais, entre autres, être musicienne, me spécialiser dans les langues, faire de la médecine sportive et aider les pays en voie de développement.

Après avoir discuté avec plusieurs personnes, dont mon professeur d'Éducation au choix de carrière, un conseiller d'orientation et mes parents, j'ai compris que choisir une voie ne veut pas dire laisser tomber les autres. Il s'agit plutôt d'établir une distinction entre ce qui constituera ma carrière et ce qui fera partie des autres sphères de ma vie (loisirs, engagement social, bénévolat, etc.)

J'ai consulté Le guide Cursus avec attention. J'ai pris le temps d'explorer attentivement chacune des familles qui m'intéressaient, c'est-à-dire que j'ai répondu à chacun des questionnaires et que j'ai déterminé mes préférences relativement aux fonctions de travail. Cela m'a permis de découvrir que plusieurs programmes correspondaient à mes champs d'intérêt et que j'ai surtout le goût de transmettre des connaissances, peut-être aussi d'aider les gens tout en étant active physiquement.

J'ai opté pour le programme préuniversitaire Musique et Sciences humaines, un programme collégial permettant d'obtenir un double DEC. Après cela, j'ai l'intention de poursuivre mes études à l'université, dans le domaine de l'activité physique. Et j'irai peut-être un jour travailler en Afrique. Pas mal, n'est-ce pas?

Scénario 5

Je tiens avant tout à avoir une bonne qualité de vie au travail.

J'ai une idée des exigences que je suis capable d'accepter dans mon futur travail.

Je n'aimerais pas me retrouver dans des situations qui m'obligeraient à aller au-delà de mes capacités ou qui ne me conviendraient pas pour toutes sortes de raisons.

Je veux trouver les familles de programmes qui répondront le plus à mes attentes.

Démarche proposée

1. Remplissez la fiche d'autoévaluation relative à chacun des cinq grands domaines de la classification CURSUS. Ces fiches sont regroupées aux pages 26 à 35. Cette première étape devrait vous permettre de déterminer le ou les domaines qui correspondent le plus à votre profil et à vos attentes.

2. Trouvez les familles associées aux domaines retenus et lisez la rubrique «Exigences liées à mon futur travail» contenue dans la présentation de chacune des familles (section «Projet professionnel»).

3. Une fois que vous avez trouvé les familles dont les exigences professionnelles pourraient correspondent à vos attentes, remplissez, pour chaque famille retenue, les deux questionnaires portant sur les indices d'orientation. Ainsi, vous pourrez vérifier si ces familles correspondent à votre profil personnel, scolaire et occupationnel (section «Autoportrait»).

Cas type

Je suis infirmière de formation et je travaille dans un CLSC depuis deux ans. J'aime mon travail, mais je dois être disponible pour travailler le soir et la fin de semaine. En fait, ce travail m'impose toutes sortes de conditions contraignantes. J'aimerais être plus autonome et gérer ma propre affaire.

J'ai cherché dans *Le guide Cursus* quels autres métiers pourraient me convenir. Je me suis particulièrement attardée à la rubrique «Exigences liées à mon futur travail» et j'ai fini par trouver. La famille **Les biens et les services** (domaine de la Gestion) m'a tout de suite inspirée. Quand j'ai pris connaissance de ce qu'on disait de cette famille, je me suis reconnue et je me suis rappelé le rêve que j'avais d'avoir mon propre commerce de vêtements. Je ne pensais pas pouvoir le réaliser un jour, mais, vu ce que je sais maintenant, j'ai vraiment l'intention de me recycler. Je suis devenue plus optimiste. Même si le défi est grand, j'ai confiance de trouver un travail qui m'offrira des conditions gagnantes!

Scénario 6
Je connais mon profil RIASECZ.

À la suite des tests que j'ai passés et des exercices que j'ai faits dans mon cours d'Éducation au choix de carrière, je suis en mesure de déterminer les types professionnels dominants qui me caractérisent.

Je veux savoir quelles familles de la classification CURSUS correspondent à mon profil RIASECZ.

Démarche proposée

1. Consultez, à la page 21, le tableau-synthèse qui présente les types professionnels et leur relation avec chacune des familles, de manière à trouver celles qui correspondent à votre profil RIASECZ.

2. Explorez les familles concernées en suivant les indications fournies aux pages 18 et 19 du présent document, afin de trouver celle qui correspond le plus à votre profil et à vos expériences.

Cas type

Les tests et les exercices que j'ai faits au secondaire ont révélé que mes trois types dominants sont les suivants : Social, Investigateur et Réaliste. Mes parents m'ont encouragé à m'inscrire au cégep, en sciences de la nature, afin que je puisse ensuite être admis en sciences de la santé à l'université.

Je suis présentement en 2e année de cégep et je réussis bien. Mais je remets sérieusement ce choix en question, car je constate que je n'aime ni la chimie ni la physique. Je préfère le français et la philosophie.

J'ai décidé d'utiliser Le guide Cursus pour me repositionner et vérifier ce qui pourrait convenir à mon type RIASECZ. J'ai pris conscience que le type Investigateur ne se retrouvait pas uniquement dans les professions et les programmes associés aux sciences. J'ai aussi constaté que mon goût pour l'actualité, l'histoire et la culture générale pouvait me conduire à des programmes d'études plus conformes à mon profil personnel.

C'est en prenant connaissance de toutes les caractéristiques associées à la famille **La société humaine** que j'ai choisi de m'inscrire en science politique à l'université. Je me sens bien d'avoir fait ce choix. Reste à convaincre mes parents!

Je me connais bien et j'ai vécu certaines expériences, mais je ne sais pas quoi faire!

Je suis en mesure de parler de moi assez aisément. Je pense bien connaître mes champs d'intérêt, mes traits personnels et mes aptitudes. Je mène une vie bien remplie et je me suis engagé dans différentes activités tant à l'école qu'au travail.

Je désire connaître les programmes d'études qui me conviendraient le mieux.

Démarche proposée

1. *Remplissez la fiche d'autoévaluation relative à chacun des cinq grands domaines de la classification CURSUS. Les fiches sont regroupées aux pages 26 à 35. Cette première étape devrait vous permettre de déterminer le ou les domaines qui correspondent le plus à votre profil et à vos expériences.*

2. *Explorez les familles concernées en suivant les indications fournies aux pages 18 et 19 du présent document, de manière à trouver celles qui vous attirent le plus.*

Cas type

Je termine présentement ma 5e secondaire en suivant le programme de l'éducation des adultes. Quand j'étais dans le secteur régulier, j'étais très engagé dans la vie étudiante et j'ai négligé mes études. J'ai échoué dans certaines des matières dans lesquels il faut réussir pour obtenir le diplôme d'études secondaires.

J'ai beaucoup appris de cette expérience et je suis maintenant prêt à m'engager dans un projet d'études correspondant à mes aspirations.

Le guide Cursus m'a beaucoup aidé à mettre de l'ordre dans mes idées. J'ai d'abord rempli les fiches d'autoévaluation dans les cinq domaines, de manière à trouver celui qui me plaisait le plus. J'ai retenu le domaine du Vivant et je me suis intéressé particulièrement à la famille **La vie végétale et animale**. J'ai découvert qu'il y avait plusieurs programmes et carrières susceptibles de me convenir à l'intérieur de cette famille.

Je suis attiré par l'horticulture. J'aime être dans la nature, travailler physiquement, rencontrer des gens. Bref, plusieurs aspects de ce travail m'attirent. J'ai consulté un conseiller d'orientation pour connaître les perspectives d'emploi et les endroits où je pourrais suivre ce programme. Je suis vraiment heureux de mon choix. J'espère être admis et je fais déjà tout ce qu'il faut pour y arriver.

Scénario 8
Je m'intéresse à une profession et je veux m'assurer qu'elle me convient vraiment.

Je songe à une profession en particulier. Tout ce que j'entends à ce propos est encourageant, mais je me demande si je pourrais être heureux dans l'exercice de cette profession. Est-ce que mon profil personnel correspond à celui qu'exige une telle carrière?

Démarche proposée

1. Trouvez d'abord le programme de cours qui conduit à l'exercice de cette profession. Voici quelques suggestions :

- Consultez l'index des professions aux pages 269 à 306 du Répertoire Septembre des programmes et des établissements d'enseignement. Repérez le titre de la profession qui vous intéresse et trouvez le titre du programme à l'aide du code Cléo indiqué. Ex. : p. 288 Magicien (625.08) (voir 625.C 02).

- Consultez les sites www.monemploi.com ou www.reperes.qc.ca. Entrez le nom de la profession concernée de manière à accéder à la fiche technique et notez le titre du programme qui lui est associé.

2. Consultez, à la page 247 du présent document, l'index alphabétique des programmes d'études et repérez celui qui vous intéresse. La page indiquée vous conduira à la famille à laquelle ce programme est associé (un programme peut être associé à plus d'une famille).

3. Explorez la ou les familles concernées en suivant les indications fournies aux pages 18 et 19 du présent document, afin de trouver celle qui correspond le plus à votre profil.

Cas type

Je rêvais depuis longtemps de devenir enseignante au primaire ou au secondaire. Je n'ai pas de difficulté à m'exprimer et je suis dynamique, mais je ne savais pas si je faisais erreur en songeant à une telle carrière.

J'ai trouvé le programme d'études que je cherchais dans la famille **L'éducation et les loisirs** (domaine de l'Humain). Mais, après avoir pris connaissance de la description du profil des travailleurs de cette famille, des indices d'orientation et des exigences liées à ce travail, j'ai remis mon choix en question.

J'ai vérifié les indices d'orientation des autres familles du domaine de l'Humain ainsi que ceux des familles liées au domaine de la Gestion. Finalement, j'ai opté pour des études en marketing. J'aime les défis, le changement, la «business».

Je me suis inscrite au cégep, en Sciences humaines, profil Administration, en vue de suivre le programme universitaire Administration : Marketing. Il paraît qu'il y a de l'avenir dans ce domaine. Laissez-moi vous en convaincre!

Scénario 9

Je connais deux ou trois fonctions de travail auxquelles je tiens vraiment et je veux trouver les programmes d'études les plus appropriés pour pouvoir les exercer.

Je suis capable de dire globalement ce que je recherche comme tâche et dans quel environnement j'aimerais travailler. Mais je suis incapable de mettre le doigt sur les programmes d'études et les carrières les plus appropriés pour atteindre cet objectif.

Je cherche donc à découvrir les programmes d'études et les carrières qui me permettront d'atteindre mon objectif.

Démarche proposée

1. *Trouvez, dans le tableau figurant aux pages 24 et 25, les titres des fonctions de travail qui correspondent à ce que vous aimeriez faire dans votre futur travail. Pour faciliter cet exercice, nous vous suggérons d'encercler, au crayon à mine, les points (•/••/•••) figurant sur la ligne horizontale correspondant à chacune des fonctions de travail que vous avez choisies.*

2. *Calculez le nombre de points encerclés dans chacune de colonnes verticales (chaque colonne correspond à une famille de la classification CURSUS), afin de repérer la ou les familles qui en comptent le plus.*

3. *À l'aide de la table des matières, trouvez les pages correspondant aux familles concernées et consultez la section « Projet professionnel » de chacune de ces familles. Vous y trouverez une définition des fonctions de travail retenues ainsi que les indications à suivre pour découvrir les programmes d'études et les carrières susceptibles de vous convenir.*

Cas type

Mes parents sont d'origine vietnamienne, mais je suis née au Québec. J'ai l'avantage de parler trois langues couramment. Je souhaitais exercer un métier qui me permette d'être au service du public, car j'ai été habituée, dans le restaurant de mon père, à être en relation avec les gens. Je rêvais de diriger une équipe de travail dans un hôtel ou dans un organisme touristique.

J'ai pris connaissance, dans *Le guide Cursus*, du tableau présentant 36 fonctions de travail en relation avec 22 familles de programmes et j'en ai retenu 4 qui m'intéressent particulièrement. J'ai trouvé, dans la famille **Les biens et les services** (domaine de la Gestion), deux programmes qui correspondent exactement à mes préférences professionnelles : *Techniques du tourisme* et *Techniques de gestion hôtelière*. Il ne me restera qu'à choisir entre ces deux programmes au moment de faire ma demande d'admission au cégep.

Exploration des familles en 11 étapes

Photo de famille

1. Découvrez les caractéristiques communes que présentent les personnes intéressées par la famille concernée et les défis professionnels semblables qu'elles doivent relever.

2. Prenez connaissance des programmes d'études associés à la famille concernée.

3. Consultez la liste des programmes d'études apparentés.

   La liste des programmes apparentés est fournie à titre indicatif. Compte tenu de leurs objectifs principaux, les programmes figurant dans cette rubrique ont été classés dans d'autres familles, mais ils partagent néanmoins certains de leurs objectifs avec les programmes énumérés dans la famille concernée.

4. Prenez connaissance des matières scolaires dont les objectifs d'apprentissage sont en rapport direct avec les exigences professionnelles (formation, tâches et responsabilités) de la famille concernée.

À propos des programmes d'études *

Les programmes d'études présentés dans le présent ouvrage sont offerts au Québec dans l'un ou l'autre des trois ordres d'enseignement : secondaire, collégial et universitaire. La liste a été mise à jour en janvier 2004.

Voici, par ordre d'enseignement, les types de programmes d'étude retenus.

Programmes de formation secondaire
- Tous les programmes donnant accès à des métiers semi-spécialisés et conduisant à l'obtention d'une attestation de formation professionnelle (AFP).
- Tous les programmes donnant accès à des métiers spécialisés et conduisant à l'obtention d'un diplôme d'études professionnelles (DEP).

Programmes de formation collégiale
- Tous les programmes de formation technique conduisant à l'obtention d'un diplôme d'études collégiales et permettant d'accéder au marché du travail (DEC).

Programmes de formation universitaire
- Tous les programmes de premier cycle conduisant à l'obtention d'un baccalauréat (Bac). Comme le titre d'un même programme peut varier d'un établissement universitaire à l'autre, nous avons retenu la formulation qui nous a paru la plus représentative.

Note des auteurs : Les programmes du secondaire conduisant à des spécialisations (ASP) ainsi que les programmes courts offerts dans les cégeps (AEC) n'ont pas été retenus dans le cadre de cet ouvrage, car ils ne sont pas considérés comme faisant partie des programmes de base (DEP, DEC, Bac). De plus, en ce qui concerne les programmes courts (AEC), leur disponibilité varie grandement d'une année à l'autre.

Autoportrait

5. Prenez le temps de vérifier si vos caractéristiques personnelles (traits de personnalité, goûts, talents et valeurs) correspondent au « Profil personnel commun » des travailleurs de cette famille.

6. Découvrez le profil RIASECZ des travailleurs de la famille concernée. La description des sept types professionnels figure aux pages 20 et 21 du présent document.

7. Vérifiez, à partir des énoncés regroupés dans les deux rubriques « Indices d'orientation… », dans quelle mesure vos expériences correspondent à celles des travailleurs de la famille concernée.

   Important : Nous vous suggérons de considérer chacun des énoncés dans une perspective plus générale que celle qui est suggérée par le temps du verbe utilisé. Afin de ne pas alourdir les phrases, nous avons choisi d'associer certaines actions au passé et d'autres au présent. Ex. : « J'ai participé à des collectes de fonds ; j'aime les cours d'informatique. » Chacun de ces énoncés peut être retenu si vous considérez qu'il correspond à quelque chose qui vous intéresse toujours ou qui pourrait vous intéresser dans le futur.

Projet professionnel

8. Vérifiez, à partir des énoncés regroupés dans la rubrique « Exigences liées à mon futur travail », si vos attentes sont compatibles avec les exigences professionnelles relatives à la famille concernée.

9. Déterminez vos préférences professionnelles en vous inspirant des fonctions de travail exercées par les travailleurs appartenant à la famille concernée.

10. Recherchez, dans le tableau **Programmes d'études et fonctions de travail**, les programmes qui correspondent aux fonctions de travail que vous préférez (voir la légende présentée dans le premier encadré).

11. Consultez la liste des professions et métiers en relation avec les programmes d'études que vous avez retenus (voir la légende présentée dans le second encadré).

PROGRAMMES D'ÉTUDES ET FONCTIONS DE TRAVAIL

Secondaire (AFP)
▶ Santé ❸
1153   Commis au matériel médical
❶ **Collégial (DEC)**
▶ **Techniques biologiques** ❹
❷ 112.A0   Acupuncture traditionnelle ❻
Universitaire (Bac)
▶ **Sciences de la santé** ❺
15199*   Biologie médicale

1. **Ordre d'enseignement** et **diplôme décerné**.
2. **Numéro d'identification du ministère de l'Éducation.** Ce numéro vous permet d'accéder rapidement à des renseignements sur le programme concerné ou la discipline universitaire visée (à partir du site de REPÈRES : www.reperes.qc.ca).
3. **Secteur de formation professionnelle** (formation secondaire).
4. **Champ d'études de la formation collégiale.**
5. **Domaine d'études universitaires.**
6. **Titre du programme.**

PROFESSIONS ET MÉTIERS EN RELATION AVEC LES PROGRAMMES D'ÉTUDES

CLÉO	PROGRAMMES ET MÉTIERS
❶	SECONDAIRE (DEP)
❷	SANTÉ
❸	**Assistance aux bénéficiaires en établissement de santé**
522.08 ❹	Préposé aux bénéficiaires ❺

1. **Ordre d'enseignement** et **diplôme décerné**.
2. **Secteur de formation professionnelle** (formation secondaire).
3. **Titre du programme.**
4. **Code Cléo.** Ce code vous permet d'obtenir de l'information sur le métier à l'un ou l'autre des endroits suivants : dans le *Dictionnaire Septembre des métiers et professions* publié par Septembre éditeur ou sur les sites www.monemploi.com et www.reperes.qc.ca.
5. **Titre de la profession ou du métier.**

De la typologie professionnelle RIASEC à la typologie RIASECZ

Au terme d'une longue étude, le chercheur américain John Holland a établi l'existence de six types de personnes au travail. Il les a nommés comme suit : « Réaliste » (R), « Investigateur » (I), « Artistique » (A), « Social » (S), « Entreprenant » (E) et « Conventionnel » (C). Selon Holland – et de nombreuses recherches l'ont confirmé – le choix d'une profession ou d'un métier est une forme d'expression de la personnalité d'un individu et donc en rapport avec sa typologie.

L'appartenance d'un travailleur à l'un ou l'autre des six types serait déterminée par ses habiletés, par certains traits de sa personnalité et par ses champs d'intérêt. Ainsi, toujours selon Holland, les gens appartenant à un même type exercent généralement le même genre de travail. Pourquoi ? Parce que ces gens sont comme apparentés par leur personnalité, parce qu'ils poursuivent des objectifs semblables et parce qu'ils présentent les mêmes dispositions physiques ou psychologiques à l'égard de leur travail. Toutes les personnes exerçant un emploi donné peuvent donc être classées selon six types professionnels.

La typologie d'une personne est établie en mesurant son degré d'affinité avec chacun des six types, de manière à placer ceux-ci en ordre d'importance, du type le plus marqué au type le moins présent. Chez la plupart des gens, ce sont surtout les deux ou trois premiers types de leur classement personnel qui ont une influence significative sur leur manière d'être et d'agir, tant dans leur vie personnelle que dans leur vie professionnelle. On dira, par exemple, d'une personne dont le type dominant est « Investigateur » et qui a des affinités avec le type « Réaliste », qu'elle a un profil « IR ».

Pour caractériser davantage la typologie de cette personne, il est également possible de considérer le troisième type auquel elle ressemble le plus et de dire, dans le cas où il s'agirait du type « Social », que cette personne a un profil « IRS ». Il existe donc un grand nombre de combinaisons possibles entre les types et c'est en quelque sorte leur interaction qui détermine la personnalité.

Vous trouverez, dans le présent ouvrage, un septième type professionnel : le type « Écologiste ». L'information relative à ce type professionnel est tirée du manuel du test *Le guide de recherche d'une orientation professionnelle* (GROP)*.

R **Le type réaliste.** Les personnes de ce type accomplissent surtout des tâches concrètes. Habiles de leurs mains, elles savent coordonner leurs gestes. Elles se servent d'outils, font fonctionner des appareils, des machines ou des véhicules. Les réalistes ont le sens de la mécanique et le souci de la précision. Plusieurs exercent leur profession à l'extérieur plutôt qu'à l'intérieur. Leur travail demande souvent une bonne endurance physique et même parfois des capacités athlétiques. Ces personnes sont patientes, minutieuses, constantes, sensées, naturelles, franches, pratiques, concrètes et simples.

I **Le type investigateur.** La plupart des personnes de ce type s'appuient sur des connaissances théoriques pour agir. Elles disposent donc d'une information spécialisée dont elles se servent pour résoudre des problèmes. Ce sont des personnes qui observent. Leur principale compétence tient à la compréhension qu'elles ont des phénomènes. Elles aiment bien se laisser absorber dans leurs réflexions. Elles aiment aussi jouer avec les idées ; elles valorisent le savoir. Ces personnes sont critiques, curieuses, soucieuses de se renseigner, calmes, réservées, persévérantes, tolérantes, prudentes dans leurs jugements, logiques, objectives, rigoureuses et intellectuelles.

A **Le type artistique.** Les personnes de ce type aiment les activités qui leur permettent de s'exprimer librement et elles se fondent sur leurs perceptions, sur leur sensibilité et sur leur intuition. Elles s'intéressent au travail de création, qu'il s'agisse d'arts visuels, de littérature, de musique, de publicité ou de spectacles.

---

* ROY, Jacques et Pierre SOULARD. *Le guide de recherche d'une orientation professionnelle*, Charny, Les Éditions Psymétrik enr., 1993.

D'esprit indépendant et non conformiste, elles sont à l'aise dans des situations qui sortent de l'ordinaire. Elles sont dotées d'une grande sensibilité et d'une imagination fertile. Bien que les tâches méthodiques et routinières les rebutent souvent, elles sont cependant capables de travailler avec discipline. Ces personnes sont spontanées, expressives, imaginatives, émotives, indépendantes, originales, intuitives, passionnées, fières, flexibles et disciplinées.

S **Le type social.** Les personnes de ce type aiment être en contact avec les autres dans le but de les aider, de les informer, de les éduquer, de les divertir, de les soigner ou encore de favoriser leur croissance personnelle. Elles s'intéressent aux comportements humains et sont soucieuses de la qualité de leurs relations avec les autres. Elles font appel à leur savoir ainsi qu'à leurs impressions et à leurs émotions pour agir et pour interagir avec les autres. Elles aiment communiquer et s'expriment facilement. Ces personnes sont attentives aux autres, capables de collaborer avec d'autres, compréhensives, dévouées, sensibles, sympathiques, perspicaces, bienveillantes et communicatives.

E **Le type entreprenant.** Les personnes de ce type aiment influencer leur entourage. Leur capacité de décision, leur sens de l'organisation et une habileté particulière à communiquer leur enthousiasme les appuient dans leurs objectifs. Elles savent vendre des idées autant que des biens matériels. Elles ont le sens de l'organisation, de la planification et de l'initiative et savent mener à bien leurs projets. Elles savent aussi faire preuve d'audace et d'efficacité. Ces personnes sont persuasives, énergiques, optimistes, audacieuses, sûres d'elles-mêmes, ambitieuses, déterminées, diplomates, débrouillardes et sociables.

C **Le type conventionnel.** Les personnes de ce type ont une préférence marquée pour les activités précises, méthodiques et dont le résultat est prévisible. Elles se préoccupent de l'ordre et de la bonne organisation matérielle de leur environnement. Elles préfèrent se conformer à des conventions bien établies et à des consignes claires plutôt que d'agir dans l'improvisation. Elles aiment calculer, classer, tenir à jour des registres ou des dossiers. Elles sont efficaces dans tout travail qui exige de l'exactitude et elles sont à l'aise dans les tâches routinières. Ces personnes sont loyales, organisées, efficaces, respectueuses de l'autorité, perfectionnistes, raisonnables, consciencieuses, ponctuelles, discrètes et parfois sévères.

Z **Le type écologiste.** Les personnes de ce type sont intéressées à défendre des causes humanitaires et à contribuer à l'évolution de la société. Elles croient à la justice et aux droits humains et elles sont prêtes à porter le flambeau pour défendre les causes qui leur tiennent à cœur. Elles ont un intérêt marqué pour le respect de l'environnement et apprécient les valeurs de l'éducation. Elles sont convaincantes, imaginatives, intuitives et elles ont des aptitudes pour la communication. Elles sont engagées, revendicatrices, rêveuses, idéalistes et combatives. Elles sont prolifiques sur le plan des idées.

Les sept types professionnels (RIASECZ) en relation avec les familles de Cursus — Domaines et familles	R Réaliste	I Investigateur	A Artistique	S Social	E Entreprenant	C Conventionnel	Z Écologiste
le Vivant							
1.1 La santé humaine	•	•		•			
1.2 La vie végétale et animale	•	•					•
la Matière							
2.1 La matière analysée	•	•			•		
2.2 Les biens et les matériaux	•	•				•	
2.3 L'habitat	•	•				•	
2.4 Le transport	•	•					
l'Humain							
3.1 La société humaine		•		•			•
3.2 La relation d'aide		•		•	•		
3.3 L'éducation et les loisirs				•	•		•
3.4 La loi				•	•	•	
la Gestion							
4.1 Les ressources humaines				•	•	•	
4.2 Les biens et les services	•				•	•	
4.3 Le soutien administratif				•	•	•	
4.4 L'informatique	•	•				•	
la Culture							
5.1 Les arts d'expression			•	•			•
5.2 Les arts appliqués	•		•	•			
5.3 La littérature			•	•			•
5.4 Les langues			•	•			
5.5 La mode	•		•		•		
5.6 Les arts d'impression	•		•	•			
5.7 Les métiers d'art	•		•			•	
5.8 La communication			•		•		•

Matières scolaires en relation avec les familles de CURSUS

Les matières scolaires (ordre d'enseignement secondaire) classées dans les différentes familles de Cursus sont celles dont les objectifs d'apprentissage* sont en relation directe avec les exigences professionnelles (formation, tâches et responsabilités) des familles concernées.

Matières scolaires	Régime actuel (2004) : ■	Nouveau régime : ▲	Éducation aux adultes : ●	le Vivant — La santé humaine (1.1)	le Vivant — La vie végétale et animale (1.2)	la Matière — La matière analysée (2.1)	la Matière — Les biens et les matériaux (2.2)	la Matière — L'habitat (2.3)	la Matière — Le transport (2.4)
Mathématique, science et technologie									
Biologie	■		●	✔	✔	✔			
Chimie	■		●	✔	✔	✔	✔		
Écologie	■				✔	✔			
Éducation technologique	■						✔	✔	
Informatique	■		●	✔	✔	✔	✔	✔	
Initiation à la technologie	■					✔	✔	✔	
Mathématique	■	▲	●			✔	✔	✔	✔
Physique	■		●	✔	✔	✔	✔	✔	✔
Science et technologie		▲		✔	✔	✔	✔	✔	✔
Sciences physiques	■		●	✔	✔	✔	✔	✔	✔
Techniques et méthodes en sciences de la nature	■			✔	✔	✔	✔	✔	✔
Univers social									
Démocratie et culture au Québec			●						
Éducation économique/Vie économique	■		●						
Géographie	■	▲	●						
Histoire et éducation à la citoyenneté		▲							
Histoire	■		●						
Industrialisation et urbanisation au Québec			●						
Langues									
Anglais	■	▲	●			✔	✔	✔	✔
Espagnol et autres langues	■	▲	●						✔
Français	■	▲	●						
Arts									
Art dramatique	■	▲							
Arts plastiques	■	▲	●						
Danse	■	▲							
Musique	■	▲							
Développement personnel									
Éducation au choix de carrière	■								
Éducation physique et à la santé		▲		✔					
Éducation physique	■		●	✔					
Enseignement moral, enseignement moral et religieux	■	▲							
Développement personnel et social			●	✔					
Formation personnelle et sociale	■			✔					

* La liste des objectifs d'apprentissage correspondant aux matières peut être consultée aux pages 120 à 126 du livre suivant : PELLETIER, Denis (2004). *L'approche orientante : la clé de la réussite scolaire et professionnelle*, Sainte-Foy, Septembre éditeur, 302 pages.

	l'Humain				la Gestion				la Culture							
	La société humaine	La relation d'aide	L'éducation et les loisirs	La loi	Les ressources humaines	Les biens et les services	Le soutien administratif	L'informatique	Les arts d'expression	Les arts appliqués	La littérature	Les langues	La mode	Les arts d'impression	Les métiers d'art	La communication
	3.1	3.2	3.3	3.4	4.1	4.2	4.3	4.4	5.1	5.2	5.3	5.4	5.5	5.6	5.7	5.8
			✔													
			✔													
			✔													
			✔					✔						✔		
					✔	✔	✔	✔								✔
	✔		✔		✔	✔	✔	✔						✔		
			✔													
			✔					✔		✔				✔		✔
			✔					✔						✔		
	✔	✔	✔	✔					✔	✔	✔	✔	✔	✔	✔	✔
	✔	✔	✔	✔	✔	✔	✔	✔								
	✔	✔	✔	✔		✔										
	✔	✔	✔	✔	✔	✔										
	✔	✔	✔	✔	✔	✔										
	✔	✔	✔	✔	✔	✔										
	✔		✔	✔	✔	✔	✔	✔	✔		✔	✔	✔	✔		✔
	✔		✔			✔					✔	✔				✔
	✔	✔	✔	✔	✔	✔	✔	✔	✔		✔	✔		✔		✔
			✔						✔		✔	✔				✔
			✔						✔	✔				✔	✔	✔
			✔						✔							
			✔						✔							✔
	✔	✔	✔													
		✔	✔						✔							
			✔						✔							
	✔	✔	✔													
	✔	✔	✔	✔	✔											
	✔	✔	✔	✔	✔											

Fonctions de travail en relation avec les familles de CURSUS

Les 36 fonctions de travail qui suivent désignent des catégories de tâches accomplies par les travailleurs de chacune des familles concernées. Les définitions de ces fonctions de travail figurent dans les sections correspondant à chacune des familles.

Fonctions de travail	le Vivant		la Matière			
	La santé humaine	La vie végétale et animale	La matière analysée	Les biens et les matériaux	L'habitat	Le transport
	1.1	1.2	2.1	2.2	2.3	2.4
Accompagnement						
Administration	✔					✔
Aménagement/Design				✔	✔	
Analyse culturelle						
Animation de groupe						
Classification			✔			✔
Communication						
Comptabilité/Finance				✔	✔	
Conseil		✔	✔	✔	✔	
Consultation	✔					
Coopération	✔					
Coordination	✔			✔	✔	✔
Création						
Création/Fabrication					✔	
Éducation/Enseignement						
Enquête						
Exploitation/Extraction		✔		✔		
Exploitation/Gestion		✔				
Fabrication industrielle				✔	✔	
Gestion des affaires				✔	✔	
Information			✔			
Manipulation	✔	✔	✔	✔	✔	✔
Organisation				✔	✔	✔
Prévention	✔					
Production horticole		✔				
Protection		✔				
Réalisations scientifiques	✔	✔	✔	✔	✔	✔
Recherche	✔	✔	✔	✔	✔	✔
Relation d'aide	✔					
Résolution de problèmes						
Soins des animaux		✔				
Traitement	✔					
Transformation		✔			✔	
Travail physique				✔		
Vente/Marketing						
Vérification/Contrôle	✔	✔	✔	✔	✔	✔

	l'Humain				la Gestion				la Culture							
	La société humaine	La relation d'aide	L'éducation et les loisirs	La loi	Les ressources humaines	Les biens et les services	Le soutien administratif	L'informatique	Les arts d'expression	Les arts appliqués	La littérature	Les langues	La mode	Les arts d'impression	Les métiers d'art	La communication
	3.1	3.2	3.3	3.4	4.1	4.2	4.3	4.4	5.1	5.2	5.3	5.4	5.5	5.6	5.7	5.8
		✓	✓	✓												
	✓		✓	✓	✓	✓		✓								
										✓			✓	✓	✓	✓
			✓						✓		✓		✓			✓
		✓	✓													
				✓		✓	✓							✓	✓	
		✓	✓	✓		✓			✓		✓	✓				✓
					✓	✓	✓	✓								
	✓	✓			✓	✓		✓								✓
		✓		✓	✓											
	✓	✓	✓	✓	✓	✓			✓	✓		✓	✓			✓
			✓		✓		✓									
									✓	✓	✓		✓	✓	✓	✓
									✓	✓			✓	✓	✓	✓
	✓		✓									✓	✓			
	✓			✓	✓											✓
	✓															
										✓			✓	✓	✓	
						✓				✓			✓	✓		✓
		✓	✓	✓	✓	✓						✓	✓			✓
							✓	✓	✓	✓			✓	✓	✓	✓
						✓	✓									
		✓														
	✓	✓	✓	✓	✓	✓	✓	✓	✓	✓	✓	✓	✓	✓	✓	✓
		✓														
			✓		✓	✓	✓	✓								
		✓														
			✓	✓					✓							
						✓		✓		✓		✓	✓			✓
							✓									

Autoévaluation

1 DOMAINE
le **V**ivant

- Notez, en vous servant de l'échelle proposée, dans quelle mesure chacune des affirmations suivantes correspond à votre expérience personnelle (activités, champs d'intérêt, comportements).

- Calculez ensuite le total de vos points et prenez connaissance, à la page suivante, de l'interprétation qui peut en être faite.

1	Pas du tout
2	Un peu
3	Moyennement
4	Beaucoup
5	Énormément

POINTS

■ J'aime les cours en rapport avec la biologie et avec la chimie.

■ J'aime regarder des émissions télévisées ou lire des ouvrages consacrés à la santé des êtres vivants (hommes, animaux ou plantes) : émissions d'actualité ou d'information, biographies, témoignages, etc.

■ Je me préoccupe de la qualité de la vie des gens et de celle de leur environnement, et j'aime discuter avec d'autres personnes de l'équilibre entre l'homme et la nature.

■ Je me pose des questions sur l'évolution physique et psychologique de l'homme, sur les maladies et les moyens de les guérir et sur les façons d'améliorer la santé humaine OU sur la santé et le bien-être des animaux et sur les façons d'améliorer la santé animale.

■ J'essaie de comprendre les phénomènes naturels relatifs au monde du vivant.

■ J'aime visiter des hôpitaux, des centres de santé, des expositions sur la santé humaine OU des fermes, des entreprises agricoles ou forestières, des centres d'interprétation, des serres de production OU simplement me promener dans la nature.

■ J'aime observer tout ce qui est doté de vie, depuis sa forme la plus primitive (la cellule) jusqu'à sa forme la plus évoluée (l'homme).

■ Je m'intéresse aux activités de secourisme OU au soin des animaux (s'occuper d'un animal de compagnie) OU au soin des plantes.

■ J'ai l'habitude d'agir avec méthode et sang-froid quand je dois venir en aide à quelqu'un ou quand j'ai un problème urgent à régler.

■ Je suis à l'aise quand il s'agit de travailler en équipe et je peux faire preuve d'initiative et de débrouillardise.

■ J'aime manipuler des instruments et avoir recours aux nouvelles technologies pour travailler ou pour m'amuser.

■ Je suis capable d'assumer plusieurs responsabilités à la fois quand les circonstances m'y obligent.

■ J'aime découvrir par moi-même, manipuler, tâter, bricoler.

■ J'établis facilement des contacts physiques avec les êtres vivants qui m'entourent.

■ Je participe à des comités ou à des groupes qui organisent des activités de prévention en santé humaine (ex. : prévention de la toxicomanie, santé et sécurité au travail) OU je participe à des activités en rapport avec le monde animal (ex. : clinique de santé pour animaux de compagnie, présentation d'animaux à des concours, protection des oiseaux migrateurs).

■ J'aime discuter avec des personnes dont le travail est en rapport avec la santé humaine OU avec la vie végétale ou animale.

■ J'aime les jeux de société associés à la santé humaine OU à la vie végétale ou animale, et j'aime répondre aux questionnaires servant à tester mes connaissances sur ces différents sujets.

■ Je m'intéresse aux problèmes de pollution et à leurs effets sur les êtres vivants.

■ Je préfère les activités qui me permettent d'être actif ou active physiquement et d'acquérir une bonne résistance physique.

■ J'aime rendre service aux gens, quel que soit leur besoin.

TOTAL DES POINTS ⟶

Interprétation des résultats

De 68 à 100 : Votre profil révèle une ressemblance marquée avec celui des travailleurs œuvrant dans ce domaine.

De 34 à 67 : Votre profil ne révèle qu'une ressemblance moyenne avec celui des travailleurs œuvrant dans ce domaine.

33 et moins : Votre profil ne révèle pas de ressemblance significative avec celui des travailleurs œuvrant dans ce domaine.

Autoévaluation

DOMAINE
la **Matière**

1	Pas du tout
2	Un peu
3	Moyennement
4	Beaucoup
5	Énormément
POINTS	

- Notez, en vous servant de l'échelle proposée, dans quelle mesure chacune des affirmations suivantes correspond à votre expérience personnelle (activités, champs d'intérêt, comportements).

- Calculez ensuite le total de vos points et prenez connaissance, à la page suivante, de l'interprétation qui peut en être faite.

■ J'aime les cours qui permettent de connaître la matière et de comprendre comment l'homme la transforme et l'utilise (mathématique, biologie, chimie, physique, sciences physiques, éducation à la technologie).

■ J'aime regarder des émissions télévisées ou lire des ouvrages consacrés aux découvertes scientifiques, aux développements technologiques, à la fabrication ou à la transformation de divers matériaux.

■ J'aime particulièrement les cours dont le contenu fait appel au raisonnement et à la logique.

■ J'aime les activités à caractère scientifique ou technique comme l'électrotechnique, la mécanique et la construction.

■ Je suis la personne qui, dans son groupe d'amis, joue le rôle du bricoleur, du réparateur ou du mécanicien en herbe.

■ J'aime recevoir des outils en cadeau.

■ J'aime passer du temps dans l'atelier ou le garage : c'est mon coin préféré dans la maison.

■ Je bricole et j'entretiens ou répare divers objets chaque fois que mon emploi du temps me le permet.

■ Je rêve d'être à la console ou au tableau de bord de divers appareils de contrôle.

■ J'aime faire des casse-tête, jouer aux échecs, construire des modèles réduits.

■ J'aime démonter des objets pour en comprendre le mécanisme et le fonctionnement.

■ Je souhaite visiter des entreprises qui transforment des matières comme le bois, les métaux et les minéraux, OU des entreprises qui produisent du matériel électronique.

■ Je rêve d'être aux commandes de gros véhicules, d'avions, de camions ou d'engins mécaniques de toutes sortes.

■ Je m'intéresse aux nouveaux matériaux.

■ J'aime parler avec des personnes qui travaillent dans les secteurs de la construction, de la mécanique, du bois, de l'électronique, des mines, et j'aime les regarder travailler.

■ J'aime travailler avec mes mains, utiliser des outils.

■ J'aime aider parents et amis à construire ou à rénover : cabanons, chalets, maisons, patios, etc.

■ Je ne vois pas le temps passer lorsque je fais des expériences de laboratoire.

■ J'ai de l'intérêt pour tout ce qui est mécanique, électrique ou électronique.

■ Je trouve intéressantes, parfois fascinantes, les constructions comme les ponts, les routes, les maisons, les gratte-ciel et les barrages.

TOTAL DES POINTS ⟶

Interprétation des résultats

De 68 à 100 : Votre profil révèle une ressemblance marquée avec celui des travailleurs œuvrant dans ce domaine.

De 34 à 67 : Votre profil ne révèle qu'une ressemblance moyenne avec celui des travailleurs œuvrant dans ce domaine.

33 et moins : Votre profil ne révèle pas de ressemblance significative avec celui des travailleurs œuvrant dans ce domaine.

Autoévaluation

3 DOMAINE
l'Humain

1	Pas du tout
2	Un peu
3	Moyennement
4	Beaucoup
5	Énormément

POINTS

• Notez, en vous servant de l'échelle proposée, dans quelle mesure chacune des affirmations suivantes correspond à votre expérience personnelle (activités, champs d'intérêt, comportements).

• Calculez ensuite le total de vos points et prenez connaissance, à la page suivante, de l'interprétation qui peut en être faite.

■ J'aime les cours de sciences humaines car ils permettent de réfléchir sur soi-même, sur les valeurs et sur le comportement de l'homme en société (ex. : éducation au choix de carrière, enseignement moral et religieux, histoire, géographie, éducation économique, sociologie, psychologie, anthropologie, sciences politiques, philosophie).

■ J'aime regarder des émissions télévisées, lire des ouvrages et faire des recherches dans l'Internet sur des sujets sociaux, politiques ou culturels (émissions d'actualité ou d'information, entrevues, témoignages, séries télévisées, biographies, etc.).

■ J'aime suivre des cours de français ou tout autre cours pour lequel il faut faire des analyses de textes ou des résumés.

■ Je suis une personne active sur les plans social, culturel ou sportif.

■ J'aime vivre des expériences qui mettent ma débrouillardise à l'épreuve et me poussent à relever des défis et à garder mon sang-froid dans diverses situations.

■ Je suis toujours disponible pour rendre service quand on me le demande.

■ Je fais partie de groupes d'entraide ou de mouvements qui s'intéressent aux problèmes sociaux et à la prévention de la criminalité (Jeunes du monde, pairs aidants, maisons de jeunes, aide aux handicapés, prévention des toxicomanies, etc.).

■ J'aime aider les personnes handicapées ou celles qui font face à des problèmes personnels ou à des problèmes d'intégration dans leur communauté.

- J'aime les activités (loisirs, bénévolat, travail à temps partiel) qui me donnent l'occasion d'être en relation avec le public.

- Je suis disponible pour aider les personnes qui sont en situation d'apprentissage ou qui éprouvent des difficultés à comprendre certaines choses.

- J'aime les situations qui me permettent d'exprimer mon opinion (médias, groupes de discussion) et de mettre mon sens critique à l'épreuve.

- Je me sens capable d'entrer en relation et de communiquer avec des personnes de tout âge.

- J'ai la réputation d'être une personne responsable, d'être capable de trouver des idées quand il le faut et d'organiser des activités.

- Je n'hésite pas à intervenir ou à m'impliquer pour faire respecter les droits des personnes qui m'entourent.

- J'aime voyager et nouer des contacts avec les gens que je rencontre.

- Je m'exprime clairement et facilement.

- Je suis une personne joviale.

- Je suis quelqu'un de chaleureux et qui a une vie relativement stable sur les plans émotif et affectif.

- Je suis en bonne santé physique et psychologique.

- Je me considère comme une personne juste et honnête.

TOTAL DES POINTS ⟶

Interprétation des résultats

De 68 à 100 : Votre profil révèle une ressemblance marquée avec celui des travailleurs œuvrant dans ce domaine.

De 34 à 67 : Votre profil ne révèle qu'une ressemblance moyenne avec celui des travailleurs œuvrant dans ce domaine.

33 et moins : Votre profil ne révèle pas de ressemblance significative avec celui des travailleurs œuvrant dans ce domaine.

Autoévaluation

4 DOMAINE
la Gestion

1	Pas du tout
2	Un peu
3	Moyennement
4	Beaucoup
5	Énormément

POINTS

- **Notez, en vous servant de l'échelle proposée, dans quelle mesure chacune des affirmations suivantes correspond à votre expérience personnelle** (activités, champs d'intérêt, comportements).

- **Calculez ensuite le total de vos points et prenez connaissance, à la page suivante, de l'interprétation qui peut en être faite.**

■ J'aime les émissions télévisées ou les sites Internet consacrés aux grandes entreprises, au monde des affaires ou à la gestion de mes affaires personnelles.

■ J'aime relever le défi de convaincre le plus de monde possible quand il faut faire de la sollicitation.

■ Je gère mon budget personnel et, la plupart du temps, je sais très bien où j'en suis dans mes finances.

■ Je suis souvent le leader quand il faut organiser une activité ou réagir à un événement.

■ Je conserve et je classe soigneusement mes factures et mes documents, de manière à pouvoir les retrouver facilement au besoin.

■ J'aime utiliser les systèmes et les services informatisés comme les guichets automatiques, les services de réservation et d'inscription.

■ J'aime faire des travaux et des recherches à l'aide de l'ordinateur.

■ Je m'intéresse aux voyages et j'aime savoir ce qui se passe ailleurs.

■ Je souhaite faire un travail qui comprend des relations avec le public (hôtel, restaurant, commerce, etc.).

■ J'ai l'habitude de vérifier si mes actions et mes décisions sont appropriées aux circonstances.

- J'ai le souci de respecter mes engagements.

- J'accorde un grand respect aux autres et j'aime connaître leur psychologie personnelle afin d'être en mesure de traiter avec eux.

- J'aime travailler avec des chiffres.

- Je rêve de posséder un jour mon propre commerce ou ma propre entreprise.

- J'inspire confiance aux gens qui m'entourent.

- J'aimerais travailler dans le monde des affaires.

- Je partage facilement mes opinions avec une équipe de travail.

- J'aimerais faire partie d'un groupe de jeunes entrepreneurs.

- Je suis une personne ambitieuse et prête à faire les efforts nécessaires pour atteindre mes objectifs.

- Je me propose d'apprendre l'anglais et d'autres langues.

TOTAL DES POINTS ⟶

Interprétation des résultats

De 68 à 100 : Votre profil révèle une ressemblance marquée avec celui des travailleurs œuvrant dans ce domaine.

De 34 à 67 : Votre profil ne révèle qu'une ressemblance moyenne avec celui des travailleurs œuvrant dans ce domaine.

33 et moins : Votre profil ne révèle pas de ressemblance significative avec celui des travailleurs œuvrant dans ce domaine.

Autoévaluation

5 DOMAINE
la **Culture**

1	Pas du tout
2	Un peu
3	Moyennement
4	Beaucoup
5	Énormément

POINTS

• Notez, en vous servant de l'échelle proposée, dans quelle mesure chacune des affirmations suivantes correspond à votre expérience personnelle (activités, champs d'intérêt, comportements).

• Calculez ensuite le total de vos points et prenez connaissance, à la page suivante, de l'interprétation qui peut en être faite.

■ J'aime suivre des cours d'expression artistique et culturelle : théâtre, danse, musique, arts plastiques, langues, histoire.

■ J'aime regarder des émissions télévisées, lire des ouvrages ou consulter des sites Internet qui traitent de sujets culturels (arts visuels, cinéma, théâtre, expositions, mode, etc.).

■ J'aime me produire sur une scène en faisant du théâtre ou de la musique, en chantant ou en dansant.

■ J'aime assister à des spectacles et aller au cinéma.

■ J'aime m'entourer de belles choses et décorer mon environnement.

■ J'aime travailler sur des projets concrets mettant en valeur ma créativité, mon imagination et ma dextérité manuelle.

■ J'aime visiter des galeries d'art, des expositions de photographies, de peintures ou de sculptures, ou assister à des défilés de mode.

■ J'aime faire partie de comités mis sur pied pour promouvoir ou organiser des activités socio-culturelles dans mon milieu.

■ Je m'intéresse au dessin et j'utilise des logiciels de traitement de l'image.

■ J'ai collaboré ou je collabore au montage d'albums ou de journaux et je m'occupe de la publicité dans le cadre des comités dont je fais partie.

■ Je multiplie les occasions de perfectionner ma connaissance d'autres langues ou d'en apprendre une nouvelle : télévision, voyages, échanges culturels, cours d'été, correspondance, navigation dans l'Internet.

■ J'aime exprimer mes idées par écrit sous différentes formes : poésie, roman, essai, discours, etc.

■ J'aime collaborer au montage d'émissions de radio ou de télévision, de courts métrages ou de vidéoclips.

■ J'aime le changement et la diversité.

■ Je suis capable de m'adapter à des horaires de travail variables et je ne compte pas mon temps quand un projet me passionne.

■ J'aime le travail d'équipe.

■ J'ai souvent eu l'occasion de mettre en valeur mes capacités d'entrepreneurship et mon sens de l'organisation.

■ Je suis une personne qui accepte la critique.

■ Je sais faire preuve de persévérance et on me reconnaît de l'ambition.

■ Je suis ouvert aux autres cultures et je m'intéresse à leurs coutumes et traditions.

TOTAL DES POINTS ⟶

Interprétation des résultats

De 68 à 100 : Votre profil révèle une ressemblance marquée avec celui des travailleurs œuvrant dans ce domaine.

De 34 à 67 : Votre profil ne révèle qu'une ressemblance moyenne avec celui des travailleurs œuvrant dans ce domaine.

33 et moins : Votre profil ne révèle pas de ressemblance significative avec celui des travailleurs œuvrant dans ce domaine.

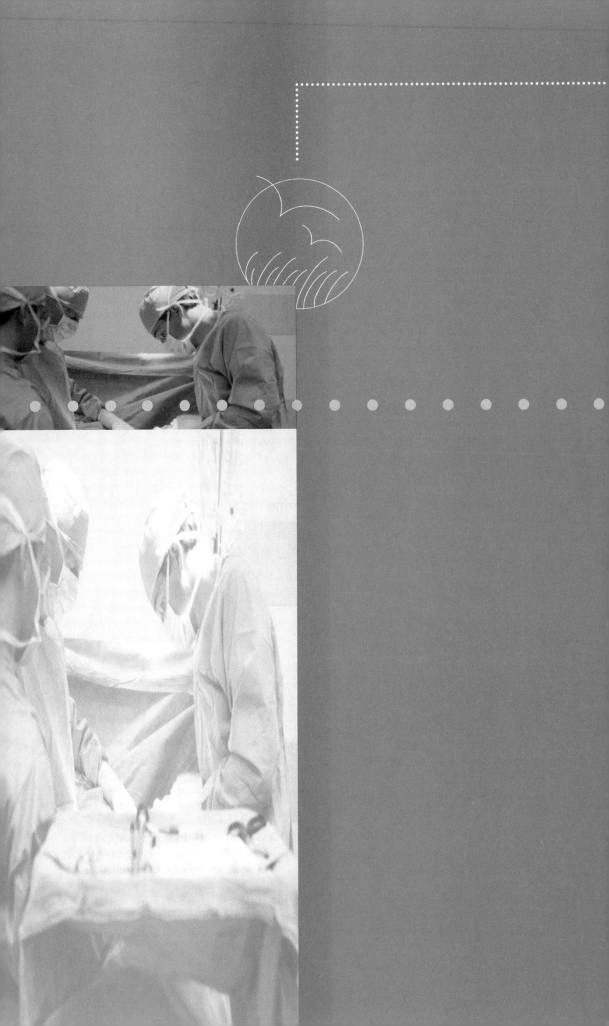

DOMAINE
le Vivant

■ L'être humain, qui fait partie du grand processus de la vie, est en relation avec tout ce qui vit sur la terre. Afin d'assurer la continuité du monde qui l'entoure, de préserver, de corriger ou d'améliorer l'état de santé de la planète et des êtres vivants qui l'habitent, l'homme doit pousser toujours plus loin sa connaissance des processus biologiques qui régissent la vie végétale et animale.

Les personnes intéressées par le domaine du Vivant suivront des cours portant sur les mécanismes de base de la vie, tels ceux de biologie, d'anatomie et de physiologie. Selon le niveau de formation visé (secondaire, collégial ou universitaire), des cours pratiques et théoriques s'ajouteront aux cours de base, afin de permettre à ces personnes d'acquérir des compétences spécifiques et d'intervenir avec des instruments de travail variés tout en suivant des protocoles rigoureux.

Le domaine du Vivant regroupe deux grandes familles de programmes : **La santé humaine** et **La vie végétale et animale**.

1

DOMAINE
le Vivant

FAMILLES

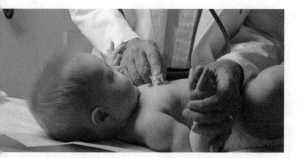

1.1 La santé humaine

Photo de famille ←

La famille La santé humaine regroupe des activités relatives au dépistage, à la prévention, au diagnostic et au traitement des maladies qui affectent le bien-être et la santé des êtres humains au cours de leur existence. La recherche, l'administration de soins médicaux et paramédicaux ainsi que l'acquisition des habiletés techniques nécessaires à la manipulation d'appareils spécialisés de toutes sortes font partie des activités propres à cette famille.

J'ai toujours été attirée par le domaine de la santé. Je voulais offrir un service plutôt qu'un produit. Ce que je préfère, personnellement, c'est d'être en relation avec les personnes et de réussir à répondre aux besoins particuliers de chacune.

Danielle
Techniques d'orthèses visuelles

Les personnes intéressées par cette famille de programmes d'études et de carrières présentent un certain nombre de caractéristiques communes et relèvent des défis professionnels semblables.

- Elles manifestent de l'intérêt et des aptitudes pour les activités qui visent le bien-être des personnes, particulièrement leur santé.
- Elles s'occupent de l'amélioration de la santé ainsi que de la prévention, du diagnostic et du traitement de la maladie chez les êtres humains.
- Elles accomplissent un travail à caractère scientifique qui exige de la méthode et de la minutie.
- Elles sont souvent appelées à interagir avec des personnes qui ont besoin de réconfort, de relations chaleureuses et de soutien physique ou psychologique.
- Elles doivent travailler en équipe et coordonner leurs activités avec d'autres professionnels de la santé.
- Elles travaillent habituellement dans des hôpitaux, des cliniques ou des centres de santé privés ou publics, des centres d'accueil, des centres locaux de services communautaires (CLSC) ou des départements de santé communautaire (DSC).

Programmes d'études par ordres d'enseignement et secteurs de formation

Les programmes énumérés ci-dessous permettent d'exercer une profession ou un métier en relation avec la famille **La santé humaine**.

SECONDAIRE	COLLÉGIAL	UNIVERSITAIRE
Attestation de formation professionnelle (AFP)	**Diplôme d'études collégiales (DEC)**	**Diplôme de baccalauréat (Bac)**
Santé • Commis au matériel médical **Diplôme d'études professionnelles (DEP)** **Santé** • Assistance aux bénéficiaires en établissement de santé • Assistance dentaire • Assistance familiale et sociale aux personnes à domicile • Assistance technique en pharmacie • Santé, assistance et soins infirmiers	**Techniques biologiques** • Acupuncture traditionnelle • Audioprothèse • Soins infirmiers • Soins infirmiers : recyclage des infirmières auxiliaires • Techniques d'électro-physiologie médicale • Techniques d'hygiène dentaire • Techniques d'inhalothérapie • Techniques d'orthèses et de prothèses orthopédiques • Techniques d'orthèses visuelles • Techniques de denturologie • Techniques de diététique • Techniques de radio-oncologie • Techniques de réadaptation physique • Techniques de thanatologie • Techniques dentaires • Technologie d'analyses biomédicales • Technologie de médecine nucléaire • Technologie de radiodiagnostic	**Sciences de la santé** • Biologie médicale • Chiropratique* • Diététique • Éducation physique et santé • Ergothérapie • Intervention en activité physique • Kinésiologie • Médecine* • Médecine dentaire* • Nutrition • Optométrie* • Orthophonie et audiologie • Pharmacie • Pharmacologie • Physiologie • Physiothérapie • Podiatrie • Pratique sage-femme • Sciences de l'anatomie • Sciences infirmières * Doctorat de 1er cycle.

Programmes apparentés

La liste des programmes apparentés est fournie à titre indicatif. Compte tenu de leurs objectifs principaux, ces programmes ont été classés dans d'autres familles, mais ils partagent néanmoins certains de leurs objectifs avec les programmes énumérés ci-dessus. Vous trouverez des renseignements sur ces programmes aux pages indiquées.

SECONDAIRE	COLLÉGIAL	UNIVERSITAIRE
Aucun programme	*Diplôme d'études collégiales (DEC)* • *Assainissement de l'eau, page 66* • *Environnement, hygiène et sécurité au travail, page 66* • *Techniques d'inventaire et de recherche en biologie, page 50* • *Techniques de laboratoire, page 66*	*Diplôme de baccalauréat (Bac)* • *Biochimie, page 66* • *Biologie, pages 50 et 66* • *Microbiologie, pages 50 et 66*

Matières scolaires en relation avec la famille La santé humaine
(ordre d'enseignement secondaire)

- ■ Régime actuel
- ▲ Nouveau régime
- ● Éducation des adultes

Matière	Régime actuel / Nouveau régime	Éducation des adultes
Biologie	■	●
Chimie	■	●
Développement personnel et social		●
Éducation physique	■	●
Éducation physique et à la santé	▲	
Formation personnelle et sociale	■	
Informatique	■	●
Physique	■	●
Science et technologie	▲	
Sciences physiques	■	●
Techniques et méthodes en sciences de la nature	■	

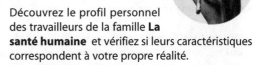

Autoportrait

Découvrez le profil personnel des travailleurs de la famille **La santé humaine** et vérifiez si leurs caractéristiques correspondent à votre propre réalité.

PROFIL PERSONNEL COMMUN

Les travailleurs de la famille **La santé humaine** présentent des traits de personnalité, des goûts, des talents et des valeurs semblables.

Ils sont...
- à l'écoute des autres;
- avenants, délicats et attentionnés;
- bien équilibrés mentalement;
- patients et responsables.

Ils aiment...
- acquérir des connaissances et un savoir-faire en rapport avec la biologie;
- apprendre et évoluer constamment;
- comprendre des phénomènes et les contrôler;
- exécuter un travail scientifique ou technique;
- rencontrer les gens pour les aider;
- travailler en équipe;
- utiliser des techniques de travail qui demandent de la rigueur.

Ils ont...
- de bonnes habiletés manuelles;
- de la facilité à établir un contact physique avec les autres;
- de la facilité à s'exprimer et à communiquer avec les autres;
- de la méthode et le souci du travail bien fait;
- la capacité de comprendre, selon le métier exercé, des données complexes liées à des problèmes d'ordre scientifique ou technologique;
- le sens de l'observation et de l'organisation;
- un bon esprit critique;
- une grande capacité de concentration.

Ils privilégient...
- l'acquisition de nouvelles connaissances;
- l'entraide;
- l'esprit d'équipe;
- la chaleur humaine;
- la discipline personnelle;
- la recherche du mieux-être des gens;
- le don de soi;
- le respect de la vie.

Typologie de Holland – R I A S E C Z
Social • Investigateur • Réaliste

L'ANALYSE DE VOS EXPÉRIENCES

Les indices d'orientation qui suivent vous permettront de vérifier, à partir de vos diverses expériences, dans quelle mesure les caractéristiques des travailleurs de la famille **La santé humaine** correspondent aux vôtres.

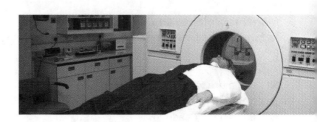

• Lisez attentivement les deux séries d'indices qui suivent et faites un crochet (√) vis-à-vis des énoncés qui s'appliquent ou pourraient s'appliquer à vous*.

• Comptez ensuite le nombre d'énoncés retenus et calculez le pourcentage.

• Le résultat obtenu vous donne des indications sur l'étendue de votre intérêt et de votre capacité à entreprendre un projet d'études relevant de la famille La santé humaine.

* Voir la remarque « Important », au n° 7 de la page 19.

Indices d'orientation tirés de mon expérience personnelle

1. ☐ J'aime regarder des émissions télévisées et lire des ouvrages portant sur la santé (émissions d'actualité ou d'information, séries, biographies).
2. ☐ Je me préoccupe de la qualité de vie des gens.
3. ☐ J'aime me retrouver en compagnie d'autres personnes dans mes temps libres.
4. ☐ J'aime rendre service.
5. ☐ Je ne calcule pas mon temps quand je fais quelque chose qui m'intéresse.
6. ☐ Je me questionne sur l'évolution physique et psychologique des êtres humains, sur leurs maladies et sur les moyens d'améliorer leur santé.
7. ☐ Je m'intéresse aux nouvelles technologies et à leurs applications.
8. ☐ Je suis sensible aux difficultés que vivent les personnes de mon entourage.
9. ☐ J'aime les jeux de société ou de simulation qui se rapportent à la santé des gens.
10. ☐ J'aime converser avec des personnes qui travaillent dans le milieu de la santé ou qui s'intéressent à ce milieu.
11. ☐ J'aime m'occuper de ma santé et faire des choix éclairés.
12. ☐ J'agis avec méthode et patience quand j'ai des problèmes à résoudre.
13. ☐ J'aime vivre dans un environnement propre et bien structuré.
14. ☐ Je fréquente un centre sportif ou un centre de santé.

Indices d'orientation tirés de mon expérience scolaire et occupationnelle

15. ☐ J'aime les cours de biologie.
16. ☐ Je possède un bon sens de l'organisation et je fais preuve d'un bon esprit d'équipe quand je participe à des activités de groupe.
17. ☐ J'aime visiter des hôpitaux, des centres de santé ou des expositions sur la santé humaine.
18. ☐ J'ai suivi un cours de secourisme ou participé à des activités de cette nature (Ambulance Saint-Jean, Cadets, Forces armées, Réserve).
19. ☐ Je collabore, dans mon milieu, à l'organisation d'activités visant à sensibiliser les gens à l'importance de la santé physique et mentale.
20. ☐ J'exerce un travail à temps partiel ou à temps plein dans un milieu en rapport avec la santé.
21. ☐ Je travaille comme bénévole pour des fondations ou des associations défendant des causes humanitaires.
22. ☐ J'aime faire du bénévolat dans un hôpital.
23. ☐ J'ai eu l'occasion de m'occuper d'un parent ou d'un ami malade.
24. ☐ Je fais partie d'un comité de prévention du suicide, des maladies transmissibles sexuellement (MTS) ou du sida.
25. ☐ J'organise des activités dans le cadre de semaines thématiques consacrées à la santé.
26. ☐ Je suis membre d'un club scientifique.
27. ☐ J'ai participé à des expos-sciences ou j'en ai organisées.

Résultat : _____ énoncés sur 27 = _____ %

Projet professionnel

VOS ATTENTES PAR RAPPORT À VOTRE FUTUR TRAVAIL

La série d'énoncés qui suit se rapporte aux exigences auxquelles doivent se soumettre les travailleurs de la famille **La santé humaine**. Seriez-vous prêt ou prête à accepter ces exigences pour vous-même?

- **Lisez attentivement chaque énoncé et faites un crochet (√) vis-à-vis de ceux qui correspondent à vos attentes par rapport à votre futur travail.**

Exigences liées à mon futur travail

☐ Accomplir des tâches exigeant de la minutie et le respect des règles établies.

☐ Entretenir un contact physique avec des personnes et devoir entrer dans leur intimité.

☐ M'adapter à un environnement de travail où interviennent des travailleurs de la santé qui possèdent des compétences différentes et qui doivent collaborer étroitement, parfois de façon intensive et urgente.

☐ Mettre ma résistance physique à l'épreuve.

☐ Prendre des décisions importantes pouvant être lourdes de conséquences.

☐ Soutenir moralement les gens et les encourager.

☐ Travailler au service de personnes éprouvant des problèmes de santé.

☐ Travailler le jour, le soir ou la nuit, ou à des heures irrégulières.

☐ Vivre des moments de forte tension, en particulier lorsque la vie des gens dépend de la rapidité et de l'efficacité de l'intervention.

VOS PRÉFÉRENCES PROFESSIONNELLES

La prochaine étape introduit une réflexion sur vos préférences professionnelles. Les énoncés proposés correspondent à des fonctions de travail propres à la famille **La santé humaine**.

- **Lisez attentivement les 11 fonctions de travail suivantes.**

- **Numérotez, selon vos préférences, les trois ou quatre fonctions les plus significatives pour vous, le chiffre 1 indiquant la fonction la plus intéressante à vos yeux.**

- **Reportez ensuite les chiffres correspondant à vos préférences dans l'espace «Mes préférences» du tableau de la page suivante.**

Fonctions de travail

☐ **Administration** : Assumer la direction de personnes, d'activités ou de projets.

☐ **Consultation** : Offrir des services personnalisés.

☐ **Coopération** : Travailler en équipe et interagir avec d'autres personnes.

☐ **Coordination** : Coordonner ou superviser une équipe de travail.

☐ **Manipulation** : Manipuler des appareils, des outils ou des instruments.

☐ **Prévention** : Participer à des activités de prévention et de dépistage en rapport avec la santé humaine.

☐ **Réalisations scientifiques** : Appliquer ses connaissances scientifiques à des réalisations concrètes (produits, objets, appareils, etc.).

☐ **Recherche** : S'interroger, explorer, expérimenter, afin d'innover et de faire progresser son domaine d'activités.

☐ **Relation d'aide** : Aider des personnes aux prises avec des problèmes d'ordre psychologique, affectif ou social.

☐ **Traitement** : Prodiguer des soins à des personnes éprouvant des problèmes de santé physique ou mentale.

☐ **Vérification/Contrôle** : S'impliquer dans des activités de mesure, de vérification, de contrôle ou d'inspection de produits ou de services.

PROGRAMMES D'ÉTUDES ET FONCTIONS DE TRAVAIL

Le tableau qui suit présente, dans l'ordre, les programmes offerts au secondaire, au collégial et au premier cycle universitaire.

• Recherchez, pour les fonctions de travail retenues, les programmes d'études signalés par les points et prenez note de ceux qui vous intéressent particulièrement.

Exemple : Si vous avez une préférence pour la fonction de travail « Prévention », vous noterez que le programme collégial *Techniques d'hygiène dentaire* (DEC) accorde une grande importance à cette fonction, alors qu'elle n'en a aucune pour le programme collégial *Techniques dentaires* (DEC).

Pour faciliter la consultation du tableau

Vous pourriez :
– surligner les colonnes verticales correspondant à vos fonctions de travail préférées;
– prendre connaissance des programmes signalés par des points dans les colonnes retenues et surligner ceux qui vous intéressent particulièrement.

Pour comprendre l'organisation de ce tableau, consultez le premier encadré, page 19.

MES PRÉFÉRENCES											
PROGRAMMES	**FONCTIONS DE TRAVAIL**										
• Faible importance •• Moyenne importance ••• Grande importance	ADMINISTRATION	CONSULTATION	COOPÉRATION	COORDINATION	MANIPULATION	PRÉVENTION	RÉALISATIONS SCIENTIFIQUES	RECHERCHE	RELATION D'AIDE	TRAITEMENT	VÉRIFICATION/ CONTRÔLE
Secondaire (AFP)											
▶ **Santé**											
1153 Commis au matériel médical		•			•••						•
Secondaire (DEP)											
▶ **Santé**											
5081 Assistance aux bénéficiaires en établissement de santé	•	•••	•••		••	•			•••	•••	•
5144 Assistance dentaire		••	••		•••	•	•		•	•	••
5045 Assistance familiale et sociale aux personnes à domicile		••	•		••	•			•••	••	•
5041 Assistance technique en pharmacie		••	••		••	•	•		••	•	••
5287 Santé, assistance et soins infirmiers	•	•••	•••		••	•			•••	•••	••
Collégial (DEC)											
▶ **Techniques biologiques**											
112.A0 Acupuncture traditionnelle	••	•••	••		•••	•••	••	•	•••	•••	••
160.B0 Audioprothèse		•••	••		•••	•	•	•	••	•••	•••
180.A0 Soins infirmiers	••	•••	•••	••	••	••	•	•	•••	•••	••
180.21 Soins infirmiers : recyclage des infirmières auxiliaires	••	•••	•••	••	••	••	•	•	•••	•••	•••
110.A0 Techniques dentaires		•			•••		•	•			•••
140.A0 Techniques d'électrophysiologie médicale		•••	••		•••	•••	••	•	•	•	•••
111.A0 Techniques d'hygiène dentaire	••	•••	••		••	•••	••		•••	••	••
141.A0 Techniques d'inhalothérapie	•	•••	••		•••	••	•		••	•••	••
144.B0 Techniques d'orthèses et de prothèses orthopédiques		•••	•		•••	•	•	•	••	••	•••
160.A0 Techniques d'orthèses visuelles	••	•••	••		•••	•	•		••	••	•••
110.B0 Techniques de denturologie	••	••	••		•••	•••	•		••	••	•••
120.01 Techniques de diététique	••	•••	••	•	••	•••	•		•••	•••	••
142.C0 Techniques de radio-oncologie	•	•••	••		•••	••	•	•	•••	•••	•••
144.A0 Techniques de réadaptation physique	•	•••	••		•••	•	•	•	•••	•••	••

PROGRAMMES	ADMINISTRATION	CONSULTATION	COOPÉRATION	COORDINATION	MANIPULATION	PRÉVENTION	RÉALISATIONS SCIENTIFIQUES	RECHERCHE	RELATION D'AIDE	TRAITEMENT	VÉRIFICATION/ CONTRÔLE
FONCTIONS DE TRAVAIL											
• Faible importance •• Moyenne importance ••• Grande importance											
171.A0 Techniques de thanatologie	••		••	•	•••		••	•			••
140.B0 Technologie d'analyses biomédicales	•		•		•••	•••	••	•			•••
142.B0 Technologie de médecine nucléaire	•	•••	••		•••	•••	•••	•	••	•••	•••
142.A0 Technologie de radiodiagnostic	•	•••	••		•••	•••	••	•	•		•••
Universitaire (Bac) [1]											
▸ **Sciences de la santé**											
15199* Biologie médicale	••		•		•••	•••	•••	•••		•	•••
15122* Chiropratique	••	•••	•••		•••	•••	•••	•••	•••	•••	
15115* Diététique	••	••	•••	••	•	•••	•••	•••	•••	••	
15380* Éducation physique et santé	••	•	•••	•	••	•••	•	•••		••	••
15120* Ergothérapie	••	•••	•••	••	•••	••	•••	•••	•••	•••	
15708* Intervention en activité physique	••	•	•••	•	••	•••		•••	••	••	••
15140* Kinésiologie	••	••	•••					••	••	•••	•
15106* Médecine	•••	•••	•••	•••	•••	•••	•••	•••	•••	•••	•••
15110* Médecine dentaire	•••	•••	•••	•••	•••	•••	•••	•••	•••	•••	•••
15115* Nutrition	••	••	•••	••	•	•••	•••	•••	•••		
15111* Optométrie	••	•••	•••	••	••	•••	•••	•••	•••	•••	•••
15123* Orthophonie et audiologie	••	•••	•••	••	••	•••	•••	•••	•••	•••	•••
15112* Pharmacie	••	•••	•••	•••	•	•••	•••	•••	•••	•••	•••
15112* Pharmacologie	••		•		••	••	•••	•••		•	•••
15102* Physiologie	••		•		••	••	•••	•••		•	•••
15121* Physiothérapie	••	•••	•••	••	••	•••	•••	•••	•••	•••	•••
15150* Podiatrie	••	•••	•	•	•••	•••	•••	•	•••	•••	•••
15105* Pratique sage-femme	••	•••	•••		••	•••	•••	••	•••	•••	•••
15214* Sciences de l'anatomie	••	•	•	••	••	•	•••	•••			•••
15104* Sciences infirmières	•••	•••	•••	•••	••	••	•••	•••	•••	•••	•••

1. Pour accéder à l'information sur le site www.reperes.qc.ca, il faut obligatoirement ajouter l'astérisque (*) à la suite du numéro d'identification du programme.

PROFESSIONS ET MÉTIERS EN RELATION AVEC LES PROGRAMMES D'ÉTUDES

Cette section comprend la liste des professions et des métiers en relation avec chacun des programmes d'études énumérés dans le tableau précédent, sauf ceux qui correspondent aux programmes conduisant à l'obtention d'une attestation de formation professionnelle (AFP).

Dans ce cas particulier, les titres des métiers étant identiques à ceux des programmes, nous avons jugé inutile de reprendre cette information dans la présente section.

Pour comprendre l'organisation de cette section, consultez le second encadré, page 19.

CLÉO	PROGRAMMES ET MÉTIERS
	SECONDAIRE (DEP)
	SANTÉ
	Assistance aux bénéficiaires en établissement de santé
522.08	Préposé aux bénéficiaires
	Assistance dentaire
523.83	Assistant dentaire
	Assistance familiale et sociale aux personnes à domicile
516.01	Aide familial
522.09	Auxiliaire familial et social
	Assistance technique en pharmacie
525.04	Assistant technique en pharmacie
	Santé, assistance et soins infirmiers
522.07	Infirmier-auxiliaire
	COLLÉGIAL (DEC)
	TECHNIQUES BIOLOGIQUES
	Acupuncture traditionnelle
524.03	Acupuncteur
	Audioprothèse
525.32	Audioprothésiste
	Soins infirmiers et Soins infirmiers : recyclage des infirmières auxiliaires
522.06	Infirmier
522.10	Infirmier scolaire
522.11	Infirmier en santé au travail
522.12	Infirmier de service téléphonique
523.68	Infirmier en chirurgie
523.74	Infirmier psychiatrique
	Techniques dentaires
—	Technicien dentaire en couronnes et ponts
—	Technicien dentaire en pièces de métal
523.92	Technicien dentaire
523.93	Technicien dentaire en céramique
523.94	Prothésiste en orthodontie
	Techniques d'électrophysiologie médicale
525.24	Technologue en électrophysiologie médicale

CLÉO	PROGRAMMES ET MÉTIERS
	Techniques d'hygiène dentaire
523.82	Hygiéniste dentaire
	Techniques d'inhalothérapie
523.41	Inhalothérapeute
	Techniques d'orthèses et de prothèses orthopédiques
523.23	Technologue en orthèses et prothèses
	Techniques d'orthèses visuelles
523.03	Opticien d'ordonnances
523.05	Technicien de laboratoire de lentilles
	Techniques de denturologie
523.91	Denturologiste
	Techniques de diététique
211.14	Inspecteur des normes sanitaires
511.02	Technicien en gestion de services alimentaires
518.02	Superviseur des services alimentaires
518.04	Technicien en diététique
518.05	Technicien en nutrition clinique
	Techniques de radio-oncologie
523.56	Technologue en radio-oncologie
	Techniques de réadaptation physique
—	Kinésithérapeute
525.35	Thérapeute en réadaptation physique
	Techniques de thanatologie
517.01	Thanatologue
517.02	Directeur de funérailles
525.26	Technicien de salle d'autopsie
	Technologie d'analyses biomédicales
525.23	Technologiste médical
525.25	Technologiste en cytologie
612.28	Technologue en microbiologie
612.30	Technologue en bactériologie
	Technologie de médecine nucléaire
523.52	Technologue en radiologie diagnostique
523.54	Technologue en médecine nucléaire
	Technologie de radiodiagnostic
523.52	Technologue en radiologie diagnostique

UNIVERSITAIRE (BAC)

SCIENCES DE LA SANTÉ

Biologie médicale
612.24   Biologiste moléculaire

Chiropratique
524.01   Chiropraticien

Diététique
518.01   Directeur du service diététique
518.03   Diététiste

Éducation physique et santé
et
Intervention en activité physique
515.04   Éducateur physique pleinairiste
515.08   Entraîneur d'équipes sportives
515.09   Entraîneur d'athlètes

Ergothérapie
525.37   Ergothérapeute

Kinésiologie
—   Kinésiologiste

Médecine
321.15   Expert médico-légal
322.01   Coroner
521.01   Directeur général de centre hospitalier
522.01   Omnipraticien
522.02   Médecin en médecine d'urgence
522.03   Médecin esthéticien
522.04   Médecin hygiéniste
523.01   Ophtalmologiste
523.07   Oto-rhino-laryngologiste
523.08   Allergologue
523.09   Dermatologue
523.21   Physiatre
523.25   Neurologue
523.26   Rhumatologue
523.31   Interniste
523.32   Endocrinologue
523.33   Gastro-entérologue
523.34   Cardiologue
523.35   Pneumologue
523.36   Hématologue
523.37   Oncologue médical
523.38   Néphrologue
523.39   Urologue
523.40   Obstétricien-gynécologue
523.51   Médecin spécialiste en radiologie diagnostique
523.53   Spécialiste en médecine nucléaire
523.55   Médecin spécialiste en radio-oncologie
523.61   Chirurgien
523.62   Chirurgien plastique
523.63   Chirurgien orthopédiste
523.64   Chirurgien cardio-vasculaire
523.65   Neurochirurgien
523.66   Chirurgien thoracique
523.67   Anesthésiste réanimateur
523.71   Gériatre
523.72   Pédiatre
523.73   Psychiatre
525.21   Pathologiste médical
612.27   Microbiologiste médical
612.32   Virologiste
612.33   Immunologue

Médecine dentaire
523.81   Dentiste
523.84   Parodontiste
523.85   Endodontiste
523.86   Orthodontiste
523.87   Pédodontiste
523.88   Spécialiste en médecine buccale
523.89   Chirurgien buccal et maxillo-facial
523.90   Prosthodontiste
523.95   Dentiste en santé publique

Nutrition
518.01   Directeur du service de diététique
518.03   Diététiste

Optométrie
523.02   Optométriste

Orthophonie et audiologie
525.31   Audiologiste
525.33   Orthophoniste

Pharmacie
—   Pharmacien
525.01   Pharmacien d'industrie
525.02   Pharmacien d'hôpital

Pharmacologie
—   Pharmacologue

Physiologie
612.34   Physiologiste

Physiothérapie
525.34   Physiothérapeute
525.36   Thérapeute sportif

Podiatrie
523.2   Podiatre

Pratique sage-femme
524.11   Sage-femme

Sciences de l'anatomie
612.35   Anatomiste

Sciences infirmières
521.02   Directeur de département de soins hospitaliers
521.03   Directeur des soins infirmiers
522.05   Infirmier en chef
522.10   Infirmier scolaire
522.11   Infirmier en santé au travail
523.68   Infirmier en chirurgie
523.74   Infirmier psychiatrique

FAMILLE
1.2 La vie végétale
et animale

Photo de famille

La famille La vie végétale et animale regroupe des activités se rapportant à la protection, à l'exploitation ou à la transformation des ressources végétales ainsi qu'à l'élevage ou à la protection des ressources animales. La recherche en foresterie, la protection des territoires fauniques, l'élevage de bétail, la gestion d'entreprises agricoles ou horticoles, les soins préventifs ou curatifs à donner aux animaux domestiques ou sauvages font partie des activités propres à cette famille.

Les personnes intéressées par cette famille de programmes d'études et de carrières présentent un certain nombre de caractéristiques communes et relèvent des défis professionnels semblables.

- Elles aiment la nature en général.

- Elles se préoccupent de l'évolution, de la protection, de l'exploitation et de la transformation des ressources ou s'intéressent à tout ce qui touche, de près ou de loin, au monde des animaux.

- Elles accomplissent leur travail en milieu sauvage ou dans le cadre d'exploitations spécialisées.

- Elles sont habituellement polyvalentes, entreprenantes, et elles préfèrent s'investir dans un travail manuel et technique.

- Elles travaillent à l'intérieur ou à l'extérieur (souvent l'un et l'autre) dans des exploitations agricoles, des centres ou des fermes horticoles, des entreprises forestières, des bureaux-conseils en agroalimentaire ou des hôpitaux vétérinaires.

Toute forme de travail qui me permet d'être en contact avec la nature et les animaux m'intéresse. Depuis mon enfance, j'ai toujours aimé me retrouver dans l'ambiance tranquille de la forêt. Le sentiment de contribuer au développement des ressources est ce qui me satisfait le plus dans mon travail en aquiculture.

Reynald
Aquiculture

Programmes d'études par ordres d'enseignement et secteurs de formation

Les programmes énumérés ci-dessous permettent d'exercer une profession ou un métier en relation avec la famille **La vie végétale et animale**.

SECONDAIRE

Attestation de formation professionnelle (AFP)

Agriculture et pêche
- Aide dans une ferme d'élevage
- Aide en acériculture
- Aide en aquiculture
- Aide en production avicole
- Aide en production bovine
- Aide en production laitière
- Aide en production ovine
- Aide en production porcine
- Aide en serriculture
- Aide-dresseur de chiens
- Aide-fleuriste
- Aide-horticole
- Aide-pépiniériste
- Journalier dans un vignoble
- Journalier dans une entreprise fruitière
- Manœuvre en aménagement paysager
- Manœuvre en émondage
- Préposé à l'entretien de terrain de golf
- Préposé à l'entretien des plantes d'intérieur
- Préposé aux écuries
- Préposé aux soins d'animaux de compagnie
- Préposé aux soins d'animaux sauvages
- Préposé dans un centre canin

Foresterie et papier
- Aide en affûtage
- Commis à la réception du bois
- Manœuvre à la production de papiers transformés
- Manœuvre d'exploitation forestière
- Manœuvre de machines forestières
- Manœuvre de scierie
- Manœuvre de voirie forestière
- Manutentionnaire de pâtes et papiers

Diplôme d'études professionnelles (DEP)

Agriculture et pêche
- Aquiculture

- Arboriculture-élagage
- Fleuristerie
- Grandes cultures
- Horticulture ornementale
- Pêche professionnelle
- Préparation des produits de la pêche
- Production acéricole
- Production de bovins de boucherie
- Production horticole
- Production laitière
- Production porcine
- Réalisation d'aménagements paysagers
- Vente des produits de la pêche

Environnement et aménagement du territoire
- Protection et exploitation de territoires fauniques

Foresterie et papier
- Abattage et façonnage des bois
- Affûtage
- Aménagement de la forêt
- Classement des bois débités
- Pâtes et papiers (opération)
- Récolte de la matière ligneuse
- Sciage
- Sylviculture

COLLÉGIAL

Diplôme d'études collégiales (DEC)

Techniques biologiques
- Aménagement cynégétique et halieutique
- Gestion et exploitation d'entreprise agricole :
  - profil Productions animales
  - profil Productions végétales
- Paysage et commercialisation en horticulture ornementale
- Techniques d'écologie appliquée
- Techniques d'inventaire et de recherche en biologie
- Techniques de santé animale
- Techniques du milieu naturel :
  - profil Aménagement de la ressource forestière

- profil Aménagement et interprétation du patrimoine
- profil Aquiculture
- profil Faune
- profil Laboratoire d'analyses environnementales
- profil Protection de l'environnement
- Techniques équines :
  - profil Courses attelées
  - profil Équitation classique
  - profil Équitation western
  - profil Randonnée équestre
- Technologie de la production horticole et de l'environnement :
  - profil Culture de plantes ornementales
  - profil Cultures horticoles, légumières, fruitières et ornementales en serre et en champ
  - profil Cultures légumières, fruitières et industrielles
  - profil Environnement
- Technologie de la transformation des produits forestiers
- Technologie des productions animales
- Technologie forestière

UNIVERSITAIRE

Diplôme de baccalauréat (Bac)

Sciences de la santé
- Biologie médicale
- Médecine vétérinaire *

Sciences appliquées et Sciences pures
- Agronomie
- Aménagement et environnement forestiers
- Biologie
- Génie agroenvironnemental
- Génie alimentaire
- Génie du bois
- Microbiologie
- Opérations forestières
- Sciences et technologie des aliments

* Doctorat de 1er cycle.

Programmes apparentés

La liste des programmes apparentés est fournie à titre indicatif. Compte tenu de leurs objectifs principaux, ces programmes ont été classés dans d'autres familles, mais ils partagent néanmoins certains de leurs objectifs avec les programmes énumérés à la page précédente. Vous trouverez des renseignements sur ces programmes aux pages indiquées.

SECONDAIRE	COLLÉGIAL	UNIVERSITAIRE
Attestation de formation professionnelle (AFP) • Préposé aux machineries agricoles, page 74 *Diplôme d'études professionnelles (DEP)* • Conduite de machinerie lourde en voirie forestière, page 75 • Mécanique agricole, page 75	*Diplôme d'études collégiales (DEC)* • Assainissement de l'eau, page 66 • Exploitation et production des ressources marines, page 75 • Techniques d'aménagement et d'urbanisme, page 94 • Technologie d'analyses biomédicales, page 40 • Technologie de la transformation des aliments, page 75 • Technologie des équipements agricoles, page 75 • Transformation des produits de la mer, page 76	*Diplôme de baccalauréat (Bac)* • Géographie physique, page 76 • Physiologie, page 40

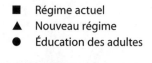

Matières scolaires en relation avec la famille La vie végétale et animale
(ordre d'enseignement secondaire)

■ Régime actuel
▲ Nouveau régime
● Éducation des adultes

	Régime actuel	Nouveau régime	Éducation des adultes
Biologie	■		●
Chimie	■		●
Écologie	■		
Informatique	■		●
Physique	■		●
Science et technologie		▲	
Sciences physiques	■		●
Techniques et méthodes en sciences de la nature	■		

Autoportrait

Découvrez le profil personnel des travailleurs de la famille **La vie végétale et animale** et vérifiez si leurs caractéristiques correspondent à votre propre réalité.

PROFIL PERSONNEL COMMUN

Les travailleurs de la famille **La vie végétale et animale** présentent des traits de personnalité, des goûts, des talents et des valeurs semblables.

Ils sont...
- autonomes;
- débrouillards;
- polyvalents;
- travailleurs;
- sûrs d'eux.

Ils aiment...
- acquérir et appliquer des connaissances scientifiques ou technologiques;
- être en contact avec la nature, les plantes et les animaux;
- résoudre des problèmes concrets;
- suivre des méthodes et utiliser de la machinerie;
- travailler à la production de biens et de services;
- travailler physiquement et manuellement.

Ils ont...
- de bonnes capacités de communication ajoutées à un bon sens des affaires;
- de la facilité à utiliser la technologie;
- l'esprit d'initiative et un bon sens pratique;
- la capacité de composer avec les aléas de la nature;
- un bon sens de l'organisation.

Ils privilégient...
- la liberté d'action;
- la recherche d'un équilibre entre la nature et l'homme;
- le respect de la nature et de l'environnement;
- le travail concret impliquant des instruments;
- les activités variées.

Typologie de Holland – R I A S E C Z
Réaliste • Investigateur • Écologiste

L'ANALYSE DE VOS EXPÉRIENCES

Les indices d'orientation qui suivent vous permettront de vérifier, à partir de vos diverses expériences, dans quelle mesure les caractéristiques des travailleurs de la famille **La vie végétale et animale** correspondent aux vôtres.

- **Lisez attentivement les deux séries d'indices figurant à la page suivante et faites un crochet (√) vis-à-vis des énoncés qui s'appliquent ou pourraient s'appliquer à vous*.**

- **Comptez ensuite le nombre d'énoncés retenus et calculez le pourcentage.**

- **Le résultat obtenu vous donne des indications sur l'étendue de votre intérêt et de votre capacité à entreprendre un projet d'études relevant de la famille La vie végétale et animale.**

* Voir la remarque « Important », au n° 7 de la page 19.

Indices d'orientation tirés de mon expérience personnelle

1. ☐ J'aime regarder des émissions télévisées ou lire des ouvrages portant sur l'environnement ou l'évolution de la nature.
2. ☐ J'aime me retrouver dans la nature durant mes temps libres.
3. ☐ J'ai vécu des expériences plaisantes dans des colonies de vacances.
4. ☐ Je fais partie de groupes ou de mouvements favorisant l'observation et le respect de la vie végétale ou animale (club 4H, scouts et guides, club d'ornithologie).
5. ☐ Je m'interroge à propos de la vie végétale et animale.
6. ☐ J'aime converser avec des personnes qui travaillent en milieu naturel ou qui s'intéressent à ce milieu.
7. ☐ J'aime les jeux de société ou de simulation qui se rapportent aux animaux, à leur mode de vie et à leur environnement.
8. ☐ Je m'intéresse aux problèmes de pollution et d'environnement et je m'en préoccupe dans ma vie quotidienne.
9. ☐ J'aime manipuler, voir par moi-même, toucher, bricoler.
10. ☐ Je m'émerveille de la beauté de la nature lorsque je voyage.
11. ☐ J'aime être en contact avec les animaux et les soigner.
12. ☐ J'aime me retrouver dans la nature, sans artifice ni confort.
13. ☐ J'aime me débrouiller seul ou seule.
14. ☐ J'ai le goût de l'aventure.
15. ☐ J'aime m'occuper de petits animaux domestiques.
16. ☐ J'ai déjà parcouru un sentier, en pleine nature, pour y observer la faune et la flore.
17. ☐ J'ai déjà fait de l'équitation.
18. ☐ J'aime visiter des expositions agricoles.
19. ☐ Je fais une collection d'insectes.
20. ☐ J'aime tout ce qui concerne la chasse, la pêche et la nature en général.

Indices d'orientation tirés de mon expérience scolaire et occupationnelle

21. ☐ J'aime les cours d'écologie, de biologie, de botanique et de zoologie.
22. ☐ J'aime visiter des musées d'histoire naturelle et des expositions consacrées à la nature.
23. ☐ J'aime travailler en laboratoire pour observer le comportement des animaux ou faire des expériences pour mieux connaître les plantes et les animaux.
24. ☐ J'aime vivre à la ferme, l'été ou toute l'année, et y travailler.
25. ☐ Je collabore avec plaisir aux semailles ou à la plantation de végétaux dans les jardins et parterres.
26. ☐ Je me suis fait un herbier.
27. ☐ Je fais partie d'un club d'ornithologie.
28. ☐ Je participe à des activités de plein air.
29. ☐ Je fais partie d'une association de chasse ou de pêche.
30. ☐ Je fais partie d'un mouvement qui se consacre à la protection de l'environnement.
31. ☐ Je fais partie d'un mouvement de la relève agricole.
32. ☐ Je fais souvent du camping sauvage.
33. ☐ J'ai travaillé dans une pépinière ou un centre horticole.
34. ☐ J'ai déjà participé à la cueillette de fruits ou de légumes.
35. ☐ J'ai eu souvent l'occasion de travailler avec des instruments agricoles.
36. ☐ J'ai déjà participé à l'aménagement de terrains.

Résultat : _____ énoncés sur 36 = _____ %

Projet professionnel

VOS ATTENTES PAR RAPPORT À VOTRE FUTUR TRAVAIL

La série d'énoncés qui suit se rapporte aux exigences auxquelles doivent se soumettre les travailleurs de la famille **La vie végétale et animale**. Seriez-vous prêt ou prête à accepter ces exigences pour vous-même?

- **Lisez attentivement chaque énoncé et faites un crochet (√) vis-à-vis de ceux qui correspondent à vos attentes par rapport à votre futur travail.**

Exigences liées à mon futur travail

☐ Accepter de faire des heures supplémentaires pour mener un projet à terme.

☐ Accepter de me salir les mains pour accomplir des tâches pratiques.

☐ Devoir composer avec les éléments de la nature, souvent imprévisibles, et adapter mon travail en conséquence.

☐ Être en forme, car mon travail comportera différentes tâches physiquement exigeantes.

☐ Faire mon travail en étant le plus souvent possible en contact avec la nature, les plantes et les animaux.

☐ Faire preuve d'autonomie et de débrouillardise, car je devrai souvent travailler seul ou seule, ou bien j'aurai à gérer ma propre entreprise.

☐ Faire preuve de polyvalence, afin d'être en mesure de m'acquitter de tâches très différentes, comme gérer une entreprise ou du personnel, financer des projets, planifier, travailler manuellement et communiquer avec les autres de manière satisfaisante.

VOS PRÉFÉRENCES PROFESSIONNELLES

La prochaine étape introduit une réflexion sur vos préférences professionnelles. Les énoncés proposés correspondent à des fonctions de travail propres à la famille **La vie végétale et animale**.

- **Lisez attentivement les 11 fonctions de travail suivantes.**

- **Numérotez, selon vos préférences, les trois ou quatre fonctions les plus significatives pour vous, le chiffre 1 indiquant la fonction la plus intéressante à vos yeux.**

- **Reportez ensuite les chiffres correspondant à vos préférences dans l'espace «Mes préférences» du tableau de la page suivante.**

Fonctions de travail

☐ **Conseil** : Agir à titre de consultant ou de consultante auprès de travailleurs pour les aider à exercer leurs fonctions dans divers domaines d'activités.

☐ **Exploitation/Extraction** : Travailler sur le terrain à des activités d'exploitation des richesses naturelles telles que le bois, l'eau, la végétation, les métaux et les minéraux.

☐ **Exploitation/Gestion** : Exploiter une entreprise agricole.

☐ **Manipulation** : Manipuler des appareils, des outils ou des instruments.

☐ **Production horticole** : S'occuper de la production, de l'entretien ou de la commercialisation de végétaux.

☐ **Protection** : Participer à la conservation ou à la mise en valeur du milieu naturel.

☐ **Réalisations scientifiques** : Appliquer ses connaissances scientifiques à des réalisations concrètes (produits, objets, appareils, etc.).

☐ **Recherche** : S'interroger, explorer, expérimenter, afin d'innover et de faire progresser son domaine d'activités.

☐ **Soins des animaux** : Prendre soin d'animaux sauvages ou domestiques.

☐ **Transformation** : Travailler dans une entreprise qui transforme des produits agroalimentaires ou forestiers en biens de consommation.

☐ **Vérification/Contrôle** : S'impliquer dans des activités de mesure, de vérification, de contrôle ou d'inspection de produits ou de services.

PROGRAMMES D'ÉTUDES ET FONCTIONS DE TRAVAIL

Le tableau qui suit présente, dans l'ordre, les programmes offerts au secondaire, au collégial et au premier cycle universitaire.

• Recherchez, pour les fonctions de travail retenues, les programmes d'études signalés par les points et prenez note de ceux qui vous intéressent particulièrement.

Exemple : Si vous avez une préférence pour la fonction de travail « Recherche », vous noterez que le programme collégial *Techniques d'inventaire et de recherche en biologie* (DEC) accorde une grande importance à cette fonction, alors qu'elle n'en a aucune pour le programme de formation professionnelle *Production laitière* (DEP).

Pour faciliter la consultation du tableau

Vous pourriez :
– surligner les colonnes verticales correspondant à vos fonctions de travail préférées;
– prendre connaissance des programmes signalés par des points dans les colonnes retenues et surligner ceux qui vous intéressent particulièrement.

Pour comprendre l'organisation de ce tableau, consultez le premier encadré, page 19.

MES PRÉFÉRENCES

PROGRAMMES — **FONCTIONS DE TRAVAIL**

- • Faible importance
- •• Moyenne importance
- ••• Grande importance

Code	Programme	CONSEIL	EXPLOITATION/ EXTRACTION	EXPLOITATION/ GESTION	MANIPULATION	PRODUCTION HORTICOLE	PROTECTION	RÉALISATIONS SCIENTIFIQUES	RECHERCHE	SOINS DES ANIMAUX	TRANSFORMATION	VÉRIFICATION/ CONTRÔLE
Secondaire (AFP)												
▶ **Agriculture et pêche**												
7096	Aide dans une ferme d'élevage	•••	•••	•••	••					•••		
7017	Aide en acériculture	•••	•••	•••	•••						••	•
7019	Aide en aquiculture	•••	•••	•••			•			•••		•
7214	Aide en production avicole	•••	•••	•••			•			•••		
7093	Aide en production bovine	•••	•••	•••			•			•••		
7018	Aide en production laitière	•••	•••	•••			•			•••		
7094	Aide en production ovine	•••	•••	•••			•			•••		
7095	Aide en production porcine	•••	•••	•••			•			•••		
7020	Aide en serriculture	•••	•••	•••	•••	•						•
7159	Aide-dresseur de chiens				••					•••		
7021	Aide-fleuriste	•			•••	•••					••	•
7104	Aide-horticole	•	•		•••	•••					••	•
7022	Aide-pépiniériste	•	•		•••	•••	•				••	•
7105	Journalier dans un vignoble	•••	•••		•••	•••					•••	•
7105	Journalier dans une entreprise fruitière	•••	•		•••	•••						•
7024	Manœuvre en aménagement paysager				•••	•••	•				••	•
7217	Manœuvre en émondage				•••	•••	•				•	•
7026	Préposé à l'entretien de terrain de golf				•••	•••						•
7160	Préposé à l'entretien des plantes d'intérieur				•••	•••						•
7027	Préposé aux écuries				•••					•••		•
7028	Préposé aux soins d'animaux de compagnie				•••					•••		
7189	Préposé aux soins d'animaux sauvages				•••		••			•••		
7224	Préposé dans un centre canin				•••					•••		

- Faible importance
- ●● Moyenne importance
- ●●● Grande importance

PROGRAMMES		CONSEIL	EXPLOITATION/ EXTRACTION	EXPLOITATION/ GESTION	MANIPULATION	PRODUCTION HORTICOLE	PROTECTION	RÉALISATIONS SCIENTIFIQUES	RECHERCHE	SOINS DES ANIMAUX	TRANSFORMATION	VÉRIFICATION/ CONTRÔLE
▶ Foresterie et papier												
7204	Aide en affûtage				●●●							●
7176	Commis à la réception du bois				●●●							●
7183	Manœuvre à la production de papiers transformés				●●●						●●	
7079	Manœuvre d'exploitation forestière		●●		●●●	●●						
7079	Manœuvre de machines forestières		●		●●●							
7080	Manœuvre de scierie				●●●						●	
7178	Manœuvre de voirie forestière				●●●							
7137	Manutentionnaire de pâtes et de papiers				●●●						●●	
Secondaire (DEP)												
▶ Agriculture et pêche												
5094	Aquiculture	●	●●●	●●	●●●		●			●●●		
5079	Arboriculture-élagage	●	●●		●●●	●●●	●					●
5173	Fleuristerie	●	●		●●●	●●●					●●●	●
5254	Grandes cultures	●	●●●	●●●	●●●	●●●						
1088	Horticulture ornementale	●	●●		●●●	●●●					●	●
5257	Pêche professionnelle	●	●●●		●●●					●●●	●	
5103	Préparation des produits de la pêche	●			●●●						●●●	●
5256	Production acéricole	●	●●●	●●●	●●●	●●●					●●	
5168	Production de bovins de boucherie	●	●●●	●●●	●●●	●●				●●●		●
5210	Production horticole	●	●●●	●●●	●●●	●●●						●
5167	Production laitière	●	●●●	●●●	●●					●●●		●
5171	Production porcine	●	●●●	●●●	●●●	●				●●●		●
5071	Réalisation d'aménagements paysagers	●●	●		●●●	●●●					●●●	●●
5104	Vente des produits de la pêche	●●			●●						●●	●
▶ Environnement et aménagement du territoire												
5179	Protection et exploitation de territoires fauniques	●	●		●●	●	●●●			●●●		●●
▶ Foresterie et papier												
5189	Abattage et façonnage des bois		●●●		●●●	●●●					●	
5173	Affûtage				●●●						●●	●●
5181	Aménagement de la forêt	●	●●		●●	●●●	●●●					●●
5208	Classement des bois débités	●	●●		●●	●●●					●●	●
5262	Pâtes et papiers (opérations)		●		●●●	●					●●●	
5190	Récolte de la matière ligneuse		●●●		●●●	●●●					●	
5088	Sciage		●●		●●●	●●●					●●	
1351	Sylviculture	●●	●●	●●	●●●	●●●	●●					●
Collégial (DEC)												
▶ Techniques biologiques												
145.04	Aménagement cynégétique et halieutique	●●●	●●●		●●	●	●●●	●	●	●●●		●
152.AA	Gestion et exploitation d'entreprise agricole, profil Productions animales	●●●	●●●	●●●	●●●	●●●				●●●		●
152.AB	Gestion et exploitation d'entreprise agricole, profil Productions végétales	●●●	●●●	●●●	●●●	●●●						●
153.C0	Paysage et commercialisation en horticulture ornementale	●●	●●●		●●	●●●			●		●●	●
145.01	Techniques d'écologie appliquée	●●	●		●●●	●●●	●●●	●	●●	●●●	●	●

- Faible importance
- •• Moyenne importance
- ••• Grande importance

PROGRAMMES		CONSEIL	EXPLOITATION/ EXTRACTION	EXPLOITATION/ GESTION	MANIPULATION	PRODUCTION HORTICOLE	PROTECTION	RÉALISATIONS SCIENTIFIQUES	RECHERCHE	SOINS DES ANIMAUX	TRANSFORMATION	VÉRIFICATION/ CONTRÔLE
145.02	Techniques d'inventaire et de recherche en biologie	••	•		•••	•••	•••	••	•••	••	•	••
145.A0	Techniques de santé animale	•			•••			•		•••		•
147.AC	Techniques du milieu naturel, profil Aquiculture	•	••	••	•••		•••			•••		•
147.AC	Techniques du milieu naturel, profil Aménagement de la ressource forestière	•••	••		•••	•••	•••	••	••		•	•••
147.AC	Techniques du milieu naturel, profil Aménagement et interprétation du patrimoine	•••				••	•••	•••	••			•••
147.AC	Techniques du milieu naturel, profil Faune				•••	•	••	••	•••	•••		••
147.AC	Techniques du milieu naturel, profil Laboratoire d'analyses environnementales				•••	••	•••	•••	••			•••
147.AC	Techniques du milieu naturel, profil Protection de l'environnement	••			•••	•••	•••	•••	•••			•••
155.AC	Techniques équines, profil Courses attelées	•			•••					•••		•
155.AB	Techniques équines, profil Équitation classique	•			•••					•••		•
155.AA	Techniques équines, profil Équitation western	•			•••					•••		•
155.AD	Techniques équines, profil Randonnée équestre	•			•••					•••		•
153.BB	Technologie de la production horticole et de l'environnement, profil Culture de plantes ornementales	••	•••	•••	•••	•••						•
153.BC	Technologie de la production horticole et de l'environnement, profil Cultures horticoles, légumières, fruitières et ornementales en serre et en champ	•	•••	•••	•••	•••						•
153.BA	Technologie de la production horticole et de l'environnement, profil Cultures légumières, fruitières et industrielles	••	•••	•••	••	•••						•
153.BD	Technologie de la production horticole et de l'environnement, profil Environnement	••			•••	•••	•••	••	••			•••
190.A0	Technologie de la transformation des produits forestiers	••			•••	•••		••	••		•••	••
153.A0	Technologie des productions animales	••	••	••	•••	•			••	•••		••
190.B0	Technologie forestière	•••	••		•••	•••	•••	••	••		•	•••
Universitaire (Bac) [1]												
▸ **Sciences de la santé**												
15199*	Biologie médicale		••		•••			•••	•••		••	•••
15180*	Médecine vétérinaire	•••			•••			•••	••	•••		•••
▸ **Sciences appliquées et Sciences pures**												
15302*	Agronomie	•••	••	•••	•••	••		•••	••			•••
15375*	Aménagement et environnement forestiers	•••	•		••	•••	•••	••	••			•••
15200*	Biologie	••			•••	•••	••	•••	•••	•••		•••
15353*	Génie agroenvironnemental	•••	••		•••	••	•	••	••		•••	••
15354*	Génie alimentaire	•••			•••			••	••		•••	•••
15375*	Génie du bois	•••	•		•••	••	•	••	••		•••	•••
15211*	Microbiologie	••			•••	••		•••	•••			•••
15375*	Opérations forestières	•••	•••		••	•••		•	•		•	•••
15313*	Sciences et technologie des aliments	•••			••			••	••		•••	•••

1. Pour accéder à l'information sur le site www.reperes.qc.ca, il faut obligatoirement ajouter l'astérisque (*) à la suite du numéro d'identification du programme.

PROFESSIONS ET MÉTIERS EN RELATION AVEC LES PROGRAMMES D'ÉTUDES

Cette section comprend la liste des professions et des métiers en relation avec chacun des programmes d'études énumérés dans le tableau précédent, sauf ceux qui correspondent aux programmes conduisant à l'obtention d'une attestation de formation professionnelle (AFP).

Dans ce cas particulier, les titres des métiers étant identiques à ceux des programmes, nous avons jugé inutile de reprendre cette information dans la présente section.

Pour comprendre l'organisation de cette section, consultez le second encadré, page 19.

CLÉO	PROGRAMMES ET MÉTIERS

SECONDAIRE (DEP)

AGRICULTURE ET PÊCHE

Aquiculture
126.25 Aquiculteur

Arboriculture-élagage
125.10 Arboriculteur

Fleuristerie
432.32 Fleuriste

Grandes cultures
124.18 Céréaliculteur

Horticulture ornementale
125.03 Jardinier paysagiste
125.06 Commis-vendeur en horticulture ornementale
125.08 Ouvrier pépiniériste

Pêche professionnelle
127.01 Capitaine de bateau de pêche
127.02 Second de bateau de pêche
127.03 Pêcheur

Préparation des produits de la pêche
228.46 Ouvrier au traitement des produits de poisson
228.47 Ouvrier au fumoir à poissons
228.48 Conducteur de machine à dépecer le poisson
228.49 Préparateur de poisson

Production acéricole
— Producteur des produits de l'érable
124.27 Ouvrier d'érablière

Production de bovins de boucherie
126.03 Ouvrier de ferme d'élevage

Production horticole
124.22 Producteur de légumes

Production laitière
126.05 Ouvrier d'exploitation laitière

Production porcine
126.03 Ouvrier de ferme d'élevage

Réalisation d'aménagements paysagers
125.04 Manœuvre en terrassement et en aménagement paysager

Vente des produits de la pêche
432.17 Commis-vendeur de poissons et fruits de mer

ENVIRONNEMENT ET AMÉNAGEMENT DU TERRITOIRE

Protection et exploitation de territoires fauniques
131.09 Agent de conservation de la faune
514.09 Guide de chasse et de pêche

FORESTERIE ET PAPIER

Abattage et façonnage des bois
123.06 Opérateur de machinerie forestière
123.07 Opérateur de tracteur forestier

Affûtage
225.12 Affûteur de scies
236.19 Affûteur d'outils de machines à bois
251.07 Aiguiseur

Aménagement de la forêt
123.03 Contremaître de travailleurs forestiers
123.04 Estimateur en inventaire forestier
131.08 Garde forestier
131.10 Agent de prévention des incendies de forêt

Classement des bois débités
123.08 Trieur de billes
123.09 Mesureur de billes
123.10 Classeur-mesureur
225.10 Opérateur de séchoirs à bois
225.13 Classeur de bois de construction

Pâtes et papiers (opération)
226.05 Préparateur de pâte à papier
226.06 Opérateur de blanchisseuse à papier
226.07 Lessiveur de pâte écrue
226.08 Conducteur de lessiveur en continu
226.09 Conducteur de machine à papier
226.10 Conducteur de machine à finir le papier

Récolte de la matière ligneuse
123.05 Ouvrier d'exploitation forestière

Sciage
225.03 Scieur de planches
225.04 Scieur de bardeaux
225.05 Opérateur de scie principale
225.06 Opérateur de scie multilames pour billes
225.08 Opérateur de déligneuse automatique en scierie
225.09 Opérateur de raboteuse

Sylviculture
131.06 Ouvrier sylvicole

TECHNIQUES BIOLOGIQUES

Aménagement cynégétique et halieutique
514.07	Pourvoyeur de chasse et pêche
514.08	Technicien en aménagement cynégétique et halieutique

Gestion et exploitation d'entreprise agricole
124.16	Exploitant agricole
124.17	Producteur de semences
124.18	Céréaliculteur
124.19	Pomiculteur
124.20	Producteur de fruits
124.22	Producteur de légumes
124.23	Producteur de pommes de terre
124.25	Viticulteur
124.26	Acériculteur
124.28	Producteur de tabac
124.30	Producteur de fruits et légumes écologiques
126.04	Exploitant de ferme laitière
126.06	Producteur de bovins
126.07	Producteur de porcins
126.08	Producteur d'ovins
126.09	Producteur de lapins
126.10	Aviculteur (production de viande)
126.11	Aviculteur (poules pondeuses)
126.13	Producteur de chevaux
126.18	Producteur d'animaux à fourrure
126.21	Apiculteur

Paysage et commercialisation en horticulture ornementale
—	Conseiller-vendeur en horticulture ornementale
124.10	Technologue agricole
125.02	Technologue en horticulture ornementale
125.05	Entrepreneur en aménagement paysager
125.07	Pépiniériste
125.09	Floriculteur
125.12	Producteur de gazon

Techniques d'écologie appliquée
—	Technicien de la faune et de la flore
113.11	Technicien en zoologie
131.05	Technicien en écologie appliquée
131.14	Interprète de l'environnement naturel et biologique

Techniques d'inventaire et de recherche en biologie
113.09	Technicien de laboratoire en biologie
113.11	Technicien en zoologie
612.30	Technologue en bactériologie

Techniques de santé animale
126.26	Inspecteur en protection animale
126.29	Technicien de laboratoire vétérinaire
126.30	Technicien en santé animale
131.13	Gardien de jardin zoologique

Techniques du milieu naturel
—	Technicien de la faune et de la flore
113.09	Technicien de laboratoire en biologie
113.11	Technicien en zoologie

126.02	Technologue en production animale
126.23	Technicien en aquiculture
126.30	Technicien en santé animale
131.05	Technicien en écologie appliquée
131.14	Interprète de l'environnement naturel et biologique
132.07	Inspecteur des mesures antipollution

Techniques équines
126.13	Producteur de chevaux
126.14	Technicien équin
126.17	Entraîneur de chevaux
515.22	Professeur d'équitation

Technologie de la production horticole et de l'environnement
—	Conseiller-vendeur en horticulture ornementale
—	Gérant de production horticole
113.02	Technologue en botanique
124.05	Technologue en environnement agricole
124.07	Technologue en dépistage
124.10	Technologue agricole
124.11	Inspecteur en environnement agricole
124.13	Technologue en productions végétales
124.14	Technologue en horticulture légumière et fruitière
124.19	Pomiculteur
124.20	Producteur de fruits
124.22	Producteur de légumes
124.23	Producteur de pommes de terre
124.24	Champignonniste
124.25	Viticulteur
124.26	Acériculteur
124.28	Producteur de tabac
124.30	Producteur de fruits et légumes écologiques
125.02	Technologue en horticulture ornementale
125.05	Entrepreneur en aménagement paysager
125.07	Pépiniériste
125.12	Producteur de gazons

Technologie de la transformation des produits forestiers
225.02	Technologie en sciences forestières

Technologie des productions animales
—	Conseiller technicien en élevage
124.10	Technologue agricole
126.02	Technologue en production animale
126.06	Producteur de bovins
126.07	Producteur de porcins
126.08	Producteur d'ovins
126.09	Producteur de lapins
126.10	Aviculteur (production de viande)
126.13	Producteur de chevaux

Technologie forestière
123.02	Technologue en exploitation forestière
123.03	Contremaître de travailleurs forestiers
123.12	Technologue en sylviculture
432.48	Vendeur-technicien d'équipement lourd

UNIVERSITAIRE (BAC)

SCIENCES DE LA SANTÉ

Biologie médicale
612.24   Biologiste moléculaire

Médecine vétérinaire
113.10   Zoologiste
126.27   Vétérinaire
126.28   Pathologiste vétérinaire
612.32   Virologiste

SCIENCES APPLIQUÉES ET SCIENCES PURES

Agronomie
113.03   Malherbologiste
113.05   Phytopathologiste
113.10   Zoologiste
113.12   Entomologiste
124.02   Agronome des services de vulgarisation
124.03   Agronome pédologue
124.04   Bactériologiste des sols
124.06   Agronome-dépisteur
124.08   Agronome
124.12   Agronome en production végétale
124.29   Agronome en agriculture biologique
126.01   Agronome en production animale

Aménagement et environnement forestiers
123.01   Ingénieur forestier (opérations forestières)
123.11   Sylviculteur

Biologie
111.19   Océanographe
113.01   Botaniste
113.03   Malherbologiste
113.04   Mycologue
113.05   Phytopathologiste
113.06   Biologiste
113.07   Biologiste de la vie aquatique

Génie agroenvironnemental
124.02   Agronome des services de vulgarisation
124.08   Agronome
124.09   Ingénieur agricole
124.11   Inspecteur en environnement agricole
126.22   Ingénieur en système aquicole

Génie alimentaire
—   Ingénieur en recherche et développement alimentaire
228.07   Ingénieur-concepteur pour les industries alimentaires
228.09   Ingénieur spécialiste de l'installation des systèmes alimentaires
228.10   Ingénieur spécialiste de la gestion des procédés alimentaires
228.11   Ingénieur spécialiste de la qualité des procédés alimentaires
228.19   Ingénieur alimentaire (représentation technique et vente)
232.01   Ingénieur en transport alimentaire

Génie du bois
123.01   Ingénieur forestier (opérations forestières)
123.11   Sylviculteur
225.01   Ingénieur forestier en sciences du bois

Microbiologie
113.05   Phytopathologiste
113.08   Biologiste en parasiologie
124.04   Bactériologiste des sols
228.02   Bactériologiste de produits alimentaires
612.26   Microbiologiste
612.27   Microbiologiste médical
612.29   Bactériologiste
612.32   Virologiste
612.33   Immunologue
612.34   Physiologiste
612.36   Généticien
612.37   Toxicologiste

Opérations forestières
123.01   Ingénieur forestier (opérations forestières)
123.11   Sylviculteur

Sciences et technologie des aliments
113.03   Malherbologiste
113.05   Phytopathologiste
124.02   Agronome des services de vulgarisation
124.08   Agronome
228.01   Scientifique en produits alimentaires
229.05   Chimiste spécialiste du contrôle de la qualité

la **Matière**

2

■ Sans la matière sur laquelle il a exercé sa curiosité, son intelligence et sa sensibilité, l'homme ne serait ni inventeur ni ingénieur ni artiste. De la matière, l'homme a tiré et continue de tirer l'essentiel de ce qui est nécessaire à sa survie. Le bois, les plantes, la pierre, les métaux, le cuir, la fourrure et le pétrole lui ont procuré habitations, nourriture, médicaments, moyens de transport, vêtements et énergie. Aujourd'hui, alors que les ressources se révèlent limitées, les innombrables usages de la matière exigent de l'homme encore plus de savoir et de maîtrise.

Les personnes intéressées par le domaine de la Matière suivront des cours, de base ou avancés, en mathématique, en physique ou en chimie, ou encore des cours de spécialisation, selon le programme choisi, en dessin, en mécanique, en électricité ou en métallurgie. La nature de ces cours et leur degré de difficulté varient en fonction du niveau de formation souhaité et des compétences à acquérir.

Le domaine de la Matière regroupe quatre familles de programmes : **La matière analysée**, **Les biens et les matériaux**, **L'habitat** et **Le transport**.

2

DOMAINE
la Matière

FAMILLES

2.1 La matière analysée

Photo de famille

La famille La matière analysée regroupe des activités de nature scientifique qui s'exercent principalement dans des laboratoires ou des milieux industriels. Les analyses de laboratoire, les calculs informatiques, l'étude et l'observation de données, la rédaction de rapports et de recommandations font partie des activités propres à cette famille.

Les personnes intéressées par cette famille de programmes d'études et de carrières présentent un certain nombre de caractéristiques communes et relèvent des défis professionnels semblables.

- Elles aiment analyser des produits, des données, des composantes physiques ou environnementales.

- Elles sont capables de faire un travail exigeant beaucoup de concentration.

- Elles manifestent de l'intérêt et des aptitudes pour un travail minutieux requérant une grande précision et répondant à des normes précises.

- Elles se caractérisent par leur curiosité et leur rigueur intellectuelle.

- Elles sont capables d'accepter que les résultats de leur travail ne soient connus qu'à moyen ou à long terme.

- Elles travaillent, seules ou en équipe, dans des laboratoires de biologie, de physique, de chimie ou d'informatique, ainsi que dans des établissements industriels, scolaires ou gouvernementaux.

Au secondaire, je jouais du piano, je faisais beaucoup de sport, je m'intéressais aux autres cultures et je suis même allée en Allemagne dans le cadre d'un échange de jeunes. Cela m'a permis de me rendre compte que j'étais très exigeante et que l'accomplissement personnel était une valeur très importante pour moi. J'ai le sentiment que mon travail peut contribuer à améliorer la vie des gens qui souffrent. Qu'est-ce que je peux demander de plus?

Sophie
Techniques de laboratoire

Programmes d'études par ordres d'enseignement et secteurs de formation

Les programmes énumérés ci-dessous permettent d'exercer une profession ou un métier en relation avec la famille **La matière analysée**.

SECONDAIRE	COLLÉGIAL	UNIVERSITAIRE
Aucun programme	**Diplôme d'études collégiales (DEC)**	**Diplôme de baccalauréat (Bac)**

	Techniques physiques
	• Assainissement de l'eau
	• Environnement, hygiène et sécurité du travail
	• Techniques de génie chimique
	• Techniques de laboratoire :
	  - profil Biotechnologie
	  - profil Chimie analytique
	• Techniques de procédés chimique
	• Technologie du génie métallurgique :
	  - profil Contrôle des matériaux
		Sciences pures
		• Actuariat
		• Biochimie
		• Biologie
		• Biophysique
		• Chimie
		• Mathématique
		• Météorologie
		• Microbiologie
		• Physique
		• Statistiques

Programmes apparentés

La liste des programmes apparentés est fournie à titre indicatif. Compte tenu de leurs objectifs principaux, ces programmes ont été classés dans d'autres familles, mais ils partagent néanmoins certains de leurs objectifs avec les programmes énumérés ci-dessus. Vous trouverez des renseignements sur ces programmes aux pages indiquées.

SECONDAIRE	COLLÉGIAL	UNIVERSITAIRE
Aucun programme	*Diplôme d'études collégiales (DEC)* • *Techniques de diététique, page 40* • *Techniques du milieu naturel, page 50* • *Techniques d'inventaire et de recherche en biologie, page 50* • *Technologie d'analyses biomédicales, page 40* • *Technologie de la transformation des aliments, page 75* • *Technologie minérale, page 76* • *Technologie physique, page 76*	*Diplôme de baccalauréat (Bac)* • *Biologie médicale, pages 40 et 50* • *Informatique, page 174* • *Nutrition, page 40*

Matières scolaires en relation avec la famille La matière analysée
(ordre d'enseignement secondaire)

■ Régime actuel
▲ Nouveau régime
● Éducation des adultes

	Régime actuel	Nouveau régime	Éducation des adultes
Anglais	■	▲	●
Biologie	■		●
Chimie	■		●
Écologie	■		
Informatique	■		●
Initiation à la technologie	■		
Mathématique	■	▲	●
Physique	■		●
Science et technologie		▲	
Sciences physiques	■		●
Techniques et méthodes en sciences de la nature	■		

Autoportrait

Découvrez le profil personnel des travailleurs de la famille **La matière analysée** et vérifiez si leurs caractéristiques correspondent à votre propre réalité.

PROFIL PERSONNEL COMMUN

Les travailleurs de la famille **La matière analysée** présentent des traits de personnalité, des goûts, des talents et des valeurs semblables.

Ils sont...
- curieux;
- intellectuels;
- méthodiques;
- persévérants;
- rationnels;
- réservés.

Ils aiment...
- accomplir des tâches liées à des procédés et à des normes;
- acquérir de nouvelles compétences;
- comprendre des phénomènes et résoudre des problèmes;
- concevoir, inventer ou créer des choses;
- exécuter des tâches structurées et bien encadrées;
- faire des découvertes;
- travailler à des projets à long terme;
- travailler, en solo ou avec d'autres, à la réalisation d'un projet.

Ils ont...
- de la facilité à suivre une démarche rigoureuse;
- des aptitudes pour les mathématiques et les sciences;
- la capacité de manipuler des instruments avec précision;
- un bon sens de l'observation et de la planification;
- un esprit logique;
- une bonne capacité d'analyse et de synthèse.

Ils privilégient...
- l'exactitude et l'excellence;
- la contribution au progrès de la science et à l'amélioration de la qualité de vie;
- la recherche intellectuelle.

Typologie de Holland - **R I** A S **E** C Z
Réaliste • Investigateur • Entreprenant

L'ANALYSE DE VOS EXPÉRIENCES

Les indices d'orientation qui suivent vous permettront de vérifier, à partir de vos diverses expériences, dans quelle mesure les caractéristiques des travailleurs de la famille **La matière analysée** correspondent aux vôtres.

- Lisez attentivement les deux séries d'indices qui suivent et faites un crochet (√) vis-à-vis des énoncés qui s'appliquent ou pourraient s'appliquer à vous*.

- Comptez ensuite le nombre d'énoncés retenus et calculez le pourcentage.

- Le résultat obtenu vous donne des indications sur l'étendue de votre intérêt et de votre capacité à entreprendre un projet d'études relevant de la famille La matière analysée.

* Voir la remarque « Important », au n⁰ 7 de la page 19.

Indices d'orientation tirés de mon expérience personnelle

1. ☐ J'adore faire des casse-tête.
2. ☐ J'aime regarder des émissions télévisées et lire des ouvrages portant sur la recherche scientifique, l'environnement, les biotechnologies, les nouvelles technologies et leurs applications, ou présentant des témoignages ou des biographies de scientifiques.
3. ☐ J'ai toujours aimé faire des expériences avec des jeux de laboratoire et observer les phénomènes qui se produisent.
4. ☐ J'ai déjà réalisé des expériences proposées par le Club des petits débrouillards.
5. ☐ Je fais partie d'un club de sciences.
6. ☐ J'aime faire des activités de bricolage ou de montage qui exigent de suivre des instructions très précises.
7. ☐ J'ai souvent envie de «tester les choses» pour voir ce qui va se passer.
8. ☐ J'ai choisi de travailler dans un laboratoire durant mes vacances d'été.
9. ☐ Je m'intéresse à toutes les questions concernant l'écologie, la dépollution et l'environnement.
10. ☐ Je m'intéresse à des émissions de télévision traitant de percées scientifiques telles que le clonage.
11. ☐ J'ai aimé recevoir en cadeau un ensemble permettant de faire des expériences de chimie (ex.: changer la couleur d'un liquide).
12. ☐ Je m'intéresse aux instruments de laboratoire : balances, éprouvettes, flacons de solutions, etc.

Indices d'orientation tirés de mon expérience scolaire et occupationnelle

13. ☐ J'aime les cours de sciences physiques, de chimie, de biologie ou de physique.
14. ☐ J'aime faire des expériences pratiques en laboratoire de sciences.
15. ☐ J'aime converser avec des enseignants en sciences ou avec des scientifiques.
16. ☐ J'aime participer à des expositions scientifiques dans les écoles ou en visiter.
17. ☐ J'aime visiter des expositions dans des musées de science et de technologie et les progrès de la science me fascinent.
18. ☐ J'ai participé à des stages de sensibilisation aux technologies de pointe.
19. ☐ J'adorerais participer à une activité de loisirs scientifiques.
20. ☐ J'ai toujours obtenu de bonnes notes pour les travaux scolaires portant sur l'électricité.
21. ☐ Je suis habile quand il s'agit de faire des recherches à l'aide de l'ordinateur.
22. ☐ Je préfère occuper un emploi d'été dans un laboratoire ou dans un bureau plutôt qu'à l'extérieur.
23. ☐ J'aime bien faire des travaux qui me permettent de gérer tous les aspects des problèmes à résoudre.
24. ☐ J'aime avant tout la mesure, l'exactitude et les résultats vérifiables.

Résultat : _____ **énoncés sur 24** = _____ **%**

Projet professionnel

VOS ATTENTES PAR RAPPORT À VOTRE FUTUR TRAVAIL

La série d'énoncés qui suit se rapporte aux exigences auxquelles doivent se soumettre les travailleurs de la famille **La matière analysée**. Seriez-vous prêt ou prête à accepter ces exigences pour vous-même?

- **Lisez attentivement chaque énoncé et faites un crochet (√) vis-à-vis de ceux qui correspondent à vos attentes par rapport à votre futur travail.**

Exigences liées à mon futur travail

- ☐ Accepter de mettre continuellement mes connaissances à jour.
- ☐ Accepter une certaine répétition et une certaine routine dans mon travail.
- ☐ Assumer le fait que les résultats de mon travail serviront de fondement à d'importantes décisions.
- ☐ Être à l'aise avec le fait de travailler avec des données et des choses plutôt qu'avec des personnes.
- ☐ Exécuter principalement un travail à caractère scientifique demandant de la rigueur et de la précision.
- ☐ Faire appel à l'analyse et à la logique et manifester un esprit critique dans le cadre de mes fonctions.
- ☐ Faire preuve de la patience requise pour accepter que mon travail produise des résultats à long terme plus souvent qu'à court terme.

VOS PRÉFÉRENCES PROFESSIONNELLES

La prochaine étape introduit une réflexion sur vos préférences professionnelles. Les énoncés proposés correspondent à des fonctions de travail propres à la famille **La matière analysée**.

- **Lisez attentivement les sept fonctions de travail suivantes.**

- **Numérotez, selon vos préférences, les trois ou quatre fonctions les plus significatives pour vous, le chiffre 1 indiquant la fonction la plus intéressante à vos yeux.**

- **Reportez ensuite les chiffres correspondant à vos préférences dans l'espace « Mes préférences » du tableau de la page suivante.**

Fonctions de travail

- ☐ **Classification** : Exécuter des tâches impliquant le classement d'objets ou de données.

- ☐ **Conseil** : Agir à titre de consultant ou de consultante auprès de travailleurs pour les aider à exercer leurs fonctions dans divers domaines d'activités.

- ☐ **Information** : Avoir la responsabilité de transmettre des renseignements.

- ☐ **Manipulation** : Manipuler des appareils, des outils ou des instruments.

- ☐ **Réalisations scientifiques** : Appliquer ses connaissances scientifiques à des réalisations concrètes (produits, objets, appareils, installations, etc.).

- ☐ **Recherche** : S'interroger, explorer, expérimenter, afin d'innover et de faire progresser son domaine d'activités.

- ☐ **Vérification/Contrôle** : S'impliquer dans des activités de mesure, de vérification, de contrôle ou d'inspection de produits ou de services.

PROGRAMMES D'ÉTUDES ET FONCTIONS DE TRAVAIL

Le tableau qui suit présente, dans l'ordre, les programmes offerts au secondaire, au collégial et au premier cycle universitaire.

• **Recherchez, pour les fonctions de travail retenues, les programmes d'études signalés par les points et prenez note de ceux qui vous intéressent particulièrement.**

Exemple : Si vous avez une préférence pour la fonction de travail « Manipulation », vous noterez que le programme universitaire *Biochimie* (Bac) accorde une grande importance à cette fonction, alors qu'elle en a peu pour le programme *Actuariat* (Bac).

Pour faciliter la consultation du tableau

Vous pourriez :
– surligner les colonnes verticales correspondant à vos fonctions de travail préférées;
– prendre connaissance des programmes signalés par des points dans les colonnes retenues et surligner ceux qui vous intéressent particulièrement.

Pour comprendre l'organisation de ce tableau, consultez le premier encadré, page 19.

MES PRÉFÉRENCES							
PROGRAMMES	**FONCTIONS DE TRAVAIL**						
• Faible importance •• Moyenne importance ••• Grande importance	CLASSIFICATION	CONSEIL	INFORMATION	MANIPULATION	RÉALISATIONS SCIENTIFIQUES	RECHERCHE	VÉRIFICATION/ CONTRÔLE
Collégial (DEC)							
Techniques physiques							
160.A0 Assainissement de l'eau	•••	•••	••	•••	••	••	•••
260.B0 Environnement, hygiène et sécurité du travail	••	•••	••	•••	••	••	•••
210.02 Techniques de génie chimique	•••	•	•	•••	•••	••	•••
210.AA Techniques de laboratoire, profil Biotechnologie	•••	•	•	•••	•••	••	•••
210.AB Techniques de laboratoire, profil Chimie analytique	•••	•	•	•••	•••	••	•••
210.04 Techniques de procédés chimiques	•••	••	••	••	•••	••	•••
270.AC Technologie du génie métallurgique, profil Contrôle des matériaux	•••	•••	•	•••	•••	••	•••
Universitaire (Bac) [1]							
Sciences pures							
15234* Actuariat	•••	••	•	•	•••	•••	•••
15214* Biochimie	•••	••	•••	•••	•••	•••	•••
15200* Biologie	•••	•	••	•••	•••	•••	•••
15215* Biophysique	•••	•	••	•••	•••	•••	•
15245* Chimie	•••	•	••	•••	•••	•••	•••
15230* Mathématique	•••		•	•	•••	•••	•
15243* Météorologie	•••	••	••	••	•••	•••	•••
15211* Microbiologie	•••	•	••	•••	•••	•••	••
15240* Physique	•••	••	•	•••	•••	•••	•••
15232* Statistiques	•••		•	•	•••	•••	•

1. Pour accéder à l'information sur le site www.reperes.qc.ca, il faut obligatoirement ajouter l'astérisque (*) à la suite du numéro d'identification du programme.

PROFESSIONS ET MÉTIERS EN RELATION AVEC LES PROGRAMMES D'ÉTUDES

Cette section comprend la liste des professions et des métiers en relation avec chacun des programmes d'études énumérés dans le tableau précédent, sauf ceux qui correspondent aux programmes conduisant à l'obtention d'une attestation de formation professionnelle (AFP).

Dans ce cas particulier, les titres des métiers étant identiques à ceux des programmes, nous avons jugé inutile de reprendre cette information dans la présente section.

Pour comprendre l'organisation de cette section, consultez le second encadré, page 19.

CLÉO	PROGRAMMES ET MÉTIERS

COLLÉGIAL (DEC)

TECHNIQUES PHYSIQUES

Assainissement de l'eau
111.16	Technologue en hydrologie
111.18	Technologue en hydrogéologie
121.02	Technologue en assainissement de l'eau
121.03	Opérateur d'usine de traitement des eaux potables
132.07	Inspecteur des mesures antipollution

Environnement, hygiène et sécurité du travail
132.06	Technologue en assainissement et sécurité industriels
132.07	Inspecteur des mesures antipollution
211.13	Technicien en hygiène industrielle
211.14	Inspecteur des normes sanitaires
211.18	Inspecteur de la sécurité (entreprise privée)

Techniques de génie chimique
228.08	Technologue en procédés de fabrication alimentaire
229.02	Technologue en génie chimique
229.06	Technicien en génie pétrochimique
229.13	Technologue d'installation de traitement chimique
432.06	Représentant-technicien de produits chimiques

Techniques de laboratoire
113.09	Technicien de laboratoire en biologie
221.03	Essayeur de métaux précieux
228.08	Technologiste en procédés de fabrication alimentaire
229.12	Technologue en chimie
229.13	Technologue d'installation de traitement chimique
229.14	Contrôleur de produits pharmaceutiques
612.23	Technologue en biochimie
612.30	Technicien en bactériologie

Techniques de procédés chimiques
229.12	Technologue en chimie
229.13	Technologue d'installation de traitement chimique

Technologie du génie métallurgique
222.02	Technologue-métallurgiste

UNIVERSITAIRE (BAC)

SCIENCES PURES

Actuariat
423.02	Actuaire

Biochimie
525.22	Biochimiste clinique
612.21	Biochimiste
612.24	Biologiste moléculaire
612.32	Virologiste
612.36	Généticien

Biologie
111.19	Océanographe
113.01	Botaniste
113.03	Malherbologiste
113.04	Mycologue
113.05	Phytopathologiste
113.06	Biologiste
113.07	Biologiste de la vie aquatique
113.08	Biologiste en parasitologie
113.10	Zoologiste
113.12	Entomologiste
113.13	Ichtyologiste
113.14	Ornithologue

Biophysique
612.22	Biophysicien

Chimie
111.19	Océanographe
228.01	Scientifique en produits alimentaires
229.05	Chimiste spécialiste du contrôle de la qualité
229.11	Chimiste
229.14	Contrôleur de produits pharmaceutiques

Mathématique
333.21	Officier de génie militaire
612.10	Mathématicien de mathématiques appliquées
612.41	Démographe
612.44	Statisticien

Météorologie
114.01	Météorologue
114.03	Climatologiste

Microbiologie
113.05	Phytopathologiste
113.08	Biologiste en parasitologie
124.04	Bactériologiste des sols
228.02	Bactériologiste de produits alimentaires
612.26	Microbiologiste

612.27   Microbiologiste médical
612.29   Bactériologiste
612.32   Virologiste
612.33   Immunologue

Physique
111.19   Océanographe
224.01   Ingénieur en sciences nucléaires
232.41   Ingénieur en aérospatiale
333.21   Officier de génie militaire
612.02   Physicien
612.04   Physicien nucléaire
612.06   Astronome

Statistiques
612.10   Mathématicien de mathématiques
          appliquées
612.41   Démographe
612.44   Statisticien

FAMILLE
2.2 Les biens et les matériaux

Photo de famille

La famille Les biens et les matériaux regroupe des activités orientées principalement vers la fabrication, l'entretien et la réparation d'appareils, de véhicules et d'installations diverses. Ces activités requièrent des habiletés manuelles et des techniques spécialisées ainsi que le recours à une grande diversité de matériaux. Conduire des véhicules lourds, actionner de la machinerie, utiliser des outils, dessiner des plans ou des patrons, tout cela fait partie des activités propres à cette famille.

Les personnes intéressées par cette famille de programmes d'études et de carrières présentent un certain nombre de caractéristiques communes et relèvent des défis professionnels semblables.

- Elles appliquent des méthodes éprouvées pour fabriquer, réparer ou entretenir des objets ou des installations.

- Elles manipulent en général beaucoup d'outils et de matériaux dans le cadre de leur travail.

- Elles sont capables de travailler de façon autonome et de s'insérer dans une équipe de travail au besoin.

- Elles manifestent de l'intérêt et des aptitudes pour un travail dont les résultats sont concrets et mesurables.

- Elles exercent leurs activités professionnelles dans des entreprises manufacturières, dans des ateliers de réparation ou d'entretien ou dans des commerces de matériaux diversifiés; elles peuvent également travailler à leur compte.

Si j'avais su que le programme Montage de câbles et de circuits *existait, c'est ce que j'aurais choisi en premier lieu. Il y avait plein de petites choses qui me passionnaient quand j'étais jeune et qui auraient pu m'indiquer tout de suite que j'allais beaucoup aimer cette formation. J'aime aussi faire des choses qui demandent de la minutie. On me confie souvent des tâches pour lesquelles mes petites mains habiles et ma taille réduite constituent des avantages.*

Katrin
Montage de câbles et de circuits

Programmes d'études par ordres d'enseignement et secteurs de formation

Les programmes énumérés ci-dessous permettent d'exercer une profession ou un métier en relation avec la famille **Les biens et les matériaux**.

SECONDAIRE

Attestation de formation professionnelle (AFP)

Administration, commerce et informatique
- Commis de meubles et d'appareils électroménagers usagés

Alimentation et tourisme
- Manœuvre dans la lyophilisation des aliments
- Manœuvre dans la transformation des aliments
- Opérateur d'équipement de contrôle en pâtisserie
- Réparateur-monteur d'articles de sport

Arts
- Préposé à la fabrication de tubes au néon
- Tailleur-polisseur de pierres tombales

Bois et matériaux connexes
- Aide-ébéniste
- Aide-opérateur en prémoulage
- Aide-rembourreur
- Manœuvre d'atelier d'armoires de cuisine
- Manœuvre d'atelier de fabrication d'escaliers
- Manœuvre d'atelier de fabrication de chaises
- Manoeuvre d'atelier de fabrication de meubles
- Manœuvre d'atelier de fabrication de portes et de fenêtres
- Manœuvre dans la fabrication de produits de bois
- Manœuvre dans la finition de bains et de douches
- Manœuvre dans la finition de bateaux
- Monteur de produits de bois ou d'autres matériaux
- Monteur de trophée
- Ouvrier de production dans un atelier de laminage
- Ouvrier de production en résine renforcée
- Peintre-finisseur de meubles
- Préposé au recouvrement d'appareils orthopédiques

Chimie, biologie
- Manœuvre à la préparation de produits chimiques

Cuir, textile et habillement
- Aide à la buanderie et au nettoyage à sec
- Aide-cordonnier
- Aide-teinturier
- Assembleur-monteur d'auvents et d'abris
- Conducteur de machines à transformer les fibres textiles
- Manœuvre des produits du textile
- Opérateur de machines à coudre (production industrielle)
- Préposé à la finition et au contrôle de la qualité

Électrotechnique
- Aide à l'entretien d'équipement de bureau
- Aide à l'entretien d'ordinateurs et d'appareils électroniques
- Aide-réparateur d'appareils électroménagers
- Assembleur d'appareils électroménagers
- Assembleur de matériel électronique
- Assembleur de matériel informatique
- Manœuvre d'atelier
- Monteur de matériel, d'appareils et d'accessoires électriques simples

Entretien d'équipement motorisé
- Manœuvre à l'entretien de voies ferrées
- Poseur de silencieux
- Préposé à l'entretien des pneus et des lames de ressort
- Préposé à l'habillage d'un véhicule
- Préposé à la location et à l'entretien d'outillage et de véhicules légers
- Préposé à la préparation de véhicules automobiles
- Préposé au rechapage
- Préposé au service d'aéronefs
- Préposé au service d'outils et d'accessoires motorisés
- Préposé au service de l'outillage et des véhicules légers
- Préposé au service de véhicules automobiles
- Préposé au service de véhicules de loisirs
- Préposé au service de véhicules lourds
- Préposé aux machineries agricoles

Fabrication mécanique
- Assembleur de pièces de dépanneuse
- Assembleur de pièces métalliques
- Assembleur de produits de plastique
- Conducteur de machines à encoller et à cirer
- Conducteur de machines à ensacher et à emballer
- Conducteur de machines à ensacher et à encapsuler
- Conducteur de machines à fabriquer des produits de caoutchouc
- Conducteur de machines à mouler les plastiques
- Conducteur de machines à mouler par soufflage
- Conducteur de machines à rotomouler des matières plastiques
- Conducteur de machines à sérigraphier
- Conducteur de machines à thermoformer les matières plastiques
- Finisseur de pièces métalliques
- Manœuvre en gravure de pièces métalliques
- Manutentionnaire dans une entreprise de transformation
- Manutentionnaire général
- Préposé à la préparation du matériel usinable
- Réusineur de rotors à freins à disque

Mécanique d'entretien
- Aide en mécanique de machines à coudre industrielles
- Aide-mécanicien d'entretien
- Aide-réparateur de pompes
- Préposé au service de machines distributrices

Métallurgie
- Aide d'atelier
- Aide en ferblanterie
- Aide en fonderie
- Aide en soudage général
- Monteur de produits fabriqués en établissement industriel
- Opérateur de machines à travailler les métaux
- Peintre-enduiseur de surfaces métalliques

Mines et travaux de chantier
- Assistant en dessin de plan de géologie
- Manœuvre de mine
- Préposé à la transformation du minerai

Diplôme d'études professionnelles (DEP)

Bois et matériaux connexes
- Ébénisterie
- Fabrication en série de meubles et de produits en bois ouvré
- Finition de meubles
- Mise en œuvre de matériaux composites
- Modelage
- Rembourrage artisanal
- Rembourrage industriel

Chimie, biologie
- Conduite de procédés de traitement de l'eau

Cuir, textile et habillement
- Cordonnerie
- Dessin de patron
- Nettoyage à sec et entretien de vêtements
- Production industrielle de vêtements
- Production textile (opérations)

Électrotechnique
- Électricité d'entretien
- Électromécanique de systèmes automatisés
- Installation et entretien de systèmes de sécurité
- Installation et réparation d'équipement de télécommunication
- Montage de lignes électriques
- Réparation d'appareils électroménagers
- Réparation d'appareils électroniques audiovidéo
- Service technique d'équipement bureautique

Entretien d'équipement motorisé
- Carrosserie
- Mécanique agricole
- Mécanique automobile
- Mécanique d'engins de chantier
- Mécanique de véhicules légers
- Mécanique de véhicules lourds routiers
- Mécanique marine
- Service-conseil à la clientèle en équipement motorisé
- Vente de pièces mécaniques et d'accessoires

Fabrication mécanique
- Conduite de machines industrielles
- Conduite et réglage de machines à mouler
- Dessin industriel
- Montage de câbles et de circuits
- Montage de structures en aérospatiale
- Montage mécanique en aérospatiale
- Techniques d'usinage
- Tôlerie de précision

Mécanique d'entretien
- Horlogerie-bijouterie
- Mécanique d'ascenseur
- Mécanique de machines à coudre industrielles
- Mécanique industrielle de construction et d'entretien
- Réparation d'armes à feu
- Serrurerie

Métallurgie
- Assemblage de structures métalliques
- Chaudronnerie
- Ferblanterie-tôlerie
- Fonderie
- Montage d'acier de structure
- Pose d'armature du béton
- Serrurerie de bâtiment
- Soudage-montage
- Traitement de surface

Mines et travaux de chantier
- Conduite d'engins de chantier
- Conduite d'engins de chantier nordique
- Conduite de grues
- Conduite de machinerie lourde en voirie forestière
- Extraction du minerai
- Forage au diamant
- Forage et dynamitage
- Opération des équipements de traitement de minerai

COLLÉGIAL

Diplôme d'études collégiales (DEC)

Arts
- Techniques de design industriel

Techniques biologiques
- Technologie de la transformation des aliments
- Technologie des équipements agricoles

Techniques physiques
- Avionique
- Construction aéronautique
- Entretien d'aéronefs
- Exploitation et production des ressources marines
- Techniques d'architecture navale
- Techniques de génie mécanique
- Techniques de génie mécanique de marine
- Techniques de production manufacturière
- Techniques de transformation des matériaux composites

- Techniques de transformation des matières plastiques
- Techniques du meuble et de l'ébénisterie :
  - profil Fabrication sur mesure
  - profil Production sérielle
- Technologie de conception électronique
- Technologie de l'électronique industrielle :
  - profil Électrodynamique
  - profil Instrumentation et automatisation
- Technologie de l'électronique :
  - profil Audiovisuel
  - profil Ordinateurs
  - profil Télécommunications
- Technologie de la production textile
- Technologie de maintenance industrielle
- Technologie de systèmes ordinés
- Technologie des matières textiles
- Technologie des pâtes et papiers
- Technologie du génie industriel
- Technologie du génie métallurgique :
  - profil Fabrication mécanosoudée
  - profil Procédés de transformation
- Technologie minérale :
  - profil Exploitation
  - profil Géologie appliquée
  - profil Minéralurgie
- Technologie physique
- Transformation des produits de la mer

UNIVERSITAIRE

Diplôme de baccalauréat (Bac)

Sciences appliquées et Sciences pures
- Design industriel
- Génie alimentaire
- Génie chimique
- Génie de la production automatisée
- Génie des matériaux
- Génie des technologies de l'information
- Génie électrique
- Génie géologique
- Génie industriel
- Génie informatique
- Génie logiciel
- Génie mécanique
- Génie microélectronique
- Génie minier
- Génie physique
- Géographie physique
- Géologie
- Sciences et technologie des aliments

Programmes apparentés

La liste des programmes apparentés est fournie à titre indicatif. Compte tenu de leurs objectifs principaux, ces programmes ont été classés dans d'autres familles, mais ils partagent néanmoins certains de leurs objectifs avec les programmes énumérés ci-dessus. Vous trouverez des renseignements sur ces programmes aux pages indiquées.

SECONDAIRE	COLLÉGIAL	UNIVERSITAIRE
Diplôme d'études professionnelles (DEP) • *Boucherie de détail, page 156* • *Cuisine d'établissement, page 156* • *Pâtisserie, page 156*	*Diplôme d'études collégiales (DEC)* • *Techniques de métiers d'art, page 232* • *Technologie forestière, page 50*	*Aucun programme*

Matières scolaires en relation avec la famille Les biens et les matériaux

(ordre d'enseignement secondaire)

■ Régime actuel
▲ Nouveau régime
● Éducation des adultes

	Régime actuel	Nouveau régime	Éducation des adultes
Anglais	■	▲	●
Chimie	■		●
Éducation technologique	■		
Informatique	■		●
Initiation à la technologie	■		
Mathématique	■	▲	●
Physique	■		●
Science et technologie		▲	
Sciences physiques	■		●
Techniques et méthodes en sciences de la nature	■		

Autoportrait

Découvrez le profil personnel des travailleurs de la famille **Les biens et les matériaux** et vérifiez si leurs caractéristiques correspondent à votre propre réalité.

PROFIL PERSONNEL COMMUN

Les travailleurs de la famille **Les biens et les matériaux** présentent des traits de personnalité, des goûts, des talents et des valeurs semblables.

Ils sont...
- actifs;
- bien organisés;
- curieux;
- débrouillards;
- méthodiques;
- observateurs;
- patients.

Ils aiment...
- découvrir comment les objets fonctionnent;
- fabriquer, entretenir ou réparer des objets ou des appareils;
- faire un travail dont les résultats sont tangibles et concrets;
- manipuler des objets, des outils et des matériaux;
- obtenir des résultats à court terme;
- travailler à la conception d'objets ou de systèmes;
- utiliser la technologie.

Ils ont...
- de la facilité à comprendre des protocoles ou des plans et à s'y conformer;
- de la facilité à faire des calculs, des plus simples aux plus complexes;
- du talent pour analyser des problèmes concrets et pour les résoudre;
- l'esprit pratique;
- la capacité de maîtriser des outils et des équipements sophistiqués;
- le sens des responsabilités;
- une grande dextérité manuelle;
- une bonne logique opérationnelle.

Ils privilégient...
- l'efficacité au travail;
- la fierté de contribuer, seuls ou en équipe, à la conception de nouveaux produits;
- la recherche de résultats concrets et pratiques;
- la recherche de solutions à des problèmes concrets;
- les défis;
- les progrès technologiques.

Typologie de Holland – R I A S E C Z
Réaliste • Investigateur • Conventionnel

L'ANALYSE DE VOS EXPÉRIENCES

Les indices d'orientation qui suivent vous permettront de vérifier, à partir de vos diverses expériences, dans quelle mesure les caractéristiques des travailleurs de la famille **Les biens et les matériaux** correspondent aux vôtres.

• Lisez attentivement les deux séries d'indices qui suivent et faites un crochet (√) vis-à-vis des énoncés qui s'appliquent ou pourraient s'appliquer à vous*.

• Comptez ensuite le nombre d'énoncés retenus et calculez le pourcentage.

• Le résultat obtenu vous donne des indications sur l'étendue de votre intérêt et de votre capacité à entreprendre un projet d'études relevant de la famille Les biens et les matériaux.

* Voir la remarque « Important », au n° 7 de la page 19.

Indices d'orientation tirés de mon expérience personnelle

1. ☐ J'aime regarder des émissions télévisées et lire des ouvrages portant sur la recherche scientifique, les progrès et les découvertes technologiques, les communications, les transports, le monde industriel et la conquête spatiale.
2. ☐ J'aime bricoler, démonter et réparer des pièces mécaniques, électriques ou électroniques, en suivant des instructions bien précises.
3. ☐ J'aime voir les résultats concrets de mon travail.
4. ☐ J'aime manipuler des outils pour fabriquer des objets à ma façon.
5. ☐ J'aime comprendre comment fonctionnent les appareils ou les objets mécaniques, électriques ou électroniques (véhicules, réveille-matin, radios, objets téléguidés, etc.).
6. ☐ Je dessine souvent des plans.
7. ☐ J'ai toujours aimé les jeux de construction, de mécano et d'assemblage.
8. ☐ Je fais souvent des réparations mineures de toutes sortes (quand on me le demande) et je prends plaisir à le faire.
9. ☐ Je fais partie d'un club de sciences.
10. ☐ J'aime visiter des musées de science et de technologie où je peux observer les méthodes de production ainsi que les progrès technologiques et leurs applications dans différents domaines.
11. ☐ Je me débrouille bien avec les ordinateurs.
12. ☐ Je préfère fabriquer certains objets (jouets, meubles) plutôt que de les acheter.

Indices d'orientation tirés de mon expérience scolaire et occupationnelle

13. ☐ J'aime les cours de sciences : chimie, éducation technologique, mathématique ou physique.
14. ☐ J'aime faire des expériences en laboratoire de physique.
15. ☐ J'aime participer à des expositions scientifiques dans les écoles ou en visiter.
16. ☐ J'ai participé à des stages de sensibilisation aux technologies de pointe.
17. ☐ J'ai aimé suivre des cours d'initiation à la technologie.
18. ☐ J'ai adoré travailler dans une quincaillerie au cours des dernières vacances.
19. ☐ J'aime les cours pratiques suivis d'activités de laboratoire, où l'on peut assembler et démonter divers appareils.
20. ☐ Je m'intéresse davantage à la mécanique des véhicules qu'à leur conduite.
21. ☐ Je m'intéresse aux possibilités qu'offrent les nouveaux matériaux.
22. ☐ Je rêve du jour où je pourrai démonter, réparer et remonter ma montre.
23. ☐ J'aime bien les tâches ou les activités qui me permettent de mesurer concrètement ce que j'ai accompli durant la journée.
24. ☐ J'ai toujours aimé installer des appareils, les mettre en marche et m'assurer de leur bon fonctionnement.

Résultat : _____ énoncés sur 24 = _____ %

Projet professionnel

VOS ATTENTES PAR RAPPORT À VOTRE FUTUR TRAVAIL

La série d'énoncés qui suit se rapporte aux exigences auxquelles doivent se soumettre les travailleurs de la famille **Les biens et les matériaux**. Seriez-vous prêt ou prête à accepter ces exigences pour vous-même?

• **Lisez attentivement chaque énoncé et faites un crochet (√) vis-à-vis de ceux qui correspondent à vos attentes par rapport à votre futur travail.**

Exigences liées à mon futur travail

☐ Accomplir un travail produisant des résultats concrets.

☐ Avoir le souci du travail bien fait et de la satisfaction du client.

☐ Demeurer à l'affût de tout ce qui pourrait contribuer à améliorer le produit de mon travail.

☐ Faire un travail orienté vers les choses, les objets ou les données, plutôt que vers les personnes.

☐ M'assurer que chaque client bénéficie d'un produit de la meilleure qualité possible.

☐ Participer activement au travail d'une équipe afin de contribuer à la fabrication d'un produit de qualité réalisé en coopération.

☐ Produire des résultats que je peux observer à court terme.

☐ Travailler avec rigueur et méthode, selon des procédés éprouvés qui permettent d'atteindre un bon résultat.

VOS PRÉFÉRENCES PROFESSIONNELLES

La prochaine étape introduit une réflexion sur vos préférences professionnelles. Les énoncés proposés correspondent à des fonctions de travail propres à la famille **Les biens et les matériaux**.

• **Lisez attentivement les 13 fonctions de travail suivantes.**

• **Numérotez, selon vos préférences, les trois ou quatre fonctions les plus significatives pour vous, le chiffre 1 indiquant la fonction la plus intéressante à vos yeux.**

• **Reportez ensuite les chiffres correspondant à vos préférences dans l'espace «Mes préférences» du tableau de la page suivante.**

Fonctions de travail

☐ **Aménagement/Design** : Aménager des espaces physiques ou agencer des formes et des objets dans un but pratique ou esthétique.

☐ **Comptabilité/Finance** : Travailler avec des données comptables et administratives.

☐ **Conseil** : Agir à titre de consultant ou consultante auprès de travailleurs pour les aider à exercer leurs fonctions dans divers domaines d'activités.

☐ **Coordination** : Coordonner ou superviser une équipe de travail.

☐ **Exploitation/Extraction** : Travailler sur le terrain à des activités d'exploitation des richesses naturelles telles que le bois, l'eau, la végétation, les métaux et les minéraux.

☐ **Fabrication industrielle** : Fabriquer des objets et assembler des matériaux.

☐ **Gestion des affaires** : Gérer un projet commercial ou industriel.

☐ **Manipulation** : Manipuler des appareils, des outils ou des instruments.

☐ **Organisation** : Organiser des services administratifs ou techniques de nature commerciale.

☐ **Réalisations scientifiques** : Appliquer ses connaissances scientifiques à des réalisations concrètes (produits, objets, appareils, installations, etc.).

☐ **Recherche** : S'interroger, explorer, expérimenter, afin d'innover et de faire progresser son domaine d'activités.

☐ **Travail physique** : Accomplir des tâches nécessitant de la force ou des capacités physiques.

☐ **Vérification/Contrôle** : S'impliquer dans des activités de mesure, de vérification, de contrôle ou d'inspection de produits ou de services.

PROGRAMMES D'ÉTUDES ET FONCTIONS DE TRAVAIL

Le tableau qui suit présente, dans l'ordre, les programmes offerts au secondaire, au collégial et au premier cycle universitaire.

• **Recherchez, pour les fonctions de travail retenues, les programmes d'études signalés par les points et prenez note de ceux qui vous intéressent particulièrement.**

Exemple : Si vous avez une préférence pour la fonction de travail «Vérification/Contrôle», vous noterez que le programme d'études professionnelles *Conduite de procédés de traitement de l'eau* (DEP) accorde une grande importance à cette fonction, alors qu'elle n'en a aucune pour le programme *Manœuvre de fabrication de meubles* (AFP).

Pour faciliter la consultation du tableau

Vous pourriez :
– surligner les colonnes verticales correspondant à vos fonctions de travail préférées;
– prendre connaissance des programmes signalés par des points dans les colonnes retenues et surligner ceux qui vous intéressent particulièrement.

Pour comprendre l'organisation de ce tableau, consultez le premier encadré, page 19.

MES PRÉFÉRENCES

PROGRAMMES	FONCTIONS DE TRAVAIL												
• Faible importance •• Moyenne importance ••• Grande importance	AMÉNAGEMENT/DESIGN	COMPTABILITÉ/FINANCE	CONSEIL	COORDINATION	EXPLOITATION/EXTRACTION	FABRICATION INDUSTRIELLE	GESTION DES AFFAIRES	MANIPULATION	ORGANISATION	RÉALISATIONS SCIENTIFIQUES	RECHERCHE	TRAVAIL PHYSIQUE	VÉRIFICATION/CONTRÔLE
Secondaire (AFP)													
▶ **Administration, commerce et informatique**													
7102 Commis de meubles et d'appareils électroménagers usagés		•					•	•	•••			•••	•
▶ **Alimentation et tourisme**													
7190 Manœuvre dans la lyophilisation des aliments						•		•••				••	•
7114 Manœuvre dans la transformation des aliments						•		•••				••	•
7033 Opérateur d'équipement de contrôle en pâtisserie						•		•••				••	••
7041 Réparateur-monteur d'articles de sport	•							•••	••			•••	••
▶ **Arts**													
7208 Préposé à la fabrication de tubes au néon	•					••		•••				••	•
7044 Tailleur-polisseur de pierres tombales	•					••		•••				•••	
▶ **Bois et matériaux connexes**													
7049 Aide-ébéniste						•••		•••				•••	
7162 Aide-opérateur en prémoulage						•••		•••				•••	
7119 Aide-rembourreur						•••		•••				•••	
7184 Manœuvre d'atelier d'armoires de cuisine						•••		•••				•••	
7192 Manœuvre d'atelier de fabrication d'escaliers						•••		•••				•••	
7191 Manœuvre d'atelier de fabrication de chaises						•••		•••				•••	
7051 Manœuvre d'atelier de fabrication de meubles						•••		•••				•••	
7053 Manœuvre d'atelier de fabrication de portes et fenêtres						•••		•••				•••	
7120 Manœuvre dans la fabrication de produits de bois						•••		•••				•••	
7163 Manœuvre dans la finition de bains et de douches						•••		•••				•••	
7218 Manœuvre dans la finition de bateaux						•••		•••				•••	
7052 Monteur de produits de bois ou d'autres matériaux						•••		•••				•••	

- Faible importance
- •• Moyenne importance
- ••• Grande importance

Code	Programme	AMÉNAGEMENT/ DESIGN	COMPTABILITÉ/ FINANCE	CONSEIL	COORDINATION	EXPLOITATION/ EXTRACTION	FABRICATION INDUSTRIELLE	GESTION DES AFFAIRES	MANIPULATION	ORGANISATION	RÉALISATIONS SCIENTIFIQUES	RECHERCHE	TRAVAIL PHYSIQUE	VÉRIFICATION/ CONTRÔLE
7215	Monteur de trophées						•••		•••				•••	
7050	Ouvrier de production dans un atelier de laminage						•••		•••				•••	
7075	Ouvrier de production en résine renforcée						•••		•••				•••	
7164	Peintre-finisseur de meubles						•••		•••				•••	•
7193	Préposé au recouvrement d'appareils orthopédiques						•••		•••				•••	•

▶ Chimie, biologie

Code	Programme	AMÉNAGEMENT/ DESIGN	COMPTABILITÉ/ FINANCE	CONSEIL	COORDINATION	EXPLOITATION/ EXTRACTION	FABRICATION INDUSTRIELLE	GESTION DES AFFAIRES	MANIPULATION	ORGANISATION	RÉALISATIONS SCIENTIFIQUES	RECHERCHE	TRAVAIL PHYSIQUE	VÉRIFICATION/ CONTRÔLE
7121	Manœuvre à la préparation de produits chimiques								•••				••	••

▶ Cuir, textile et habillement

Code	Programme	AMÉNAGEMENT/ DESIGN	COMPTABILITÉ/ FINANCE	CONSEIL	COORDINATION	EXPLOITATION/ EXTRACTION	FABRICATION INDUSTRIELLE	GESTION DES AFFAIRES	MANIPULATION	ORGANISATION	RÉALISATIONS SCIENTIFIQUES	RECHERCHE	TRAVAIL PHYSIQUE	VÉRIFICATION/ CONTRÔLE
7087	Aide à la buanderie et au nettoyage à sec								•••	••			••	•
7148	Aide-cordonnier								•••	••			•	•
7150	Aide-teinturier								•••	••			•	•
7150	Assembleur-monteur d'auvents et d'abris	•							•••				•••	
7181	Conducteur de machines à transformer les fibres textiles						••		•••				••	
7187	Manœuvre des produits du textile						••		•••				•••	
7222	Opérateur de machines à coudre (production industrielle)						••		•••				••	
7092	Préposé à la finition et au contrôle de la qualité						••		••				••	••

▶ Électrotechnique

Code	Programme	AMÉNAGEMENT/ DESIGN	COMPTABILITÉ/ FINANCE	CONSEIL	COORDINATION	EXPLOITATION/ EXTRACTION	FABRICATION INDUSTRIELLE	GESTION DES AFFAIRES	MANIPULATION	ORGANISATION	RÉALISATIONS SCIENTIFIQUES	RECHERCHE	TRAVAIL PHYSIQUE	VÉRIFICATION/ CONTRÔLE
7128	Aide à l'entretien d'équipement de bureau								•••	••			••	••
7128	Aide à l'entretien d'ordinateurs et d'appareils électroniques								•••	••			••	••
7128	Aide-réparateur d'appareils électroménagers								•••	••			•••	•
7163	Assembleur d'appareils électroménagers						•••		•••				•••	
7057	Assembleur de matériel électronique						•••		•••				••	
7169	Assembleur de matériel informatique						•••		•••				••	
7170	Manœuvre d'atelier						••		•••				•••	
7129	Monteur de matériel, d'appareils et d'accessoires électriques simples						•••		•••				••	

▶ Entretien d'équipement motorisé

Code	Programme	AMÉNAGEMENT/ DESIGN	COMPTABILITÉ/ FINANCE	CONSEIL	COORDINATION	EXPLOITATION/ EXTRACTION	FABRICATION INDUSTRIELLE	GESTION DES AFFAIRES	MANIPULATION	ORGANISATION	RÉALISATIONS SCIENTIFIQUES	RECHERCHE	TRAVAIL PHYSIQUE	VÉRIFICATION/ CONTRÔLE
7121	Manœuvre à l'entretien des voies ferrées								•••	•			•••	
7062	Poseur de silencieux								•••	•			•••	•
7156	Préposé à l'entretien des pneus et des lames de ressort								•••	•			•••	•
7225	Préposé à l'habillage d'un véhicule						••		•••				•••	•
7064	Préposé à la location et à l'entretien d'outillage et de véhicules légers		•						••	••			••	••
7131	Préposé à la préparation de véhicules automobiles								•••	••			•••	
7132	Préposé au réchapage						••		•••				•••	
7185	Préposé au service d'aéronefs						••		•••	••			•••	
7068	Préposé au service d'outils et d'accessoires motorisés		•						••	••			••	
7172	Préposé au service de l'outillage et des véhicules légers		•						••	••			••	
7069	Préposé au service de véhicules automobiles								•••	••			••	
7070	Préposé au service de véhicules de loisirs								•••	••			••	

- Faible importance
- •• Moyenne importance
- ••• Grande importance

	Programme	AMÉNAGEMENT/ DESIGN	COMPTABILITÉ/ FINANCE	CONSEIL	COORDINATION	EXPLOITATION/ EXTRACTION	FABRICATION INDUSTRIELLE	GESTION DES AFFAIRES	MANIPULATION	ORGANISATION	RÉALISATIONS SCIENTIFIQUES	RECHERCHE	TRAVAIL PHYSIQUE	VÉRIFICATION/ CONTRÔLE
7071	Préposé au service de véhicules lourds								•••	••			••	
7133	Préposé aux machineries agricoles								•••	••			••	

▶ Fabrication mécanique

	Programme	AMÉNAGEMENT/ DESIGN	COMPTABILITÉ/ FINANCE	CONSEIL	COORDINATION	EXPLOITATION/ EXTRACTION	FABRICATION INDUSTRIELLE	GESTION DES AFFAIRES	MANIPULATION	ORGANISATION	RÉALISATIONS SCIENTIFIQUES	RECHERCHE	TRAVAIL PHYSIQUE	VÉRIFICATION/ CONTRÔLE
7211	Assembleur de pièces de dépanneuse						•••		•••				•••	
7073	Assembleur de pièces métalliques						•••		•••				•••	
7173	Assembleur de produits de plastique						•••		•••				•••	
7196	Conducteur de machines à encoller et à cirer						••		•••				••	
7174	Conducteur de machines à ensacher et à emballer						••		•••				••	
7197	Conducteur de machines à ensacher et à encapsuler						••		•••				••	
7077	Conducteur de machines à fabriquer des produits de caoutchouc						••		•••				••	
7134	Conducteur de machines à mouler les plastiques						••		•••				••	
7198	Conducteur de machines à mouler par soufflage						••		•••				••	
7154	Conducteur de machines à rotomouler des matières plastiques						••		•••				••	
7199	Conducteur de machines à sérigraphier						••		•••				••	
7175	Conducteur de machines à thermoformer les matières plastiques						••		•••				••	
7226	Finisseur de pièces métalliques						••		•••				•••	•
7213	Manœuvre en gravure de pièces métalliques						••		•••				•••	
7212	Manutentionnaire dans une entreprise de transformation								••	••			•••	
7074	Manutentionnaire général								••	••			•••	
7135	Préposé à la préparation du matériel usinable						••		••				•••	
7136	Réusineur de rotors à freins à disques						••		•••				•••	

▶ Mécanique d'entretien

	Programme	AMÉNAGEMENT/ DESIGN	COMPTABILITÉ/ FINANCE	CONSEIL	COORDINATION	EXPLOITATION/ EXTRACTION	FABRICATION INDUSTRIELLE	GESTION DES AFFAIRES	MANIPULATION	ORGANISATION	RÉALISATIONS SCIENTIFIQUES	RECHERCHE	TRAVAIL PHYSIQUE	VÉRIFICATION/ CONTRÔLE
7082	Aide en mécanique de machines à coudre industrielles						••		•••				•••	
7082	Aide-mécanicien d'entretien						••		•••				•••	•
7141	Aide-réparateur de pompes								•••	••			•••	•
7157	Préposé au service de machines distributrices								•••	••			••	•

▶ Mines et travaux de chantier

	Programme	AMÉNAGEMENT/ DESIGN	COMPTABILITÉ/ FINANCE	CONSEIL	COORDINATION	EXPLOITATION/ EXTRACTION	FABRICATION INDUSTRIELLE	GESTION DES AFFAIRES	MANIPULATION	ORGANISATION	RÉALISATIONS SCIENTIFIQUES	RECHERCHE	TRAVAIL PHYSIQUE	VÉRIFICATION/ CONTRÔLE
7098	Assistant en dessin de plans en géologie	••				•			••					•
7142	Manœuvre de mine					••	••		•••				•••	
7143	Préposé à la transformation du minerai					•	••		•••				•••	

▶ Métallurgie

	Programme	AMÉNAGEMENT/ DESIGN	COMPTABILITÉ/ FINANCE	CONSEIL	COORDINATION	EXPLOITATION/ EXTRACTION	FABRICATION INDUSTRIELLE	GESTION DES AFFAIRES	MANIPULATION	ORGANISATION	RÉALISATIONS SCIENTIFIQUES	RECHERCHE	TRAVAIL PHYSIQUE	VÉRIFICATION/ CONTRÔLE
7144	Aide d'atelier						••		•••				••	
7145	Aide en ferblanterie						••		•••				•••	
7201	Aide en fonderie						••		•••				•••	
7084	Aide en soudage général						••		•••				•••	•
7085	Monteur de produits fabriqués en établissement industriel						••		•••				•••	
7086	Opérateur de machines à travailler les métaux						••		•••				••	
7146	Peintre-enduiseur de surfaces métalliques						••		•••				•••	•

FONCTIONS DE TRAVAIL

- • Faible importance
- •• Moyenne importance
- ••• Grande importance

Programme		AMÉNAGEMENT/ DESIGN	COMPTABILITÉ/ FINANCE	CONSEIL	COORDINATION	EXPLOITATION/ EXTRACTION	FABRICATION INDUSTRIELLE	GESTION DES AFFAIRES	MANIPULATION	ORGANISATION	RÉALISATIONS SCIENTIFIQUES	RECHERCHE	TRAVAIL PHYSIQUE	VÉRIFICATION/ CONTRÔLE
Secondaire (DEP)														
Bois et matériaux connexes														
5030	Ébénisterie	•	•				•••	•	•••	•			•••	•
5028	Fabrication en série de meubles et de produits de bois ouvré	•					•••		•••				•••	
5142	Finition de meubles						•••	•	•••				•••	•
5267	Mise en œuvre de matériaux composites						••		••			•	•••	••
5157	Modelage						•••		•••				•••	
5080	Rembourrage artisanal	•	•				•••	••	•••	•			•••	•
5031	Rembourrage industriel	•					•••	•	•••				•••	•
Chimie, biologie														
5213	Conduite de procédés de traitement de l'eau								•••			•	••	•••
Cuir, textile et habillement														
5145	Cordonnerie			•			••	•	•••	••			•	••
5218	Dessin de patron	••	•				•••		••			•		••
5082	Nettoyage à sec et entretien de vêtements		•				•	•	•••	•••			•	•
5252	Production industrielle de vêtements						••		•••				•••	
5243	Production textile (opérations)						••		•••				•••	•
Électrotechnique														
5052	Électricité d'entretien				•			•	•••			•	•••	••
5081	Électromécanique de systèmes automatisés				•	•		•	•••	•••	••		•••	•••
5042	Installation et entretien de systèmes de sécurité							•	•••	••		•	•••	•••
5266	Installation et réparation d'équipement de télécommunication				•			•	•••	••		•	•••	••
5185	Montage de lignes électriques					•			•••			•	•••	••
5024	Réparation d'appareils électroménagers				•	•		•	•••	•••	•		•••	•••
5271	Réparation d'appareils électroniques audiovidéo						•	•	•••	•••	•		••	••
5265	Service technique d'équipement bureautique							•	•••	••	•		••	••
Entretien d'équipement motorisé														
5217	Carrosserie							•	•••				•••	•
5070	Mécanique agricole							•	•••				•••	•
5192	Mécanique automobile							•	•••			•	•••	•
5055	Mécanique d'engins de chantier								•••				•••	•
5154	Mécanique de véhicules légers							•	•••				•••	•
5049	Mécanique de véhicules lourds routiers								•••				•••	•
1250	Mécanique marine								•••				•••	•
5258	Service-conseil à la clientèle en équipement motorisé		•	•				••		•••			•	•
5194	Vente de pièces mécaniques et d'accessoires		•					•	•	••			•	•
Fabrication mécanique														
5230	Conduite de machines industrielles						•		•••				••	
5193	Conduite et réglage de machines à mouler						••		•••				••	••
5225	Dessin industriel	••		•			•	•	••		•		•	
5269	Montage de câbles et de circuits						•		•••				•••	
5197	Montage de structures en aérospatiale	•					••		•••				•••	
5199	Montage mécanique en aérospatiale						••		•••				•••	•
5223	Techniques d'usinage	•					•••	•	•••				••	••

- • Faible importance
- •• Moyenne importance
- ••• Grande importance

Programme		AMÉNAGEMENT/ DESIGN	COMPTABILITÉ/ FINANCE	CONSEIL	COORDINATION	EXPLOITATION/ EXTRACTION	FABRICATION INDUSTRIELLE	GESTION DES AFFAIRES	MANIPULATION	ORGANISATION	RÉALISATIONS SCIENTIFIQUES	RECHERCHE	TRAVAIL PHYSIQUE	VÉRIFICATION/ CONTRÔLE
5244	Tôlerie de précision						••		•••				•••	•
Mécanique d'entretien														
5182	Horlogerie-bijouterie	••	•				•••	••	•••	••				•••
5200	Mécanique d'ascenseur						•		•••	••			•••	••
5209	Mécanique de machines à coudre industrielles						•		•••				•••	••
5260	Mécanique industrielle de construction et d'entretien			•			•		•••				•••	••
1489	Réparation d'armes à feu		•					•	•••	••			•	•••
5162	Serrurerie		•				•	•	•••				•	•••
Métallurgie														
5020	Assemblage de structures métalliques						••		•••				•••	••
5165	Chaudronnerie						••		••				•••	•
5233	Ferblanterie-tôlerie						••		•••				•••	•
5203	Fonderie						••		•••				•••	•
5175	Montage d'acier de structure						•		•••				•••	•
5076	Pose d'armature du béton						••		•••				•••	•
5161	Serrurerie de bâtiment						•	•	•••	••			••	••
5195	Soudage-montage						••		•••				•••	••
5222	Traitement de surface						•		••			•	•••	
Mines et travaux de chantier														
5220	Conduite d'engins de chantier					•			•••				••	
5220	Conduite d'engins de chantier nordique					•			•••				••	
5248	Conduite de grues					•			•••				••	
5273	Conduite de machinerie lourde en voirie forestière					•			•••				••	
5261	Extraction du minerai					••			•••				•••	
5253	Forage au diamant					••			•••				•••	
5092	Forage et dynamitage			•		••			•••				•••	••
5110	Opération des équipements de traitement de minerai					•			•••				••	•
Collégial (DEC)														
Arts														
570.C0	Techniques de design industriel	•••	•	••	••		••	•	•••	••	••	••		•••
Techniques biologiques														
154.A0	Technologie de la transformation des aliments		•	••	••		•••	••	••	••	•	••	•	••
153.D0	Technologie des équipements agricoles		••	•		•	••	••	•••	••	•	••	••	•
Techniques physiques														
280.04	Avionique	•		••	•		••		•••	••	•		••	•••
280.B0	Construction aéronautique	••		••	••		••		•••	•	•		••	•••
280.03	Entretien d'aéronefs			••	•		••		•••	••	•		•••	•••
231.04	Exploitation et prod. des ressources marines			••	••	•••	••	••	••	••	•		••	••
248.01	Techniques d'architecture navale	•••	•	••	•	••	••	•	••	••	•		•	•••
241.A0	Techniques de génie mécanique	••	•	••	••		•••		•••	••	••		••	••
248.C0	Techniques de génie mécanique de marine			••	••		•••		•••	••	•		••	••
235.A0	Techniques de production manufacturière		•	•••	••		••		••	•	•	••	••	•••
241.C0	Techniques de transformation des matériaux composites	••		••	••		•••		•••	••	•		••	••
241.B0	Techniques de transformation des matières plastiques	••		••	••		•••		•••	••	•		••	••
233.B0	Techniques du meuble et de l'ébénisterie, profil Fabrication sur mesure	••	•	•	•		•••	••	•••	••		•	••	••

- Faible importance
- • • Moyenne importance
- • • • Grande importance

PROGRAMMES	AMÉNAGEMENT/ DESIGN	COMPTABILITÉ/ FINANCE	CONSEIL	COORDINATION	EXPLOITATION/ EXTRACTION	FABRICATION INDUSTRIELLE	GESTION DES AFFAIRES	MANIPULATION	ORGANISATION	RÉALISATIONS SCIENTIFIQUES	RECHERCHE	TRAVAIL PHYSIQUE	VÉRIFICATION/ CONTRÔLE
233.B0 Techniques du meuble et de l'ébénisterie, profil Production sérielle	•		••	••		•••	•	•••	•	•	•	••	••
243.16 Technologie de conception électronique		•	•	•		•••	••	•••	•	•	•••	•	••
243.06 Technologie de l'électronique industrielle, profil Électrodynamique			••	•	•	••		•••	••	••	•	••	••
243.06 Technologie de l'électronique industrielle, profil Instrumentation et automatisation			••	•		••	•	•••	•	••	••	••	••
243.11 Technologie de l'électronique, profil Audio-visuel		•	•	•		••	••	•••	•••	•	•	••	•••
243.11 Technologie de l'électronique, profil Ordinateurs		•	•	•		••	••	•••	•••	••	••	••	••
243.11 Technologie de l'électronique, profil Télécommunications		•	•	•		••	••	•••	•••	••	••	•••	•••
270.A Technologie de la métallurgie, profil Contrôle des matériaux			••	•				••		••	•••	••	•••
251.B0 Technologie de la production textile			••	••		•••	••	•••		•	•	••	•
241.D0 Technologie de maintenance industrielle			••	•		•		•••	••	•		••	•••
243.15 Technologie de systèmes ordinés	•		•	•		•••	••	•••	••	•	••	••	••
251.A0 Technologie des matières textiles	••		••	•		••		••	••	••	•••	••	••
232.A0 Technologie des pâtes et papiers			••	•	•	••		••		•		••	••
235.01 Technologie du génie industriel		••	•••	••		••		••	•	•		••	••
270.AB Technologie du génie métallurgique, profil Fabrication mécanosoudée			••	••		••	••	••		•	•	•••	•••
270.AA Technologie du génie métallurgique, profil Procédés de transformation			••	•••		••		••	•	•	•	••	••
271.02 Technologie minérale, profil Exploitation			••	•	•••	••		•••		•	•	•••	•••
271.01 Technologie minérale, profil Géologie appliquée			•	••	•••			•••		••	•••	••	•••
271.03 Technologie minérale, profil Minéralurgie			•	••	•	••		•••		••	••	••	••
244.A0 Technologie physique		••	••	••		•••	••	•••	••	•••	•••	••	•••
231.03 Transformation des produits de la mer			••	••	•	•••	••	•••		•	••	•	••
Universitaire (Bac) [1]													
▶ **Sciences appliquées et Sciences pures**													
15337* Design industriel	•••	••	•••	•••		•	••			•••	•••		••
15354* Génie alimentaire		••	•••	•••		••	••	•		•••	•••	•	•••
15356* Génie chimique		••	•••	•••		••	•	•••		•••	•••	•	•••
15363* Génie de la production automatisée		••	•••	•••		••	•	•••		•••	•••	••	•••
15364* Génie des matériaux		••	•••	•••		••	•	•••		•••	•••	••	•••
15363* Génie des technologies de l'information		••	•••	•••		••	••	•••		•••	•••	•	•••
15359* Génie électrique		••	•••	•••		••	•	•••		•••	•••	•	•••
15361* Génie géologique	••	••	•••	•••	••	•	•	•		•••	•••		•••
15363* Génie industriel		••	•••	•••		••	••	•••		•••	•••	••	•••
15373* Génie informatique		••	•••	•••		••	••	•••		•••	•••	•	•••
15373* Génie logiciel		••	•••	•••		••	••	•••		•••	•••	•	•••
15360* Génie mécanique		••	•••	•••		••	••	•••		•••	•••	••	•••
15359* Génie microélectronique		••	•••	•••		••	•	•••		•••	•••	•	•••
15368* Génie minier		••	•••	•••	••	•	•	•••		•••	•••	••	•••
15369* Génie physique		••	•••	•••		•	•	•••		•••	•••	•	•••
15247* Géographie physique		••	•••	••	••		•			•••	•••		•••
15244* Géologie		••	•••	••	•••	•	•	•••		•••	•••		•••
15359* Sciences et technologie des aliments		••	•••	••		•••	••	••	••	•••	•••	••	•••

1. Pour accéder à l'information sur le site www.reperes.qc.ca, il faut obligatoirement ajouter l'astérisque (*) à la suite du numéro d'identification du programme.

PROFESSIONS ET MÉTIERS EN RELATION AVEC LES PROGRAMMES D'ÉTUDES

Cette section comprend la liste des professions et des métiers en relation avec chacun des programmes d'études énumérés dans le tableau précédent, sauf ceux qui correspondent aux programmes conduisant à l'obtention d'une attestation de formation professionnelle (AFP).

Dans ce cas particulier, les titres des métiers étant identiques à ceux des programmes, nous avons jugé inutile de reprendre cette information dans la présente section.

Pour comprendre l'organisation de cette section, consultez le second encadré, page 19.

CLÉO	PROGRAMMES ET MÉTIERS
	SECONDAIRE (DEP)
	BOIS ET MATÉRIAUX CONNEXES
	Ébénisterie
222.05	Modeleur
236.05	Menuisier d'atelier de bois ouvré
236.20	Ébéniste
241.50	Menuisier d'atelier de construction
627.15	Restaurateur de meubles
	Fabrication en série de meubles et de produits en bois ouvré
222.05	Modeleur
236.03	Traceur de charpentes en bois
236.04	Gabarieur (bois)
236.06	Régleur-conducteur de machines à bois
236.08	Monteur-ébéniste
236.10	Réparateur de menuiserie d'assemblage
	Finition de meubles
236.11	Finisseur de meubles
236.12	Finisseur-retoucheur de meubles
236.14	Décorateur de meubles
236.15	Vernisseur de meubles
	Mise en œuvre de matériaux composites
229.20	Lamineur de fibre de verre
	Modelage
222.05	Modeleur
	Rembourrage artisanal
236.17	Rembourreur-artisan
	Rembourrage industriel
236.16	Rembourreur industriel
	CHIMIE, BIOLOGIE
	Conduite de procédés de traitement de l'eau
121.03	Opérateur d'usine de traitement des eaux potables
121.04	Opérateur d'usine d'épuration des eaux usées
	CUIR, TEXTILE ET HABILLEMENT
	Cordonnerie
—	Cordonnier en usine
—	Couseur à la machine
237.21	Couseur de chaussures à la main
237.22	Bottier
237.23	Cordonnier

	Dessin de patron
—	Gradeur de patrons
237.04	Patronnier en mode féminine et masculine
237.05	Traceur de patrons
	Nettoyage à sec et entretien de vêtements
—	Détacheur de tissus
—	Nettoyeur de fourrures
—	Nettoyeur-presseur en entretien de vêtements
—	Repasseur de vêtements de soie
516.18	Nettoyeur à sec
516.20	Repasseur à la machine
	Production industrielle de vêtements
—	Opérateur de machines à coudre industrielles
—	Contrôleur de vêtements
230.07	Conducteur de machines à piquer
	Production textile (opérations)
—	Conducteur de machines de préparation de fibres textiles et de filés
—	Manœuvre des produits textiles
	ÉLECTROTECHNIQUE
	Électricité d'entretien
251.02	Électricien d'entretien
	Électromécanique de systèmes automatisés
233.06	Contrôleur de systèmes électroniques
233.12	Vérificateur de panneaux de commande
251.05	Mécanicien industriel
252.07	Électromécanicien de systèmes automatisés
252.08	Électronicien d'entretien
	Installation et entretien de systèmes de sécurité
241.85	Électronicien de systèmes d'alarme
	Installation et réparation d'équipement de télécommunication
233.11	Réparateur à la production d'appareils électroniques
234.05	Monteur de matériel de communication
252.09	Installateur-réparateur de matériel de télécommunication
252.10	Réparateur de central téléphonique
252.12	Installateur de postes téléphoniques
252.14	Installateur d'antennes
252.15	Installateur d'antennes paraboliques

Montage de lignes électriques

224.12	Monteur de lignes de production d'électricité
224.13	Monteur de lignes de distribution d'électricité
252.11	Épisseur de câbles

Réparation d'appareils électroménagers

233.08	Monteur d'appareils électroménagers
252.03	Réparateur d'appareils électroménagers portatifs

Réparation d'appareils électroniques audiovidéo

—	Électronicien d'entretien de radio
—	Réparateur de matériel vidéo
233.09	Contrôleur de téléviseurs
233.11	Réparateur à la production d'appareils électroniques
252.02	Électromécanicien d'appareils électroménagers
252.05	Électronicien d'appareils électrodomestiques
252.08	Électronicien d'entretien de téléviseurs

Service technique d'équipement bureautique

—	Mécanicien d'entretien de photocopieurs
—	Préposé à l'entretien de matériel de bureautique
—	Réparateur de caisses enregistreuses électroniques
252.01	Électromécanicien de machines de bureau

ENTRETIEN D'ÉQUIPEMENT MOTORISÉ

Carrosserie

254.10	Débosseleur
254.11	Peintre d'automobiles
254.15	Estimateur des dommages de véhicules automobiles

Mécanique agricole

124.34	Mécanicien de machines agricoles

Mécanique automobile

—	Mécanicien de freins de véhicules automobiles
—	Mécanicien de transmissions
—	Réparateur de radiateurs
—	Réparateur-installateur de systèmes d'échappement
—	Spécialiste en mise au point de véhicules automobiles
254.03	Mécanicien d'automobiles
254.08	Mécanicien motoriste
254.09	Poseur de silencieux

Mécanique d'engins de chantier

122.08	Réparateur de matériel d'extraction
221.06	Réparateur de matériel de traitement du minerai
241.23	Mécanicien de machinerie lourde de construction
251.08	Mécanicien de chantier

Mécanique de véhicules légers

—	Réparateur de motoneiges
254.25	Mécanicien de machinerie légère
254.27	Réparateur de motocyclettes

Mécanique de véhicules lourds routiers

241.23	Mécanicien de machinerie lourde de construction
254.06	Mécanicien de véhicules lourds routiers

Mécanique marine

127.05	Mécanicien de bateaux à moteur

Service-conseil à la clientèle en équipement motorisé

—	Conseiller technique

Vente de pièces mécaniques et d'accessoires

432.46	Vendeur de services d'automobiles
432.47	Commis-vendeur de pièces d'équipement motorisé

FABRICATION MÉCANIQUE

Conduite de machines industrielles

231.05	Opérateur de machines fixes
231.06	Conducteur de machines-outils à commande numérique

Conduite et réglage de machines à mouler

—	Mouleur de caoutchouc à la machine
229.19	Opérateur de machines à mouler les matières plastiques

Dessin industriel

—	Dessinateur de détails
231.03	Dessinateur en mécanique industrielle

Montage de câbles et de circuits

—	Monteur-câbleur
—	Monteur-câbleur en aérospatiale
234.06	Monteur de matériel électronique aéronautique

Montage de structures en aérospatiale

232.47	Monteur de structures d'aéronefs
232.48	Ajusteur-monteur d'aviation

Montage mécanique en aérospatiale

232.46	Contrôleur de montages et d'équipements d'aéronefs
232.47	Monteur de structures d'aéronefs
232.48	Ajusteur-monteur d'aviation

Techniques d'usinage

231.06	Conducteur de machines-outils à commande numérique
231.07	Régleur-conducteur d'aléseuses
231.08	Machiniste (usinage)
231.23	Confectionneur d'instruments mécaniques

Tôlerie de précision

232.45	Conducteur d'appareils à coller les métaux
232.48	Ajusteur-monteur d'aviation

MÉCANIQUE D'ENTRETIEN

Horlogerie-bijouterie
— Horloger-bijoutier
— Monteur de balances
231.21 Horloger
231.22 Horloger-rhabilleur

Mécanique d'ascenseur
241.81 Mécanicien d'ascenseurs

Mécanique de machines à coudre industrielles
— Mécanicien de machines à coudre industrielles
252.19 Mécanicien de machines à coudre

Mécanique industrielle de construction et d'entretien
221.06 Réparateur de matériel de traitement du minerai
227.05 Monteur de machines textiles
227.06 Monteur-ajusteur de métiers à tisser
235.08 Mécanicien de machines d'imprimerie
251.05 Mécanicien industriel
251.06 Réparateur de matériel hydraulique

Réparation d'armes à feu
231.26 Armurier

Serrurerie
241.33 Serrurier

MÉTALLURGIE

Assemblage de structures métalliques
222.14 Monteur d'articles métalliques
222.21 Soudeur-monteur
241.27 Monteur de charpentes métalliques

Chaudronnerie
— Chaudronnier-monteur-réparateur
222.15 Chaudronnier

Ferblanterie-tôlerie
222.10 Conducteur de presse à forger
222.11 Conducteur de machine à usiner la tôle
222.12 Régleur-conducteur de presse à grande puissance
222.13 Traceur de charpentes métalliques
222.16 Forgeron
241.44 Tôlier

Fonderie
222.03 Fondeur
222.04 Conducteur de four à fusion
222.06 Mouleur en sables
222.08 Couleur de fonderie
222.09 Conducteur de machine à couler sous pression

Montage d'acier de structure
241.27 Monteur de charpentes métalliques

Pose d'armature du béton
241.28 Ferrailleur

Serrurerie de bâtiment
241.27 Monteur de charpentes métalliques

Soudage-montage
222.19 Soudeur
222.21 Soudeur-monteur

Traitement de surface
— Opérateur en traitement de surface

MINES ET TRAVAUX DE CHANTIER

Conduite d'engins de chantier
— Conducteur de pelle hydraulique
241.21 Opérateur de machines lourdes de construction

Conduite d'engins de chantier nordique
241.21 Opérateur de machines lourdes de construction

Conduite de grues
241.22 Grutier

Conduite de machinerie lourde en voirie forestière
122.09 Conducteur de camion lourd hors route
123.06 Opérateur de machinerie forestière
123.07 Opérateur de tracteur forestier

Extraction du minerai
122.04 Mineur
122.07 Carrier

Forage au diamant
111.09 Conducteur de carotteur

Forage et dynamitage
122.05 Foreur
122.06 Dynamiteur

Opération des équipements de traitement de minerai
221.04 Ouvrier aux cuves de précipitation
221.05 Conducteur de broyeur et d'appareil de flottation

COLLÉGIAL (DEC)

ARTS

Techniques de design industriel
626.32 Technicien en design industriel

TECHNIQUES BIOLOGIQUES

Technologie de la transformation des aliments
— Inspecteur des produits marins
— Superviseur des services alimentaires
124.15 Inspecteur des produits végétaux
211.14 Inspecteur des normes sanitaires
228.03 Technologue en création de nouveaux produits alimentaires

228.04	Technologue des produits alimentaires
228.06	Essayeur d'aliments
228.08	Technologue en procédés de fabrication alimentaire
228.12	Technologue en transformation de produits alimentaires
228.13	Spécialiste de la qualité des produits alimentaires
228.14	Technologue en contrôle de la qualité des produits alimentaires
228.20	Inspecteur des produits alimentaires
228.30	Charcutier
228.34	Inspecteur des produits animaux
228.38	Technologue en fabrication de produits laitiers
228.39	Opérateur d'appareils de traitement du lait
612.30	Technologue en bactériologie

Technologie des équipements agricoles

—	Gérant de département de pièces d'équipements agricoles
—	Technicien de service en équipements agricoles
—	Technologue agricole
432.49	Représentant aux ventes d'équipements agricoles

TECHNIQUES PHYSIQUES

Avionique

232.51	Technologue en avionique
254.22	Mécanicien d'instruments de bord

Construction aéronautique

232.42	Technologue en aéronautique
232.43	Technologue en construction aéronautique
232.44	Contrôleur-vérificateur d'instruments
232.46	Contrôleur de montages et d'équipements d'aéronefs
232.50	Technologue en entretien d'aéronefs

Entretien d'aéronefs

232.46	Contrôleur de montages et d'équipements d'aéronefs
254.23	Mécanicien d'aéronefs

Exploitation et production des ressources marines

126.23	Technicien en aquiculture
127.01	Capitaine de bateau de pêche
127.02	Second de bateau de pêche
131.15	Observateur en mer

Techniques d'architecture navale

—	Technicien en génie naval
—	Technologue en génie naval
232.34	Dessinateur en construction navale

Techniques de génie mécanique

211.16	Dessinateur en conception assistée par ordinateur
231.02	Technologue en génie mécanique
231.04	Programmeur de machines-outils à commande numérique
234.03	Technologue en robotique
252.18	Technologue en réparation CAO/FAO

Techniques de génie mécanique de marine

254.19	Officier mécanicien de marine
254.20	Chef mécanicien de navire

Techniques de production manufacturière

211.08	Technicien en production manufacturière
211.09	Coordonnateur de la production
231.04	Programmeur de machines-outils à commande numérique
237.01	Directeur d'usine de production de vêtements

Techniques de transformation des matériaux composites

229.16	Technologue en transformation des matériaux composites

Techniques de transformation des matières plastiques

229.17	Technologue en transformation des matières plastiques

Techniques du meuble et de l'ébénisterie

236.01	Dessinateur-modéliste de meubles
236.02	Contremaître d'ébénistes et de menuisiers en meubles
236.20	Ébéniste

Technologie de conception électronique

233.02	Technologue en génie électronique
252.17	Technologue en câblodistribution

Technologie de l'électronique industrielle

224.06	Technologue d'essais électriques
224.07	Technologue en génie électrique
233.03	Dessinateur de matériel électronique
241.87	Inspecteur d'installations électriques
252.17	Technologue en câblodistribution
525.12	Technologue en équipement biomédical

Technologie de l'électronique

233.02	Technologue en génie électronique
233.06	Contrôleur de systèmes électroniques
233.13	Vendeur-technicien de matériel électronique et électrique
252.16	Technologue en équipement audiovisuel
252.17	Technologue en câblodistribution
624.75	Technicien d'entretien en télédiffusion

Technologie de la production textile

—	Technologue en planification de la production
—	Contremaître de contrôleurs de produits textiles
—	Contremaître de finisseurs de produits textiles
227.03	Technologue des textiles
227.10	Technologue en finition des textiles

Technologie de maintenance industrielle

211.15	Technicien en analyse d'entretien de systèmes industriels

Technologie de systèmes ordinés

234.02	Technologue en systèmes ordinés
252.18	Technologue en réparation CAO/FAO
721.10	Spécialiste en matériel informatique

Technologie des matières textiles

227.03   Technologue des textiles

Technologie des pâtes et papiers

226.01   Technicien en recherche et développement
226.02   Technicien en pâtes et papiers (services techniques)
226.03   Technicien en contrôle de la qualité – pâtes et papiers
226.04   Opérateur d'unités de production (pâtes et papiers)
226.12   Conseiller technique en pâtes et papiers

Technologie du génie industriel

132.06   Technologue en assainissement et sécurité industriels
231.04   Programmeur de machines-outils à commande numérique

Technologie du génie métallurgique

—   Technologue en procédés métallurgiques
—   Technicien en génie métallurgique
—   Vérificateur en soudure
—   Vérificateur de fabrication des produits métallurgiques
—   Vérificateur du traitement thermique des métaux
221.03   Essayeur de métaux précieux
222.02   Technologue-métallurgiste
222.18   Technologue-soudeur

Technologie minérale

111.03   Technologue en géologie
111.06   Technologue en géophysique
111.08   Technologue en prospection minière
122.02   Technologue en exploitation minière
122.03   Inspecteur des mines
131.03   Technologue en géologie de l'environnement
432.48   Vendeur-technicien d'équipement lourd

Technologie physique

224.03   Technologue de centrale nucléaire
612.03   Technologue de laboratoire de physique
612.05   Technologue en génie nucléaire

Transformation des produits de la mer

228.20   Inspecteur des produits alimentaires
228.44   Inspecteur des pêches
228.45   Contremaître de salaison et de conserve de poisson

UNIVERSITAIRE (BAC)

SCIENCES APPLIQUÉES ET SCIENCES PURES

Design industriel

626.31   Designer industriel

Génie alimentaire

—   Ingénieur en recherche et développement alimentaire
228.07   Ingénieur-concepteur pour les industries alimentaires
228.09   Ingénieur spécialiste de l'installation des systèmes alimentaires
228.10   Ingénieur spécialiste de la gestion des procédés alimentaires
228.11   Ingénieur spécialiste de la qualité des procédés alimentaires
228.19   Ingénieur alimentaire (représentation technique et vente)
232.01   Ingénieur en transport alimentaire

Génie chimique

111.11   Ingénieur du pétrole
132.02   Ingénieur civil en écologie générale
227.02   Ingénieur du textile
229.01   Ingénieur chimiste
229.03   Ingénieur chimiste spécialiste des études et projets
229.04   Ingénieur chimiste de la production
229.10   Ingénieur chimiste en recherche
229.15   Ingénieur en transformation des matériaux composites
333.21   Officier de génie militaire

Génie de la production automatisée

211.02   Directeur de production des matières premières
211.04   Ingénieur industriel
211.06   Ingénieur-conseil
211.07   Ingénieur des méthodes de production
211.10   Ingénieur des techniques de fabrication
211.11   Ingénieur du contrôle de la qualité industrielle
211.20   Auditeur – Qualité
232.41   Ingénieur en aérospatiale
234.07   Ingénieur de la production automatisée

Génie des matériaux

221.01   Ingénieur métallurgiste
222.01   Ingénieur en métallurgie physique
333.21   Officier de génie militaire

Génie des technologies de l'information

—   Gestionnaire des systèmes
—   Ingénieur en développement technologique
—   Intégrateur des technologies
234.01   Ingénieur en informatique
721.02   Architecte de systèmes informatiques

Génie électrique

224.01   Ingénieur en sciences nucléaires
224.02   Ingénieur spécialiste des installations d'énergie
224.04   Ingénieur électricien
232.41   Ingénieur en aérospatiale
233.01   Ingénieur électronicien
234.01   Ingénieur en informatique
333.02   Officier de logistique
333.07   Officier des communications et de l'électronique
333.31   Officier en génie aérospatial

Génie géologique

111.02   Ingénieur géologue
111.04   Géophysicien
111.05   Géophysicien-prospecteur
241.02   Ingénieur en mécanique des sols

Génie industriel

211.02	Directeur de production des matières premières
211.04	Ingénieur industriel
211.06	Ingénieur-conseil
211.07	Ingénieur des méthodes de production
211.10	Ingénieur des techniques de fabrication
211.11	Ingénieur du contrôle de la qualité industrielle
211.12	Hygiéniste industriel
211.17	Ergonomiste
211.20	Auditeur – Qualité

Génie informatique

234.01	Ingénieur en informatique
333.07	Officier des communications et de l'électronique
333.31	Officier en génie aérospatial

Génie logiciel

224.04	Ingénieur électricien
234.01	Ingénieur en informatique

Génie mécanique

224.02	Ingénieur spécialiste des installations d'énergie
231.01	Ingénieur mécanicien
232.31	Ingénieur en génie maritime
232.32	Ingénieur en construction navale
232.41	Ingénieur en aérospatiale
234.07	Ingénieur de la production automatisée
241.71	Ingénieur en mécanique du bâtiment
333.06	Officier en génie électrique et mécanique terrestre
333.31	Officier en génie aérospatial

Génie microélectronique

233.01	Ingénieur électronicien
234.01	Ingénieur en informatique
234.04	Ingénieur électricien

Génie minier

122.01	Ingénieur minier

Génie physique

224.01	Ingénieur en sciences nucléaires
232.32	Ingénieur en construction navale
333.07	Officier des communications et de l'électronique
333.21	Officier de génie militaire
525.11	Ingénieur biomédical
612.01	Ingénieur physicien

Géographie physique

—	Cartographe
612.12	Géographie (géographie physique)

Géologie

111.01	Géologue
111.04	Géophysicien
111.05	Géophysicien-prospecteur
111.07	Géochimiste
111.10	Géologue pétrolier
111.13	Minéralogiste
111.14	Sismologue
111.15	Hydrologue
111.17	Hydrogéologue
112.11	Hydrographe
131.02	Écogéologue
612.11	Paléontologue

Sciences et technologie des aliments

113.03	Malherbologiste
113.05	Phytopathologiste
124.02	Agronome des services de vulgarisation
124.08	Agronome
228.01	Scientifique en produits alimentaires
229.05	Chimiste spécialiste du contrôle de la qualité

2.3 L'habitat

Photo de famille

La famille L'habitat regroupe des activités en rapport avec l'aménagement de territoires naturels et urbains. La construction d'habitations, l'entretien et la réfection des routes, la prévention des incendies, le dessin et la réalisation de ponts et de navires font partie des activités propres à cette famille.

Les personnes intéressées par cette famille de programmes d'études et de carrières présentent un certain nombre de caractéristiques communes et relèvent des défis professionnels semblables.

- Elles manifestent de l'intérêt et des habiletés pour la conception ou la réalisation de projets en relation avec l'habitation, la construction de ponts et de routes, l'aménagement du territoire et l'urbanisme.

- Elles doivent réaliser des constructions ou des aménagements susceptibles de satisfaire les besoins et les attentes d'une clientèle, tout en respectant les lois en vigueur et les règles établies.

- Elles font appel à leur sens de l'observation et à leur esprit pratique pour réaliser des projets concrets.

- Elles doivent être en mesure de concevoir ou d'interpréter des plans ou des dessins techniques.

- Elles exercent leurs activités professionnelles dans des bureaux d'architectes, d'ingénieurs, d'arpenteurs-géomètres, dans des laboratoires de recherche, des entreprises spécialisées ou sur des chantiers de construction.

Dans ma famille, je suis reconnue comme quelqu'un qui défend ses idées. Aujourd'hui, ça me sert puisqu'il faut une certaine force de caractère pour être inspectrice en bâtiments. En réalité, ça prend quelqu'un de très diplomate et d'assez habile pour laisser croire à la personne rencontrée que la décision d'appliquer le règlement vient d'elle. Avec l'autonomie viennent aussi beaucoup de responsabilités. Aujourd'hui, c'est moi qui signe au bas du permis !

Annie
Techniques d'aménagement
et d'urbanisme

Programmes d'études par ordres d'enseignement et secteurs de formation

Les programmes énumérés ci-dessous permettent d'exercer une profession ou un métier en relation avec la famille **L'habitat**.

SECONDAIRE

Attestation de formation professionnelle (AFP)

Administration, commerce et informatique
- Commis de matériaux de construction
- Commis de matériaux de construction et de quincaillerie

Bâtiments et travaux publics
- Aide à l'entretien de bâtiments nordiques
- Aide au montage d'enseignes publicitaires
- Aide en menuiserie dans une exploitation minière
- Aide-concierge
- Aide-finisseur de produits préfabriqués en béton
- Aide-installateur d'enseignes
- Aide-vitrier
- Assembleur de panneaux en usine
- Manœuvre d'atelier en bâtiment
- Manœuvre d'entretien de lieux municipaux
- Manœuvre dans la production d'habitations préusinées
- Nettoyeur de tapis et de meubles
- Préposé à l'entretien des piscines
- Préposé à l'entretien sanitaire

Diplôme d'études professionnelles (DEP)

Bâtiments et travaux publics
- Arpentage et topographie
- Briquetage-maçonnerie
- Calorifugeage
- Carrelage
- Charpenterie-menuiserie
- Découpe et transformation du verre
- Dessin de bâtiment
- Entretien de bâtiments nordiques
- Entretien et réparation de caravanes
- Entretien général d'immeubles
- Intervention en sécurité-incendie
- Mécanique de machines fixes
- Mécanique de protection contre les incendies
- Montage et installation de produits verriers
- Peinture en bâtiment
- Plâtrage
- Plomberie-chauffage
- Pose de revêtements de toiture
- Pose de revêtements souples
- Pose de systèmes intérieurs
- Préparation et finition de béton
- Réfrigération
- Vente de produits de quincaillerie

Électrotechnique
- Électricité de construction

COLLÉGIAL

Diplôme d'études collégiales (DEC)

Techniques humaines
- Sécurité incendie

Techniques physiques
- Techniques d'aménagement et d'urbanisme
- Technologie de l'architecture
- Technologie de l'estimation et de l'évaluation du bâtiment
- Technologie de la géomatique :
  - profil Cartographie
  - profil Géodésie
- Technologie de la mécanique du bâtiment
- Technologie du génie civil

UNIVERSITAIRE

Diplôme de baccalauréat (Bac)

Arts
- Design de l'environnement

Sciences appliquées
- Architecture
- Architecture de paysage
- Génie civil
- Génie de la construction
- Génie du bâtiment
- Génie géomatique
- Urbanisme

Programmes apparentés

La liste des programmes apparentés est fournie à titre indicatif. Compte tenu de leurs objectifs principaux, ces programmes ont été classés dans d'autres familles, mais ils partagent néanmoins certains de leurs objectifs avec les programmes énumérés ci-dessus. Vous trouverez des renseignements sur ces programmes aux pages indiquées.

SECONDAIRE	COLLÉGIAL	UNIVERSITAIRE
Aucun programme	*Diplôme d'études collégiales (DEC)* • *Design d'intérieur, page 192* • *Design de présentation, page 192* • *Techniques de design industriel, pages 75 et 192*	*Diplôme de baccalauréat (Bac)* • *Design industriel, pages 75 et 192*

Matières scolaires en relation avec la famille L'habitat
(ordre d'enseignement secondaire)

- ■ Régime actuel
- ▲ Nouveau régime
- ● Éducation des adultes

	Régime actuel	Nouveau régime	Éducation des adultes
Anglais	■	▲	●
Éducation technologique	■		
Informatique	■		●
Introduction à la technologie	■		
Mathématique	■	▲	●
Physique	■		●
Science et technologie		▲	
Sciences physiques	■		●
Techniques et méthodes en sciences de la nature	■		

Autoportrait

Découvrez le profil personnel des travailleurs de la famille **L'habitat** et vérifiez si leurs caractéristiques correspondent à votre propre réalité.

PROFIL PERSONNEL COMMUN

Les travailleurs de la famille **L'habitat** présentent des traits de personnalité, des goûts, des talents et des valeurs semblables.

Ils sont...
- bien organisés;
- créatifs;
- méthodiques.

Ils aiment...
- aménager des espaces intérieurs et extérieurs;
- concevoir, bâtir et réparer des habitations ou des installations propres à l'environnement;
- concevoir et lire des plans;
- entrer en relation avec des personnes ou des clients;
- travailler en équipe;
- travailler physiquement et manipuler des instruments;
- travailler tout en respectant des normes établies;
- utiliser, dans certains cas, leurs connaissances en mathématique et en physique pour résoudre des problèmes complexes;
- utiliser les ressources technologiques.

Ils ont...
- de bonnes habiletés manuelles et techniques;
- du leadership et de l'entregent;
- la capacité d'interpréter les lois et les règlements régissant le secteur de la construction;
- la capacité de se représenter mentalement des objets dans l'espace, d'estimer des dimensions ou d'actionner des mécanismes et des appareils à distance;
- le sens de l'esthétique et l'esprit pratique;
- un bon sens de l'observation.

Ils privilégient...
- l'aménagement esthétique et pratique de l'environnement;
- l'expression personnelle, la créativité et l'originalité;
- l'importance de satisfaire les goûts et les besoins de leur clientèle;
- la fierté de contribuer concrètement à l'amélioration de l'habitat et de l'environnement;
- le travail manuel et technique.

Typologie de Holland – R I A S E **C** Z
Réaliste • Investigateur • Conventionnel

L'ANALYSE DE VOS EXPÉRIENCES

Les indices d'orientation qui suivent vous permettront de vérifier, à partir de vos diverses expériences, dans quelle mesure les caractéristiques des travailleurs de la famille **L'habitat** correspondent aux vôtres.

- **Lisez attentivement les deux séries d'indices qui suivent et faites un crochet (√) vis-à-vis des énoncés qui s'appliquent ou pourraient s'appliquer à vous*.**

- **Comptez ensuite le nombre d'énoncés retenus et calculez le pourcentage.**

- **Le résultat obtenu vous donne des indications sur l'étendue de votre intérêt et de votre capacité à entreprendre un projet d'études relevant de la famille L'habitat.**

* Voir la remarque « Important », au n° 7 de la page 19.

Indices d'orientation tirés de mon expérience personnelle

1. ☐ J'aime regarder des émissions télévisées ou lire des ouvrages portant sur la recherche scientifique, le monde de la construction et de l'architecture, le développement industriel, résidentiel et commercial, l'urbanisme, la découverte de nouveaux matériaux et leurs utilisations possibles.
2. ☐ J'ai toujours aimé les jeux de construction et d'assemblage.
3. ☐ J'aime imaginer et dessiner des plans de construction.
4. ☐ Je prends plaisir à observer le déroulement de travaux de construction et d'aménagement.
5. ☐ J'aime faire des maquettes et du modélisme (modèles réduits).
6. ☐ Je m'amuse à bricoler des cabanes ou des petits ponts ou à aménager des sentiers.
7. ☐ J'aime visiter les expositions industrielles et commerciales.
8. ☐ J'aime me servir de cartes géographiques et observer l'architecture des édifices et les caractéristiques des différents milieux visités lorsque je voyage.
9. ☐ J'aime assembler un objet à partir de plans détaillés.
10. ☐ Je possède une bonne collection de cartes topographiques que j'ai plaisir à étudier.
11. ☐ Je dévore les revues qui traitent d'environnement, d'aménagement ou d'urbanisme.
12. ☐ Je m'intéresse à la qualité de vie des gens lorsque je visite une région qui m'est inconnue.

Indices d'orientation tirés de mon expérience scolaire et occupationnelle

13. ☐ J'aime les cours de sciences physiques, de mathématique, de physique, de géographie, d'éducation technologique ou d'arts plastiques.
14. ☐ J'aime faire des expériences pratiques en laboratoire de sciences.
15. ☐ J'ai toujours un crayon à la main pour faire toutes sortes de croquis.
16. ☐ Je m'intéresse particulièrement, dans les cours de géographie ou d'histoire, à tout ce qui a trait aux cartes géographiques ou à la représentation des territoires.
17. ☐ J'adore aller à la bibliothèque et fouiller dans des livres qui contiennent toutes sortes de plans.
18. ☐ J'aime beaucoup l'école depuis que j'ai décidé de faire des études d'architecture.
19. ☐ Je m'intéresse de plus en plus aux bateaux et, depuis que j'ai travaillé dans un chantier maritime durant l'été, je me vois déjà participer à leur construction.
20. ☐ Je rêve de travailler chez un architecte-paysagiste afin de créer de beaux environnements.
21. ☐ Je rêve de créer des objets utiles, fonctionnels et agréables à regarder.
22. ☐ J'aimerais faire des relevés topographiques de régions encore inexplorées.

Résultat : _____ énoncés sur 22 = _____ %

VOS ATTENTES PAR RAPPORT À VOTRE FUTUR TRAVAIL

La série d'énoncés qui suit se rapporte aux exigences auxquelles doivent se soumettre les travailleurs de la famille **L'habitat**. Seriez-vous prêt ou prête à accepter ces exigences pour vous-même?

• **Lisez attentivement chaque énoncé et faites un crochet (√) vis-à-vis de ceux qui correspondent à vos attentes par rapport à votre futur travail.**

Exigences liées à mon futur travail

☐ Innover constamment.

☐ Faire partie d'une équipe de personnes avec qui je vais partager mes connaissances en vue de livrer le meilleur produit possible.

☐ Garder en tête que l'être humain demeure au centre de mes intérêts, même si mon travail prend parfois une allure plutôt technique.

☐ M'intéresser à plusieurs disciplines afin de comprendre toutes les composantes d'un produit.

☐ Me documenter et suivre des cours de perfectionnement, compte tenu de l'évolution rapide des connaissances, des matériaux et des technologies propres à ce secteur d'activités.

☐ Rencontrer des gens, évaluer leurs besoins et concevoir un produit adapté à leurs attentes.

☐ Travailler avec beaucoup de minutie et de précision afin d'assurer la sécurité des gens dans leur environnement.

☐ Travailler souvent à l'intérieur, dans des bureaux ou des laboratoires.

VOS PRÉFÉRENCES PROFESSIONNELLES

La prochaine étape introduit une réflexion sur vos préférences professionnelles. Les énoncés proposés correspondent à des fonctions de travail propres à la famille **L'habitat**.

• **Lisez attentivement les 13 fonctions de travail suivantes.**

• **Numérotez, selon vos préférences, les trois ou quatre fonctions les plus significatives pour vous, le chiffre 1 indiquant la fonction la plus intéressante à vos yeux.**

• **Reportez ensuite les chiffres correspondant à vos préférences dans l'espace « Mes préférences » du tableau de la page suivante.**

Fonctions de travail

☐ **Aménagement/Design** : Aménager des espaces physiques ou agencer des formes et des objets dans un but pratique ou esthétique.

☐ **Comptabilité/Finance** : Travailler avec des données comptables ou administratives.

☐ **Conseil** : Agir à titre de consultant ou de consultante auprès de travailleurs pour les aider à exercer leurs fonctions dans divers domaines d'activités.

☐ **Coordination** : Coordonner ou superviser une équipe de travail.

☐ **Création/Fabrication** : Concevoir et produire quelque chose qui soit beau, esthétique et harmonieux.

☐ **Fabrication industrielle** : Fabriquer des objets et assembler des matériaux.

☐ **Gestion des affaires** : Gérer un projet commercial ou industriel.

☐ **Manipulation** : Manipuler des appareils, des outils ou des instruments.

☐ **Organisation** : Organiser des services administratifs ou techniques de nature commerciale.

☐ **Réalisations scientifiques** : Appliquer ses connaissances scientifiques à des réalisations concrètes (produits, objets, appareils, installations, etc.).

☐ **Recherche** : S'interroger, explorer, expérimenter, afin d'innover et de faire progresser son domaine d'activités.

☐ **Transformation** : Travailler dans une entreprise qui transforme des produits agroalimentaires ou forestiers en biens de consommation.

☐ **Vérification/Contrôle** : S'impliquer dans des activités de mesure, de vérification, de contrôle ou d'inspection de produits ou de services.

Le tableau qui suit présente, dans l'ordre, les programmes offerts au secondaire, au collégial et au premier cycle universitaire.

• **Recherchez, pour les fonctions de travail retenues, les programmes d'études signalés par les points et prenez note de ceux qui vous intéressent particulièrement.**

Exemple : Si vous avez une préférence pour la fonction de travail «Création/Fabrication», vous noterez que le programme collégial *Technologie de l'architecture* (DEC) accorde une grande importance à cette fonction, alors qu'elle n'en a aucune pour le programme collégial *Technologie du génie civil* (DEC).

Pour faciliter la consultation du tableau

Vous pourriez :
– surligner les colonnes verticales correspondant à vos fonctions de travail préférées;
– prendre connaissance des programmes signalés par des points dans les colonnes retenues et surligner ceux qui vous intéressent particulièrement.

Pour comprendre l'organisation de ce tableau, consultez le premier encadré, page 19.

MES PRÉFÉRENCES

PROGRAMMES	AMÉNAGEMENT/ DESIGN	COMPTABILITÉ/ FINANCE	CONSEIL	COORDINATION	CRÉATION/ FABRICATION	FABRICATION INDUSTRIELLE	GESTION DES AFFAIRES	MANIPULATION	ORGANISATION	RÉALISATIONS SCIENTIFIQUES	RECHERCHE	TRANSFORMATION	VÉRIFICATION/ CONTRÔLE
FONCTIONS DE TRAVAIL													
• Faible importance •• Moyenne importance ••• Grande importance													
Secondaire (AFP)													
▸ **Administration, commerce et informatique**													
7188 Commis de matériaux de construction		•						••	••				
7048 Commis de matériaux de construction et de quincaillerie		•						••	••				
▸ **Bâtiments et travaux publics**													
7122 Aide à l'entretien de bâtiments nordiques								•••	••				
7205 Aide au montage d'enseignes publicitaires	•				•			•••	••				
7194 Aide en menuiserie dans une exploitation minière								•••	•				
7045 Aide-concierge								•••	••				
7123 Aide-finisseur de produits préfabriqués en béton								•••	•				
7165 Aide-installateur d'enseignes	•				•			•••	••				
7047 Aide-vitrier								•••	•				
7124 Assembleur de panneaux en usine						••		•••	•				
7125 Manœuvre d'atelier en bâtiment						••		•••					
7126 Manœuvre d'entretien de lieux municipaux								•••	•				
7166 Manœuvre dans la production d'habitations préusinées	•					••		•••				•	
7127 Nettoyeur de tapis et de meubles								•••	••				
7154 Préposé à l'entretien des piscines								•••	••				••
7221 Préposé à l'entretien sanitaire								•••	••				•
Secondaire (DEP)													
▸ **Bâtiments et travaux publics**													
5238 Arpentage et topographie	••				•		•	•••	••	•			••
5108 Briquetage-maçonnerie					•	••		•••					•
5119 Calorifugeage						••		•••	•				
5112 Carrelage					•	••		•••					•
1428 Charpenterie-menuiserie	••	•	•	•	•	•	•	•••	•			••	•

- Faible importance
- •• Moyenne importance
- ••• Grande importance

Programme		AMÉNAGEMENT/ DESIGN	COMPTABILITÉ/ FINANCE	CONSEIL	COORDINATION	CRÉATION/ FABRICATION	FABRICATION INDUSTRIELLE	GESTION DES AFFAIRES	MANIPULATION	ORGANISATION	RÉALISATIONS SCIENTIFIQUES	RECHERCHE	TRANSFORMATION	VÉRIFICATION/ CONTRÔLE
5140	Découpe et transformation du verre						••		•••					
5250	Dessin de bâtiment	••	•			•	••	•	•••	•	•			•
5202	Entretien de bâtiments nordiques								•••	••				•
5214	Entretien et réparation de caravanes								•••	••				•
5211	Entretien général d'immeubles								•••	••				•
5191	Intervention en sécurité-incendie	••		•				•	•••	•••	•			••
5146	Mécanique de machines fixes						••		•••	•				
5121	Mécanique de protection contre les incendies	•					••		•••	•	•			•
5139	Montage et installation de produits verriers						••		•••					
5116	Peinture en bâtiment					•	••		•••				•	•
5286	Plâtrage						••		•••					•
5148	Plomberie-chauffage	••					••	•	•••	•	•			•
5032	Pose de revêtements de toiture						••		•••	•				•
5115	Pose de revêtements souples						••		•••					
5118	Pose de systèmes intérieurs	•					••		•••	•			•	•
5117	Préparation et finition de béton						••		•••					•
5075	Réfrigération	••					••		•••	•	•		•	••
5272	Vente de produits de quincaillerie		•					•	•	•••				•

▶ **Électrotechnique**

1430	Électricité de construction	••	•	•			••	•	••	••	•		•	••

Collégial (DEC)

▶ **Techniques humaines**

311.A0	Sécurité-incendie	••		•	•			•	••	•••	••	••		•••

▶ **Techniques physiques**

222.A0	Techniques d'aménagement et d'urbanisme	•••	•	••	••	••		••	••	••	••	••	••	••
221.A0	Technologie de l'architecture	•••	•	••	•	•••		••	••	••	••	•		••
221.04	Technologie de l'estimation et de l'évaluation du bâtiment	••	••	•	•			••	••	••	••	•		••
230.A1	Technologie de la géomatique, profil Cartographie	•••	•	•	•		••	•	••	••	•	•		••
230.A2	Technologie de la géomatique, profil Géodésie	•••	•	•	•		••	•	••	••	•	•		••
221.C0	Technologie de la mécanique du bâtiment	•••	•	••	••		••	••	••	•	••	••		••
221.B0	Technologie du génie civil	•••	•	••	••		•	••	•••	••	••		••	••

Universitaire (Bac) [1]

▶ **Arts**

15909*	Design de l'environnement	•••	•	•	••	•••	•	••	••	••	•••	•••		••

▶ **Sciences appliquées**

15332*	Architecture	•••	••	••	••	•••	•••	•••	••	•••	•••	•••	••	•••
15334*	Architecture de paysage	•••	••	••	••	•••	•••	•••	••	•••	•••	•••	••	•••
15358*	Génie civil	•••	••	••			•••	••	••	•••	••			•••
15358*	Génie de la construction	•••	••	••	••	•	•••	••	••	•••	••		••	•••
15358*	Génie du bâtiment	•••	••	••	••	•	•••	••	••	•••	••		••	•••
15371*	Génie géomatique	•••	••	••	••		••	••	••	•••	••	•		•••
15338*	Urbanisme	•••	••	••	••	•••		••	••	•••	•••	••		•••

1. Pour accéder à l'information sur le site www.reperes.qc.ca, il faut obligatoirement ajouter l'astérisque (*) à la suite du numéro d'identification du programme.

PROFESSIONS ET MÉTIERS EN RELATION AVEC LES PROGRAMMES D'ÉTUDES

Cette section comprend la liste des professions et des métiers en relation avec chacun des programmes d'études énumérés dans le tableau précédent, sauf ceux qui correspondent aux programmes conduisant à l'obtention d'une attestation de formation professionnelle (AFP).

Dans ce cas particulier, les titres des métiers étant identiques à ceux des programmes, nous avons jugé inutile de reprendre cette information dans la présente section.

Pour comprendre l'organisation de cette section, consultez le second encadré, page 19.

CLÉO	PROGRAMMES ET MÉTIERS

SECONDAIRE (DEP)

BÂTIMENTS ET TRAVAUX PUBLICS

Arpentage et topographie
| 112.03 | Opérateur en topographie |

Briquetage-maçonnerie
| 241.36 | Briqueteur-maçon |

Calorifugeage
| 241.83 | Calorifugeur |

Carrelage
| 241.48 | Carreleur |

Charpenterie-menuiserie
241.32	Charpentier-menuisier
241.49	Charpentier-menuisier d'entretien
241.61	Ouvrier de la production d'habitations préusinées

Découpe et transformation du verre
| 241.63 | Vitrier |

Dessin de bâtiment
—	Dessinateur en plomberie-chauffage
233.04	Dessinateur d'installations électriques
241.07	Dessinateur d'architecture

Entretien de bâtiments nordiques
| 253.02 | Concierge |
| 253.03 | Préposé à l'entretien général d'immeubles |

Entretien et réparation de caravanes
| 254.24 | Réparateur de véhicules récréatifs |

Entretien général d'immeubles
| 253.02 | Concierge |

Intervention en sécurité-incendie
| 331.01 | Inspecteur de la prévention des incendies |
| 331.02 | Pompier |

Mécanique de machines fixes
241.82	Mécanicien de machines fixes
253.10	Conducteur d'installation de réfrigération
253.11	Conducteur de chaudière

Mécanique de protection contre les incendies
| 241.80 | Monteur d'installations de protection contre les incendies |

Montage et installation de produits verriers
| 241.35 | Vitrier en bâtiment |
| 241.62 | Monteur de portes et fenêtres |

Peinture en bâtiment
| 241.47 | Peintre en bâtiment |

Plâtrage
| 241.34 | Plâtrier |

Plomberie-chauffage
—	Poseur d'appareils de chauffage
241.74	Tuyauteur
241.76	Plombier

Pose de revêtements de toiture
| 241.42 | Couvreur de revêtements de toitures |

Pose de revêtements souples
| 241.45 | Poseur de revêtements souples |

Pose de systèmes intérieurs
| 241.31 | Poseur de systèmes intérieurs |

Préparation et finition de béton
| 241.29 | Finisseur de béton |
| 241.30 | Cimentier-applicateur |

Réfrigération
—	Réparateur en réfrigération
241.77	Mécanicien en réfrigération et en climatisation
241.78	Mécanicien de climatiseurs commerciaux

Vente de produits de quincaillerie
| 432.27 | Commis-vendeur de quincaillerie |

ÉLECTROTECHNIQUE

Électricité de construction
224.09	Électricien de centrale électrique
224.14	Installateur de compteurs d'électricité
233.05	Monteur de matériel de commande électrique
241.84	Électricien

COLLÉGIAL (DEC)

TECHNIQUES HUMAINES

Sécurité incendie

331.01   Inspecteur de la prévention des incendies

TECHNIQUES PHYSIQUES

Techniques d'aménagement et d'urbanisme

132.04   Technicien en aménagement du territoire
132.13   Inspecteur municipal

Technologie de l'architecture

211.16   Dessinateur en conception assistée par ordinateur
241.06   Technologue en architecture
241.09   Inspecteur en bâtiments (construction)
432.51   Vendeur-technicien de matériaux de construction

Technologie de l'estimation et de l'évaluation du bâtiment

241.11   Technologue en estimation des coûts de construction
423.33   Technologue de l'évaluation foncière et immobilière

Technologie de la géomatique

111.12   Technologue en cartographie pétrolière
112.02   Technologue en géodésie
112.04   Technologue en levés aériens
112.05   Mosaïste en photographies aériennes
112.06   Technologue en photogrammétrie
112.07   Technologue en cartographie
112.08   Analyste de photographies aériennes
112.09   Technologue en télédétection
112.10   Technologue en systèmes d'information à référence spatiale (SIRS)

Technologie de la mécanique du bâtiment

211.16   Dessinateur en conception assistée par ordinateur
224.05   Conseiller en économie d'énergie
241.09   Inspecteur en bâtiments (construction)
241.72   Dessinateur-concepteur en mécanique du bâtiment
241.73   Technologue en mécanique du bâtiment
253.01   Régisseur de bâtiment

Technologie du génie civil

211.16   Dessinateur en conception assistée par ordinateur
241.03   Technologue en génie civil
241.04   Dessinateur en génie civil
241.09   Inspecteur en bâtiments (construction)
241.10   Inspecteur en sécurité des bâtiments (gouvernement)
241.13   Entrepreneur en travaux publics
241.14   Inspecteur en construction (travaux publics)

UNIVERSITAIRE (BAC)

ARTS

Design de l'environnement

241.16   Designer de l'environnement

SCIENCES APPLIQUÉES

Architecture

241.05   Architecte

Architecture de paysage

125.01   Architecte paysagiste

Génie civil

121.01   Ingénieur civil des ressources hydriques
132.02   Ingénieur civil en écologie générale
132.03   Ingénieur de l'environnement
241.01   Ingénieur civil
241.13   Entrepreneur en travaux publics

Génie de la construction

121.01   Ingénieur civil des ressources hydriques
132.02   Ingénieur civil en écologie générale
241.01   Ingénieur civil

Génie du bâtiment

121.01   Ingénieur civil des ressources hydriques
241.01   Ingénieur civil

Génie géomatique

112.01   Arpenteur-géomètre

Urbanisme

132.01   Urbaniste

2.4 Le transport

Photo de famille

La famille Le transport regroupe des activités relatives au déplacement de personnes et de marchandises par les voies terrestre, aérienne ou maritime. Conduire des véhicules de transport, entretenir et réparer des camions, des navires ou des aéronefs, assurer la transmission des communications entre le personnel de bord et les différents points de service, tout cela fait partie des activités propres à cette famille.

Les personnes intéressées par cette famille de programmes d'études et de carrières présentent un certain nombre de caractéristiques communes et relèvent des défis professionnels semblables.

- Elles manifestent de l'intérêt et des aptitudes pour un travail en rapport avec le transport de personnes et de marchandises par les voies terrestre, aérienne ou maritime.

- Elles doivent conduire, de façon sécuritaire, des véhicules lourds, piloter des aéronefs ou des navires, organiser des déplacements de personnes et de marchandises, tout en respectant les règlements ainsi que les normes de sécurité en vigueur.

- Elles doivent faire preuve d'un grand sens des responsabilités, de sang-froid et de rigueur dans l'accomplissement de leurs fonctions.

- Elles sont principalement employées par des compagnies aériennes ou par des compagnies de transport routier ou maritime.

Ce qui m'a attiré vers le secteur du transport et de l'information aérienne, c'est mon goût pour l'aventure que j'ai développé par le camping sauvage, les jeux de boussole et d'orientation et la plongée sous-marine. J'aime les responsabilités, j'ai toujours eu l'habitude d'en prendre et de les assumer jusqu'au bout. J'ai l'avantage d'être vif d'esprit et d'avoir la capacité de prendre rapidement des décisions importantes. Toute ma vie, j'aurai le goût de me dépasser.

Hugues
Information aérienne

Programmes d'études par ordres d'enseignement et secteurs de formation

Les programmes énumérés ci-dessous permettent d'exercer une profession ou un métier en relation avec la famille **Le transport**.

SECONDAIRE	COLLÉGIAL	UNIVERSITAIRE
Attestation de formation professionnelle (AFP)	**Diplôme d'études collégiales (DEC)**	**Diplôme de baccalauréat (Bac)**

Administration, commerce et informatique
• Préposé à la livraison
 	
Transport
• Aide-livreur de combustible
	Techniques de l'administration
	• Techniques de la logistique du transport
	
	Techniques physiques
	• Navigation
	• Techniques de pilotage d'aéronefs :
	  - profil Hélicoptères
	  - profil Hydravions et monomoteurs sur roues et sur skis
	  - profil Multimoteurs aux instruments
		Sciences de l'administration
		• Administration des affaires

Diplôme d'études professionnelles (DEP) **Transport** • Conduite de camions • Information aérienne		

Programmes apparentés

Aucun programme n'est apparenté à cette famille.

Matières scolaires en relation avec la famille Le transport
(ordre d'enseignement secondaire)

■ Régime actuel
▲ Nouveau régime
● Éducation des adultes

	Régime actuel ■	Nouveau régime ▲	Éducation des adultes ●
Anglais	■	▲	●
Espagnol et autres langues	■	▲	●
Français	■	▲	●
Physique	■		●
Science et technologie		▲	
Sciences physiques	■		●
Techniques et méthodes en sciences de la nature	■		

Autoportrait

Découvrez le profil personnel des travailleurs de la famille **Le tranport** et vérifiez si leurs caractéristiques correspondent à votre propre réalité.

PROFIL PERSONNEL COMMUN

Les travailleurs de la famille **Le transport** présentent des traits de personnalité, des goûts, des talents et des valeurs semblables.

Ils sont...
- débrouillards;
- disciplinés;
- maîtres de leurs émotions;
- ponctuels;
- responsables;
- sociables.

Ils aiment...
- conduire des véhicules de transport;
- effectuer de fréquents déplacements dans le cadre de leur travail;
- entretenir des relations avec le public;
- résoudre des problèmes d'organisation;
- travailler à des heures irrégulières.

Ils ont...
- de l'initiative, un bon jugement et du sang-froid;
- de la facilité à s'adapter aux changements;
- de la facilité à s'exprimer en anglais;
- des aptitudes pour la conduite de véhicules de transport;
- la capacité de s'adapter à des horaires non conventionnels;
- la capacité de travailler avec des instruments de précision.

Ils privilégient...
- l'autonomie dans leur travail;
- le plaisir de voyager, de connaître d'autres personnes et de découvrir d'autres milieux de vie;
- un mode de vie actif plutôt que sédentaire;
- un travail présentant des défis.

Typologie de Holland – R I A S E C Z
Réaliste • Investigateur • Conventionnel

L'ANALYSE DE VOS EXPÉRIENCES

Les indices d'orientation qui suivent vous permettront de vérifier, à partir de vos diverses expériences, dans quelle mesure les caractéristiques des travailleurs de la famille **Le transport** correspondent aux vôtres.

- **Lisez attentivement les deux séries d'indices qui suivent et faites un crochet (√) vis-à-vis des énoncés qui s'appliquent ou pourraient s'appliquer à vous*.**

- **Comptez ensuite le nombre d'énoncés retenus et calculez le pourcentage.**

- **Le résultat obtenu vous donne des indications sur l'étendue de votre intérêt et de votre capacité à entreprendre un projet d'études relevant de la famille Le transport.**

* Voir la remarque « Important », au n° 7 de la page 19.

Indices d'orientation tirés de mon expérience personnelle

1. ☐ J'aime regarder des émissions télévisées et lire des ouvrages portant sur la recherche scientifique, le monde de l'aérospatiale et le monde du transport.
2. ☐ Je fais partie des Cadets de l'air.
3. ☐ Je fais du modélisme (modèles réduits) d'avions ou de bateaux.
4. ☐ Je fais partie d'un club d'amateurs d'avions ou de bateaux téléguidés.
5. ☐ J'aime voyager en bateau ou en avion.
6. ☐ J'aime comprendre comment fonctionnent les objets en mouvement.
7. ☐ J'ai un bon sens des responsabilités et on me reconnaît des qualités de leader.
8. ☐ J'ai toujours aimé les activités présentant un défi à relever.
9. ☐ Je fais preuve d'un bon esprit d'équipe lorsque je fais du sport.
10. ☐ Je suis une personne généralement disciplinée.
11. ☐ J'aime visiter des expositions portant sur le monde de l'aéronautique, de l'espace ou de la navigation.
12. ☐ J'aime conduire de petits véhicules motorisés, des véhicules tout terrain ou des motoneiges.

Indices d'orientation tirés de mon expérience scolaire et occupationnelle

13. ☐ J'aime les cours de sciences, de géographie, de physique, de mathématique ou d'éducation à la technologie.
14. ☐ Je me passionne pour tout ce qui concerne les ondes et les communications dans mes cours de physique.
15. ☐ Je fais partie du club de télécommunications mis sur pied à mon école.
16. ☐ Je m'intéresse à tout ce qui touche la météo et le climat dans mes cours de géographie, d'histoire ou de sciences physiques.
17. ☐ J'ai l'intention de postuler un emploi d'été à l'aéroport situé près de chez moi.
18. ☐ J'ai travaillé sur une ferme où j'ai pu me familiariser avec la conduite de différents véhicules automobiles.
19. ☐ J'aimerais beaucoup trouver un emploi d'été dans un port.
20. ☐ J'aimerais visiter un bateau de croisière ou un bateau de la Garde côtière canadienne ou des Forces armées canadiennes.
21. ☐ Je m'imagine aux commandes d'un avion.
22. ☐ J'envie les conducteurs de camions qui partent en voyage chaque semaine.

Résultat : _____ énoncés sur 22 = _____ %

VOS ATTENTES PAR RAPPORT À VOTRE FUTUR TRAVAIL

La série d'énoncés qui suit se rapporte aux exigences auxquelles doivent se soumettre les travailleurs de la famille **Le transport**. Seriez-vous prêt ou prête à accepter ces exigences pour vous-même?

- **Lisez attentivement chaque énoncé et faites un crochet (√) vis-à-vis de ceux qui correspondent à vos attentes par rapport à votre futur travail.**

Exigences liées à mon futur travail

☐ Accepter les répercussions importantes que ce genre de travail peut avoir sur ma vie familiale et mes activités sociales.

☐ Aimer les déplacements et les voyages, car ils occuperont une bonne part de ma vie professionnelle.

☐ Avoir des horaires de travail très peu conventionnels.

☐ Avoir la capacité d'entretenir de bonnes relations avec les personnes transportées.

☐ Composer avec les changements de température et les changements de saison.

☐ Être autonome et faire preuve de débrouillardise.

☐ Être capable de faire preuve de sang-froid en situation d'urgence.

☐ Faire preuve d'un très grand sens des responsabilités, afin d'assurer la sécurité des personnes transportées.

☐ Faire preuve de discipline et être capable de maîtriser mes émotions.

☐ Ne pas compter mes heures de travail, étant donné les nombreux facteurs qui influencent les déplacements terrestres, maritimes ou aériens.

VOS PRÉFÉRENCES PROFESSIONNELLES

La prochaine étape introduit une réflexion sur vos préférences professionnelles. Les énoncés proposés correspondent à des fonctions de travail propres à la famille **Le transport**.

- **Lisez attentivement les huit fonctions de travail suivantes.**

- **Numérotez, selon vos préférences, les trois ou quatre fonctions les plus significatives pour vous, le chiffre 1 indiquant la fonction la plus intéressante à vos yeux.**

- **Reportez ensuite les chiffres correspondant à vos préférences dans l'espace « Mes préférences » du tableau de la page suivante.**

Fonctions de travail

☐ **Administration** : Assumer la direction de personnes, d'activités ou de projets.

☐ **Classification** : Exécuter des tâches impliquant le classement d'objets ou de données.

☐ **Coordination :** Coordonner ou superviser une équipe de travail.

☐ **Manipulation** : Manipuler des appareils, des outils ou des instruments.

☐ **Organisation** : Organiser des services administratifs ou techniques de nature commerciale.

☐ **Réalisations scientifiques** : Appliquer ses connaissances scientifiques à des réalisations concrètes (produits, objets, appareils, installations, etc.).

☐ **Recherche** : S'interroger, explorer, expérimenter, afin d'innover et de faire progresser son domaine d'activités.

☐ **Vérification/Contrôle** : S'impliquer dans des activités de mesure, de vérification, de contrôle ou d'inspection de produits ou de services.

PROGRAMMES D'ÉTUDES ET FONCTIONS DE TRAVAIL

Le tableau qui suit présente, dans l'ordre, les programmes offerts au secondaire, au collégial et au premier cycle universitaire.

- **Recherchez, pour les fonctions de travail retenues, les programmes d'études signalés par les points et prenez note de ceux qui vous intéressent particulièrement.**

Exemple : Si vous avez une préférence pour la fonction de travail « Administration », vous noterez que le programme collégial *Techniques de la logistique du transport* (DEC) accorde une grande importance à cette fonction, alors qu'elle n'en a aucune pour le programme d'études secondaires *Conduite de camions* (DEP).

Pour faciliter la consultation du tableau

Vous pourriez :
- surligner les colonnes verticales correspondant à vos fonctions de travail préférées;
- prendre connaissance des programmes signalés par des points dans les colonnes retenues et surligner ceux qui vous intéressent particulièrement.

Pour comprendre l'organisation de ce tableau, consultez le premier encadré, page 19.

MES PRÉFÉRENCES

PROGRAMMES	FONCTIONS DE TRAVAIL							
● Faible importance ●● Moyenne importance ●●● Grande importance	ADMINISTRATION	CLASSIFICATION	COORDINATION	MANIPULATION	ORGANISATION	RÉALISATIONS SCIENTIFIQUES	RECHERCHE	VÉRIFICATION/CONTRÔLE
Secondaire (AFP)								
▸ **Administration, commerce et informatique**								
7103 Préposé à la livraison				●●●	●●●			
▸ **Transport**								
7147 Aide-livreur de combustible				●●●	●●●			
Secondaire (DEP)								
▸ **Transport**								
5143 Conduite de camions				●●●	●●●			
5150 Information aérienne	●	●	●	●●	●●●	●	●	
Collégial (DEC)								
▸ **Techniques de l'administration**								
410.A0 Techniques de la logistique du transport	●●●	●●●	●●	●●	●●●		●	●●
▸ **Techniques physiques**								
248.B0 Navigation	●●	●●●	●●●	●●●	●●●	●●		●●
280.A0 Techniques de pilotage d'aéronefs, profil Hélicoptères	●	●●●	●●	●●●	●●●	●●	●	●●
280.A0 Techniques de pilotage d'aéronefs, profil Hydravions et monomoteurs sur roues et sur skis	●	●●●	●●	●●●	●●●	●●	●	●●
280.A0 Techniques de pilotage d'aéronefs, profil Multimoteurs aux instruments	●	●●●	●●●	●●●	●●●			●●
Universitaire (Bac) [1]								
▸ **Sciences de l'administration**								
15800* Administration des affaires	●●●	●●●	●●●	●	●●●		●●	●●●

1. Pour accéder à l'information sur le site www.reperes.qc.ca, il faut obligatoirement ajouter l'astérisque (*) à la suite du numéro d'identification du programme.

PROFESSIONS ET MÉTIERS EN RELATION AVEC LES PROGRAMMES D'ÉTUDES

Cette section comprend la liste des professions et des métiers en relation avec chacun des programmes d'études énumérés dans le tableau précédent, sauf ceux qui correspondent aux programmes conduisant à l'obtention d'une attestation de formation professionnelle (AFP).

Dans ce cas particulier, les titres des métiers étant identiques à ceux des programmes, nous avons jugé inutile de reprendre cette information dans la présente section.

Pour comprendre l'organisation de cette section, consultez le second encadré, page 19.

CLÉO   PROGRAMMES ET MÉTIERS

SECONDAIRE (DEP)

TRANSPORT

Conduite de camions
433.31	Chauffeur de camion
433.33	Chauffeur de camion lourd

Information aérienne
—	Télégraphiste
433.60	Radiotélégraphiste maritime
433.80	Préposé aux envolées
433.82	Spécialiste de l'information de vol
721.22	Radiotéléphoniste
721.23	Radiotélégraphiste

COLLÉGIAL (DEC)

TECHNIQUES DE L'ADMINISTRATION

Techniques de la logistique du transport
322.07	Inspecteur des douanes
421.04	Technicien en administration
433.02	Courtier en douane
433.07	Conseiller en transport de marchandises
433.13	Technicien en logistique du transport intermodal
433.14	Coordonnateur du transport de voyageurs par autobus

TECHNIQUES PHYSIQUES

Navigation
433.52	Lieutenant de la marine marchande
433.53	Commandant de navire
433.54	Pilote de navires

Techniques de pilotage d'aéronefs
333.35	Officier pilote
433.71	Instructeur de pilote d'avion
433.72	Pilote d'hélicoptère
433.73	Pilote de brousse
433.74	Pilote d'essai (transport aérien)
433.75	Pilote d'avion
433.76	Navigateur (transport aérien)

UNIVERSITAIRE (BAC)

SCIENCES DE L'ADMINISTRATION

Administration des affaires
433.03	Directeur d'exploitation des transports routiers
433.17	Directeur de parc de véhicules

l'**H**umain

3

■ L'être humain, pour vivre et se maintenir en bonne santé, doit satisfaire un certain nombre de besoins physiologiques. Mais la santé va bien au-delà des seules considérations biologiques, car la condition humaine relève à la fois de l'individu lui-même et de la société dans laquelle il vit. Afin d'atteindre l'équilibre personnel, affectif et social recherché, l'être humain doit apprendre à s'adapter à chacune des sphères sociales au sein desquelles il évolue. Fort heureusement, certaines personnes se montrent sensibles à ce que vivent ou ont vécu leurs semblables et elles mettent sur pied des services qui leur permettent de s'épanouir, de s'éduquer, de se divertir et de vivre harmonieusement en société.

Les personnes intéressées par le domaine de l'Humain suivront des cours en rapport avec les sciences humaines, comme l'histoire, la géographie, l'éducation économique, la psychologie, la sociologie et l'anthropologie. Elles s'initieront à la relation d'aide, à l'animation et à la communication. Elles apprendront également à maîtriser certaines techniques particulières d'intervention selon le champ de spécialisation choisi.

Le domaine de l'Humain regroupe quatre familles de programmes : **La société humaine**, **La relation d'aide**, **L'éducation et les loisirs** et **La loi**.

3

DOMAINE
l'Humain

3.1 La société humaine

Photo de famille

La famille La société humaine regroupe des activités relatives à l'évolution de l'homme dans le temps et dans l'espace. L'étude des cultures et des civilisations, la réalisation d'enquêtes et de sondages, la recherche sur les modes de vie ainsi que l'analyse des courants philosophiques, religieux, politiques, économiques ou sociaux, tout cela fait partie des activités propres à cette famille.

Les personnes intéressées par cette famille de programmes d'études et de carrières présentent un certain nombre de caractéristiques communes et relèvent des défis professionnels semblables.

- Elles font des recherches sur l'évolution de l'homme dans le temps et dans l'espace.

- Elles s'intéressent à différentes cultures et civilisations, aux modes de pensée et de communication ainsi qu'aux modes de vie.

- Elles analysent, scrutent, lisent, fouillent ou observent pour mieux comprendre l'homme et la société dans laquelle il vit.

- Elles se préoccupent de l'intégration de l'homme dans la société et participent à la résolution de problèmes humains et sociaux.

- Elles sont souvent appelées à travailler en plein air.

- Elles travaillent principalement au sein d'organismes gouvernementaux, dans des centres de recherche ou pour des établissements d'enseignement.

Je suis très curieux et tout ce qui sort de l'ordinaire m'attire. C'est d'ailleurs ce qui m'a conduit à l'anthropologie. C'est ce goût du questionnement, ce désir de tout remettre en cause, même ce qui semble admis et entériné par la majorité, qui font que je suis vraiment à ma place dans ce programme d'études. De nos jours, les anthropologues sont souvent consultés à cause, justement, de la nouveauté du regard qu'ils sont capables de jeter sur notre société, de leur capacité à « sortir du cadre ».

Julien
Anthropologie

Programmes d'études par ordres d'enseignement et secteurs de formation

Les programmes énumérés ci-dessous permettent d'exercer une profession ou un métier en relation avec la famille **La société humaine**.

SECONDAIRE	COLLÉGIAL	UNIVERSITAIRE
Attestation de formation professionnelle (AFP)	**Diplôme d'études collégiales (DEC)**	**Diplôme de baccalauréat (Bac)**
Communication et documentation • Préposé dans une bibliothèque	**Arts** • Techniques de muséologie **Techniques humaines** • Techniques de la documentation • Techniques de recherche sociale	**Arts** • Histoire de l'art **Sciences humaines** • Animation et recherche culturelles • Anthropologie et ethnologie • Communication sociale • Démographie et géographie • Économie et politique • Économie • Études est-asiatiques • Études patrimoniales • Géographie • Histoire • Philosophie • Science politique • Sciences de la consommation • Sciences religieuses • Sciences sociales • Sociologie • Théologie

Programmes apparentés

La liste des programmes apparentés est fournie à titre indicatif. Compte tenu de leurs objectifs principaux, ces programmes ont été classés dans d'autres familles, mais ils partagent néanmoins certains de leurs objectifs avec les programmes énumérés ci-dessus. Vous trouverez des renseignements sur ces programmes aux pages indiquées.

SECONDAIRE	COLLÉGIAL	UNIVERSITAIRE
Diplôme d'études professionnelles (DEP) • *Secrétariat, page 166*	*Diplôme d'études collégiales (DEC)* • *Archives médicales, page 166* • *Art et technologie des médias, page 240*	*Diplôme de baccalauréat (Bac)* • *Communication, page 240* • *Relations industrielles, page 148*

Matières scolaires en relation avec la famille La société humaine
(ordre d'enseignement secondaire)

■ Régime actuel
▲ Nouveau régime
● Éducation des adultes

Matière	Régime actuel	Nouveau régime	Éducation des adultes
Anglais	■	▲	●
Démocratie et culture au Québec			●
Développement personnel et social			●
Éducation au choix de carrière	■		
Éducation économique	■		
Enseignement moral, enseignement moral et religieux	■	▲	
Espagnol et autres langues	■	▲	●
Formation personnelle et sociale	■		
Français	■	▲	●
Géographie	■	▲	●
Histoire et éducation à la citoyenneté		▲	
Histoire	■		●
Industrialisation et urbanisation au Québec			●
Mathématique	■	▲	●
Vie économique			●

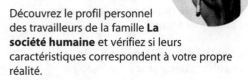

Autoportrait

Découvrez le profil personnel des travailleurs de la famille **La société humaine** et vérifiez si leurs caractéristiques correspondent à votre propre réalité.

PROFIL PERSONNEL COMMUN

Les travailleurs de la famille **La société humaine** présentent des traits de personnalité, des goûts, des talents et des valeurs semblables.

Ils sont...
- curieux intellectuellement;
- humanistes;
- méthodiques;
- patients;
- rationnels;
- sociables.

Ils aiment...
- faire des recherches sur l'être humain et sur son évolution;
- faire un travail intellectuel;
- lire, écrire et s'exprimer oralement;
- se déplacer ou voyager à l'étranger dans le cadre de leur travail;
- transmettre des connaissances ou former des personnes;
- travailler à résoudre des problèmes de société.

Ils ont...
- de la facilité à s'exprimer, à communiquer clairement le fruit de leurs réflexions;
- la capacité de recueillir des faits et des données, de les analyser et d'en faire la synthèse;
- un bon sens critique;
- un bon sens de l'observation.

Ils privilégient...
- l'acquisition d'une vision personnelle et originale des enjeux liés à l'organisation de la société actuelle;
- l'amélioration du sort de l'humanité;
- la croissance psychologique et spirituelle;
- la recherche d'un monde meilleur;
- le plaisir d'apprendre.

Typologie de Holland – R I **A S E** C **Z**
Social • Investigateur • Écologiste

L'ANALYSE DE VOS EXPÉRIENCES

Les indices d'orientation qui suivent vous permettront de vérifier, à partir de vos diverses expériences, dans quelle mesure les caractéristiques des travailleurs de la famille **La société humaine** correspondent aux vôtres.

- Lisez attentivement les deux séries d'indices qui suivent et faites un crochet (√) vis-à-vis des énoncés qui s'appliquent ou pourraient s'appliquer à vous*.

- Comptez ensuite le nombre d'énoncés retenus et calculez le pourcentage.

- Le résultat obtenu vous donne des indications sur l'étendue de votre intérêt et de votre capacité à entreprendre un projet d'études relevant de la famille La société humaine.

* Voir la remarque « Important », au n° 7 de la page 19.

Indices d'orientation tirés de mon expérience personnelle

1. ☐ J'aime lire des livres, des journaux et des revues portant sur l'histoire, la culture ou les civilisations.
2. ☐ Je suis une personne ordonnée et méthodique.
3. ☐ Je me sers régulièrement de l'ordinateur et j'utilise des logiciels pour classifier des données.
4. ☐ Je suis, de l'avis de mes proches, quelqu'un qui énonce clairement ses idées.
5. ☐ J'aime écrire sur les expériences que je vis et je tiens un journal personnel.
6. ☐ Je m'intéresse à l'actualité.
7. ☐ Je m'intéresse à l'histoire et aux grands événements qui ont marqué notre société.
8. ☐ J'aime visiter des musées consacrés à l'histoire et aux autres civilisations ainsi que des lieux historiques.
9. ☐ J'aime apprendre d'autres langues.
10. ☐ J'aime la compagnie des gens.
11. ☐ J'ai des convictions et je n'ai pas peur de les affirmer.
12. ☐ Je m'intéresse au patrimoine (maisons historiques, parcs, antiquités, etc.).

Indices d'orientation tirés de mon expérience scolaire et occupationnelle

13. ☐ J'aime suivre des cours d'histoire, de géographie, d'éducation économique, de sociologie, d'anthropologie, de science politique, d'ethnologie ou de philosophie.
14. ☐ J'aime faire des analyses de textes et des résumés.
15. ☐ J'aime écrire dans le journal étudiant pour exprimer mon opinion.
16. ☐ J'aime faire de la recherche dans Internet sur des sujets variés.
17. ☐ J'aime participer à des débats sur des sujets d'actualité ou des faits de société.
18. ☐ Je participe à des semaines thématiques (ou j'en organise) portant sur le développement international, les relations interculturelles ou les sciences humaines en général.
19. ☐ J'ai participé à des programmes d'échange avec des gens d'autres régions ou d'autres pays.
20. ☐ Je fais partie d'un comité politique.
21. ☐ Je collabore à l'organisation d'activités socioculturelles dans mon milieu.
22. ☐ J'ai eu l'occasion ou je rêve de voyager dans d'autres pays pour apprendre à connaître les gens qui y habitent, leur histoire, leurs traditions et leurs modes de vie.
23. ☐ Je travaille pour un organisme interculturel.
24. ☐ Je rêve de travailler pour des organismes d'aide internationale : Amnistie internationale, Jeunesse Canada Monde, ACDI, etc.
25. ☐ J'ai l'intention de choisir des programmes d'études comportant un volet international ou interculturel.

Résultat : _____ énoncés sur 25 = _____ %

Projet professionnel

VOS ATTENTES PAR RAPPORT À VOTRE FUTUR TRAVAIL

La série d'énoncés qui suit se rapporte aux exigences auxquelles doivent se soumettre les travailleurs de la famille **La société humaine**. Seriez-vous prêt ou prête à accepter ces exigences pour vous-même?

• **Lisez attentivement chaque énoncé et faites un crochet (√) vis-à-vis de ceux qui correspondent à vos attentes par rapport à votre futur travail.**

Exigences liées à mon futur travail

☐ Être en mesure d'accepter que les résultats de mon travail ne soient connus qu'à long terme.

☐ Faire appel à mon sens critique.

☐ Faire connaître le fruit de mes recherches par écrit ou oralement.

☐ Faire des recherches, des lectures, analyser des faits ou des données.

☐ Faire un travail de nature plutôt intellectuelle.

☐ M'engager socialement dans ma communauté.

☐ Offrir mon savoir-faire à titre de consultant ou de consultante.

☐ Travailler parfois à l'étranger et m'adapter à des horaires, des habitudes de vie et des environnements inhabituels.

VOS PRÉFÉRENCES PROFESSIONNELLES

La prochaine étape introduit une réflexion sur vos préférences professionnelles. Les énoncés proposés correspondent à des fonctions de travail propres à la famille **La société humaine**.

• **Lisez attentivement les sept fonctions de travail suivantes.**

• **Numérotez, selon vos préférences, les trois ou quatre fonctions les plus significatives pour vous, le chiffre 1 indiquant la fonction la plus intéressante à vos yeux.**

• **Reportez ensuite les chiffres correspondant à vos préférences dans l'espace « Mes préférences » du tableau de la page suivante.**

Fonctions de travail

☐ **Administration** : Assumer la direction de personnes, d'activités ou de projets.

☐ **Conseil** : Agir à titre de consultant ou de consultante auprès de travailleurs pour les aider à exercer leurs fonctions dans divers domaines d'activités.

☐ **Coopération** : Travailler en équipe et interagir avec d'autres personnes.

☐ **Éducation/Enseignement** : Proposer des activités d'apprentissage individuelles ou collectives.

☐ **Enquête** : Vérifier le profil, l'opinion ou la situation de groupes sociaux ou politiques, de manière à jeter un éclairage nouveau sur différentes situations.

☐ **Information** : Avoir la responsabilité de transmettre des renseignements.

☐ **Recherche** : S'interroger, explorer, expérimenter, afin d'innover et de faire progresser son domaine d'activités.

PROGRAMMES D'ÉTUDES ET FONCTIONS DE TRAVAIL

Le tableau qui suit présente, dans l'ordre, les programmes offerts au secondaire, au collégial et au premier cycle universitaire.

- Recherchez, pour les fonctions de travail retenues, les programmes d'études signalés par les points et prenez note de ceux qui vous intéressent particulièrement.

Exemple : Si vous avez une préférence pour la fonction de travail « Coopération », vous noterez que le programme universitaire *Communication sociale* (Bac) accorde une grande importance à cette fonction, alors qu'elle a peu pour le programme universitaire *Histoire de l'art* (Bac).

Pour faciliter la consultation du tableau

Vous pourriez :
- surligner les colonnes verticales correspondant à vos fonctions de travail préférées ;
- prendre connaissance des programmes signalés par des points dans les colonnes retenues et surligner ceux qui vous intéressent particulièrement.

Pour comprendre l'organisation de ce tableau, consultez le premier encadré, page 19.

MES PRÉFÉRENCES

PROGRAMMES	ADMINISTRATION	CONSEIL	COOPÉRATION	ÉDUCATION/ ENSEIGNEMENT	ENQUÊTE	INFORMATION	RECHERCHE
• Faible importance •• Moyenne importance ••• Grande importance							
Secondaire (AFP)							
▶ **Communication et documentation**							
7139 Préposé dans une bibliothèque			•		•	••	••
Collégial (DEC)							
▶ **Arts**							
570.B0 Techniques de muséologie	•	•••	••	••	••	••	•••
▶ **Techniques humaines**							
393.A0 Techniques de la documentation	•	••	•	••	•	•••	•••
384.A0 Techniques de recherche sociale	•	••	••	•	••	•••	•••
Universitaire (Bac) [1]							
▶ **Arts**							
15903* Histoire de l'art		••	•	••	•	•••	•••
▶ **Sciences humaines**							
15478* Animation et recherche culturelles	••	•••	•••	•	•••	•••	•••
15499* Anthropologie et ethnologie	•	••	••	••	•••	••	•••
15494* Communication sociale	••	•••	•••	•••	••	•••	••
15499* Démographie et géographie	•	•••	•	•	•••	•••	•••
15434* Économie et politique	••	•••	•••	••	•••	•••	•••
15434* Économie	••	•••	•••	••	•••	•••	•••
15499* Études est-asiatiques	••	•••	•••	•	•••	•••	•••
15435* Études patrimoniales	•	•	••	•	•••	•••	•••
15436* Géographie	•	•	••	••	•••	•••	•••
15435* Histoire	•	•	••	••	•••	•••	•••
15495* Philosophie	•	•	••	••	•••	•••	•••
15437* Science politique	••	•••	•••	•	•••	••	•••
15474* Sciences de la consommation	•	••	•••	•••	•••	•••	••
15498* Sciences religieuses	•	•	•••	•••	•	•••	••
15430* Sciences sociales	•	•••	•••	••	•••	•••	•••
15438* Sociologie	•	•••	•••	••	•••	•••	•••
15498* Théologie	•	•	•••	•••	•	•••	••

1. Pour accéder à l'information sur le site www.reperes.qc.ca, il faut obligatoirement ajouter l'astérisque (*) à la suite du numéro d'identification du programme.

PROFESSIONS ET MÉTIERS EN RELATION AVEC LES PROGRAMMES D'ÉTUDES

Cette section comprend la liste des professions et des métiers en relation avec chacun des programmes d'études énumérés dans le tableau précédent, sauf ceux qui correspondent aux programmes conduisant à l'obtention d'une attestation de formation professionnelle (AFP).

Dans ce cas particulier, les titres des métiers étant identiques à ceux des programmes, nous avons jugé inutile de reprendre cette information dans la présente section.

Pour comprendre l'organisation de cette section, consultez le second encadré, page 19.

CLÉO	PROGRAMMES ET MÉTIERS

COLLÉGIAL (DEC)

ARTS

Techniques de muséologie
| 632.09 | Technicien en muséologie |

TECHNIQUES HUMAINES

Techniques de la documentation
| 632.02 | Technicien en documentation |
| 632.04 | Technicien en gestion de documents |

Techniques de recherche sociale
612.45	Technicien de recherche, enquête et sondage
612.46	Technicien en collecte d'information
612.47	Technicien en enquête administrative
612.48	Technicien en statistiques
612.54	Intervieweur

UNIVERSITAIRE (BAC)

ARTS

Histoire de l'art
| 631.05 | Historien de l'art |
| 632.08 | Conservateur de musée |

SCIENCES HUMAINES

Animation et recherche culturelles
| — | Agent de développement culturel |
| — | Génagogue |

Anthropologie et ethnologie
631.01	Ethnologue
631.02	Anthropologue
631.03	Archéologue

Communication sociale
—	Conseiller en communication
—	Génagogue
—	Intervenant communautaire
611.22	Animateur de vie étudiante
711.11	Agent d'information

Démographie et géographie
| 612.41 | Démographe |

Économie et politique
—	Agent de service extérieur diplomatique
—	Journaliste politique
411.06	Agent de développement économique
411.08	Économiste en commerce international
411.09	Économiste en développement international
423.01	Économiste financier

Économie
124.01	Agro-économiste
131.01	Économiste en organisation des ressources
411.01	Économiste

411.02	Économiste industriel
411.03	Économiste du travail
411.05	Analyste des marchés
411.06	Agent de développement économique
411.08	Économiste en commerce international
411.09	Économiste en développement international
411.10	Conseiller en importation et exportation
423.01	Économiste financier
433.01	Économiste des transports

Études est-asiatiques
| — | Diplomate |
| — | Spécialiste en relations internationales |

Études patrimoniales
| 631.04 | Historien |
| 632.07 | Archiviste |

Géographie
| 612.41 | Démographe |
| 612.53 | Géographe (géographie humaine) |

Histoire
| 631.04 | Historien |
| 632.07 | Archiviste |

Philosophie
| 611.36 | Professeur de philosophie |
| 612.52 | Philosophe |

Science politique
311.06	Agent du service extérieur diplomatique
311.08	Protecteur du citoyen
311.14	Conseiller politique
311.16	Politicologue

Sciences de la consommation
—	Conseiller en consommation
—	Expert-conseil en commercialisation
—	Intervenant budgétaire
224.05	Conseiller en économie d'énergie

Sciences historiques
| 631.04 | Historien |
| 632.07 | Archiviste |

Sciences religieuses
| 531.22 | Animateur de pastorale |

Sciences sociales
| 322.05 | Inspecteur de l'immigration |
| 421.20 | Agent d'assurance-emploi |

Sociologie
322.05	Inspecteur de l'immigration
332.01	Criminologue
612.42	Sociologue
631.02	Anthropologue

Théologie
531.20	Ministre du culte
531.22	Animateur de pastorale
611.09	Organisateur de l'instruction religieuse
612.43	Théologien

FAMILLE
3.2 La relation d'aide

Les relations interpersonnelles, en particulier les relations hommes-femmes, ont toujours été d'un grand intérêt pour moi. Au secondaire, dans les cours de morale et de formation personnelle et sociale, c'était le côté humain qui m'intéressait le plus, notamment les sujets comme l'égalité des sexes et la communication entre eux. Ma formation en sexologie me permet de mettre en œuvre, dans l'exercice de mon métier, ma conviction que les choses peuvent changer et s'améliorer.
Cette formation est très exigeante sur le plan personnel, car elle nous force à nous questionner sur nos valeurs et nos préjugés. Cela demande une grande ouverture d'esprit et la capacité de se remettre en question.

Julie
Sexologie

Photo de famille

La famille La relation d'aide regroupe des activités en rapport avec le mieux-être des personnes ou la résolution de problèmes personnels d'ordre affectif, psychologique, familial ou social. L'accompagnement professionnel en situation de crise, l'aide à la prise de décision, le soutien à l'apprentissage ou à l'intégration sociale, la recherche ainsi que le développement de stratégies d'intervention en matière de criminologie, tout cela fait partie des activités propres à cette famille.

Les personnes intéressées par cette famille de programmes d'études et de carrières présentent un certain nombre de caractéristiques communes et relèvent des défis professionnels semblables.

- Elles aident des personnes à résoudre des problèmes personnels d'ordre affectif, psychologique ou social, ou à cheminer le plus harmonieusement possible dans leur vie personnelle ou professionnelle.

- Elles sont à l'écoute des personnes en difficulté auxquelles elles offrent compréhension et soutien.

- Elles peuvent intervenir de façon individuelle ou en groupe, et leurs interventions peuvent être de nature préventive ou curative.

- Elles font preuve d'un bon équilibre personnel et elles sont animées du désir sincère d'être utiles aux autres.

- Elles exercent leur profession au sein de divers organismes publics ou privés : établissements scolaires, centres de services sociaux, centres locaux de services communautaires (CLSC), hôpitaux, cliniques privées, centres d'hébergement pour personnes âgées, centres spécialisés ou services d'aide à but non lucratif pour personnes en difficulté.

Programmes d'études par ordres d'enseignement et secteurs de formation

Les programmes énumérés ci-dessous permettent d'exercer une profession ou un métier en relation avec la famille **La relation d'aide**.

SECONDAIRE	COLLÉGIAL	UNIVERSITAIRE
Aucun programme.	**Diplôme d'études collégiales (DEC)**	**Diplôme de baccalauréat (Bac)**
	Techniques humaines • Techniques d'éducation spécialisée • Techniques d'intervention en délinquance • Techniques de travail social	**Sciences humaines** • Criminologie • Développement de carrière • Information et orientation professionnelles • Psychoéducation • Psychologie • Sciences de l'orientation • Service social • Sexologie

Programmes apparentés

La liste des programmes apparentés est fournie à titre indicatif. Compte tenu de leurs objectifs principaux, ces programmes ont été classés dans d'autres familles, mais ils partagent néanmoins certains de leurs objectifs avec les programmes énumérés ci-dessus. Vous trouverez des renseignements sur ces programmes aux pages indiquées.

SECONDAIRE	COLLÉGIAL	UNIVERSITAIRE
Diplôme d'études professionnelles (DEP) • *Assistance aux bénéficiaires en établissement de santé, page 40* • *Assistance familiale et sociale aux personnes à domicile, page 40* • *Santé, assistance et soins infirmiers, page 40*	*Diplôme d'études collégiales (DEC)* • *Soins infirmiers, page 40*	*Diplôme de baccalauréat (Bac)* • *Ergothérapie, page 40* • *Médecine, page 40* • *Sciences infirmières, page 40*

Matières scolaires en relation avec la famille La relation d'aide
(ordre d'enseignement secondaire)

■ Régime actuel
▲ Nouveau régime
● Éducation des adultes

	Régime actuel	Nouveau régime	Éducation des adultes
Démocratie et culture au Québec			●
Éducation au choix de carrière	■		
Éducation économique	■		
Éducation physique et à la santé		▲	
Enseignement moral, enseignement moral et religieux	■	▲	
Développement personnel et social			●
Formation personnelle et sociale	■		
Français	■	▲	●
Géographie	■	▲	●
Histoire	■		●
Histoire et éducation à la citoyenneté		▲	
Industrialisation et urbanisation au Québec			●
Vie économique			●

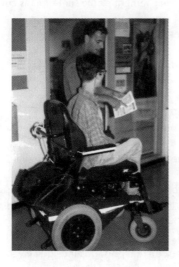

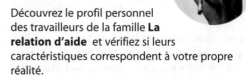

Autoportrait

Découvrez le profil personnel des travailleurs de la famille **La relation d'aide** et vérifiez si leurs caractéristiques correspondent à votre propre réalité.

PROFIL PERSONNEL COMMUN

Les travailleurs de la famille **La relation d'aide** présentent des traits de personnalité, des goûts, des talents et des valeurs semblables.

Ils sont...
• bien équilibrés mentalement;
• chaleureux;
• compréhensifs;
• débrouillards;
• empathiques;
• patients;
• perspicaces;
• sociables;
• tolérants.

Ils aiment...
• comprendre la psychologie des comportements humains;
• établir des rapports sociaux;
• résoudre des problèmes d'ordre psychologique ou social;
• s'investir dans des activités ou des projets qui demandent de la rigueur intellectuelle;
• tenir leurs connaissances à jour, faire de la recherche et rédiger des rapports;
• venir en aide aux autres.

Ils ont...
• de la facilité à communiquer oralement et par écrit;
• la capacité d'établir des relations interpersonnelles satisfaisantes;
• la capacité de maîtriser leurs émotions;
• un bon esprit d'analyse et de synthèse;
• un bon jugement;
• une bonne capacité d'écoute.

Ils privilégient...
• l'amélioration des relations entre les individus;
• l'engagement social;
• la recherche d'un épanouissement personnel;
• la recherche du bien-être des personnes;
• le désir de se sentir utiles;
• le respect de soi et d'autrui.

Typologie de Holland – R I A S E C Z
Social • Investigateur • Entreprenant

L'ANALYSE DE VOS EXPÉRIENCES

Les indices d'orientation qui suivent vous permettront de vérifier, à partir de vos diverses expériences, dans quelle mesure les caractéristiques des travailleurs de la famille **La relation d'aide** correspondent aux vôtres.

- **Lisez attentivement les deux séries d'indices qui suivent et faites un crochet (√) vis-à-vis des énoncés qui s'appliquent ou pourraient s'appliquer à vous*.**

- **Comptez ensuite le nombre d'énoncés retenus et calculez le pourcentage.**

- **Le résultat obtenu vous donne des indications sur l'étendue de votre intérêt et de votre capacité à entreprendre un projet d'études relevant de la famille La relation d'aide.**

* Voir la remarque « Important », au n° 7 de la page 19.

Indices d'orientation tirés de mon expérience personnelle

1. ☐ J'aime regarder des émissions télévisées ou lire des ouvrages portant sur des sujets sociaux, politiques ou culturels (émissions d'actualité ou d'information, interviews, témoignages, séries télévisées, biographies).
2. ☐ J'aime me retrouver avec des amis pour discuter de sujets personnels ou me poser des questions sur des sujets à caractère psychologique.
3. ☐ Je suis une personne à qui les autres aiment faire des confidences.
4. ☐ Je suis sensible à ce que les autres vivent et j'aimerais être en mesure d'aider ceux qui souhaitent modifier leurs attitudes ou leurs comportements.
5. ☐ Je m'intéresse aux problèmes sociaux tels que la toxicomanie, le suicide, la violence et la criminalité.
6. ☐ J'aime entretenir une relation d'aide avec les gens.
7. ☐ J'ai côtoyé des personnes handicapées ou des personnes ayant vécu des problèmes personnels ou des difficultés d'intégration dans la société.
8. ☐ Je suis une personne reconnue pour sa patience et pour son sang-froid dans les situations difficiles.
9. ☐ Je me sens à l'aise en compagnie de personnes âgées et je prends plaisir à discuter avec elles.
10. ☐ Je vis, avec ma famille et avec mes proches, une vie relativement stable sur les plans émotif et affectif.
11. ☐ J'ai eu l'occasion ou je rêve de voyager dans d'autres pays et de connaître les gens qui y vivent.

Indices d'orientation tirés de mon expérience scolaire et occupationnelle

12. ☐ J'aime les cours de formation personnelle et sociale, de psychologie, de sociologie, d'enseignement moral et religieux, d'histoire, de géographie ou de français.
13. ☐ Je fais partie de mouvements sociaux qui ont pour but de venir en aide aux personnes dans le besoin (groupes d'entraide, maisons des jeunes, aide aux personnes handicapées).
14. ☐ Je suis membre, à l'école, d'un groupe de parrainage pour les jeunes en situation difficile ou pour les nouveaux élèves à accueillir.
15. ☐ Je fais partie d'un mouvement à caractère international, comme le mouvement Jeunes du monde.
16. ☐ J'aime m'exprimer dans une équipe de travail, dans le journal étudiant, au conseil étudiant, ou encore en ayant recours à d'autres modes de communication.
17. ☐ Je donne de mon temps pour des activités d'aide à l'apprentissage.
18. ☐ J'aime faire de l'improvisation ou participer à des jeux de rôle portant sur ce que vivent les gens.
19. ☐ J'aime participer à des activités de formation et de croissance personnelle.

Résultat : _____ énoncés sur 19 = _____ %

Projet professionnel

VOS ATTENTES PAR RAPPORT À VOTRE FUTUR TRAVAIL

La série d'énoncés qui suit se rapporte aux exigences auxquelles doivent se soumettre les travailleurs de la famille **La relation d'aide**. Seriez-vous prêt ou prête à accepter ces exigences pour vous-même?

- **Lisez attentivement chaque énoncé et faites un crochet (√) vis-à-vis de ceux qui correspondent à vos attentes par rapport à votre futur travail.**

Exigences liées à mon futur travail

☐ Accepter que les résultats de mon travail ne puissent être ni facilement ni immédiatement observés.

☐ Démontrer des aptitudes pour gérer une entreprise.

☐ Faire abstraction de mes préjugés.

☐ Faire partie d'un ordre professionnel ou d'une association professionnelle et respecter les règles d'éthique en vigueur.

☐ Faire preuve d'attention et être à l'écoute de ce que les gens vivent.

☐ Faire preuve de tolérance envers une clientèle diversifiée.

☐ Rencontrer des gens pour les aider à résoudre leurs problèmes personnels.

☐ Savoir préserver mon équilibre personnel et avoir une bonne maîtrise de mes émotions.

☐ Travailler en équipe avec d'autres professionnels de la relation d'aide, selon le contexte de travail.

VOS PRÉFÉRENCES PROFESSIONNELLES

La prochaine étape introduit une réflexion sur vos préférences professionnelles. Les énoncés proposés correspondent à des fonctions de travail propres à la famille **La relation d'aide**.

- **Lisez attentivement les 12 fonctions de travail suivantes.**

- **Numérotez, selon vos préférences, les trois ou quatre fonctions les plus significatives pour vous, le chiffre 1 indiquant la fonction la plus intéressante à vos yeux.**

- **Reportez ensuite les chiffres correspondant à vos préférences dans l'espace « Mes préférences » du tableau de la page suivante.**

☐ **Administration** : Assumer la direction de personnes, d'activités ou de projets.

☐ **Animation de groupe** : Accompagner des groupes de personnes pour aider celles-ci à se développer sur les plans personnel et social.

☐ **Communication** : S'exprimer devant un petit groupe ou devant un large public.

☐ **Conseil** : Agir à titre de consultant ou de consultante auprès de travailleurs pour les aider à exercer leurs fonctions dans divers domaines d'activités.

☐ **Consultation** : Offrir des services personnalisés.

☐ **Coopération** : Travailler en équipe et interagir avec d'autres personnes.

☐ **Information** : Avoir la responsabilité de transmettre des renseignements.

☐ **Prévention** : Participer à des activités de prévention et de dépistage en rapport avec la santé humaine.

☐ **Recherche** : S'interroger, explorer, expérimenter, afin d'innover et de faire progresser son domaine d'activités.

☐ **Relation d'aide** : Aider des personnes aux prises avec des problèmes d'ordre psychologique, affectif ou social.

☐ **Traitement** : Prodiguer des soins à des personnes éprouvant des problèmes de santé physique ou mentale.

Fonctions de travail

☐ **Accompagnement** : Aider des personnes éprouvant des difficultés psychologiques, physiques ou mentales, à vivre et à s'organiser dans la vie quotidienne.

PROGRAMMES D'ÉTUDES ET FONCTIONS DE TRAVAIL

Le tableau qui suit présente, dans l'ordre, les programmes offerts au secondaire, au collégial et au premier cycle universitaire.

- **Recherchez, pour les fonctions de travail retenues, les programmes d'études signalés par les points et prenez note de ceux qui vous intéressent particulièrement.**

Exemple : Si vous avez une préférence pour la fonction de travail « Accompagnement », vous noterez que le programme collégial *Techniques d'intervention en délinquance* (DEC) accorde une grande importance à cette fonction, alors qu'elle en a beaucoup moins pour le programme universitaire *Sexologie* (Bac).

Pour faciliter la consultation du tableau

Vous pourriez :
- surligner les colonnes verticales correspondant à vos fonctions de travail préférées;
- prendre connaissance des programmes signalés par des points dans les colonnes retenues et surligner ceux qui vous intéressent particulièrement.

Pour comprendre l'organisation de ce tableau, consultez le premier encadré, page 19.

MES PRÉFÉRENCES

PROGRAMMES	ACCOMPAGNEMENT	ADMINISTRATION	ANIMATION DE GROUPE	COMMUNICATION	CONSEIL	CONSULTATION	COOPÉRATION	INFORMATION	PRÉVENTION	RECHERCHE	RELATION D'AIDE	TRAITEMENT
Collégial (DEC)												
▸ **Techniques humaines**												
393.A0 Techniques d'éducation spécialisée	•••	••	•••	•	••	••	•••	••	••	•	•••	•••
384.A0 Techniques d'intervention en délinquance	•••	••	•••	•	••	•••	•••	••	••	•	•••	•••
384.A0 Techniques de travail social	••	••	••	•	••	•••	•••	••	••	••	••	•••
Universitaire (Bac) [1]												
▸ **Sciences humaines**												
15436* Criminologie	••	••	••	••	•••	•••	•••	•••	••	••	•••	•••
15435* Développement de carrière	•	••	•••	•••	•••	•••	•••	•••	••	••	•••	••
15495* Information et orientation professionnelles	•	••	•••	•••	•••	•••	•••	•••	••	••	•••	••
15437* Psychoéducation	••	•	••	••	•••	•••	•••	••	••	••	•••	••
15498* Psychologie	•	••	••	•••	••	•••	•••	•••	••	••	•••	•••
15430* Sciences de l'orientation	•	••	••	•••	•••	•••	•••	•••	••	••	•••	••
15438* Service social	••	••	••	••	•••	•••	•••	•••	••	••	•••	•••
15498* Sexologie	•	•	••	•••	•••	•••	•••	•••	•••	••	•••	•••

- Faible importance : •
- Moyenne importance : ••
- Grande importance : •••

1. Pour accéder à l'information sur le site www.reperes.qc.ca, il faut obligatoirement ajouter l'astérisque (*) à la suite du numéro d'identification du programme.

PROFESSIONS ET MÉTIERS EN RELATION AVEC LES PROGRAMMES D'ÉTUDES

Cette section comprend la liste des professions et des métiers en relation avec chacun des programmes d'études énumérés dans le tableau précédent, sauf ceux qui correspondent aux programmes conduisant à l'obtention d'une attestation de formation professionnelle (AFP).

Dans ce cas particulier, les titres des métiers étant identiques à ceux des programmes, nous avons jugé inutile de reprendre cette information dans la présente section.

Pour comprendre l'organisation de cette section, consultez le second encadré, page 19.

CLÉO	PROGRAMMES ET MÉTIERS

COLLÉGIAL (DEC)

TECHNIQUES HUMAINES

Techniques d'éducation spécialisée
531.16 Technicien en éducation spécialisée

Techniques d'intervention en délinquance
332.02 Technicien d'intervention en délinquance
332.04 Agent des services correctionnels

Techniques de travail social
531.12 Technicien en travail social
531.23 Agent d'attribution de la sécurité du revenu

UNIVERSITAIRE (BAC)

SCIENCES HUMAINES

Criminologie
332.01 Criminologue
332.03 Agent au classement des détenus dans les pénitenciers
332.05 Agent de libération conditionnelle
531.18 Conseiller en toxicomanie

Développement de carrière
422.14 Conseiller en emploi
531.08 Conseiller d'orientation
531.17 Conseiller en réadaptation
611.18 Conseiller en information scolaire et professionnelle
611.33 Aide pédagogique individuel

Information et orientation professionnelles
422.14 Conseiller en emploi
531.08 Conseiller d'orientation
531.17 Conseiller en réadaptation
611.18 Conseiller en information scolaire et professionnelle
611.33 Aide pédagogique individuel

Psychoéducation
531.15 Psychoéducateur
531.17 Conseiller en réadaptation
611.12 Professeur pour personnes handicapées de la vue

Psychologie
321.16 Expert psycho-légal
332.03 Agent au classement des détenus dans les pénitenciers
422.16 Psychologue industriel
531.01 Psychanalyste
531.02 Neuropsychologue
531.04 Psychologue
531.05 Psychosociologue
531.07 Psychologue scolaire
612.50 Psychocogniticien

Sciences de l'orientation
422.14 Conseiller en emploi
531.08 Conseiller d'orientation
531.17 Conseiller en réadaptation
611.18 Conseiller en information scolaire et professionnelle
611.33 Aide pédagogique individuel

Service social
332.03 Agent au classement des détenus dans les pénitenciers
332.05 Agent de libération conditionnelle
531.11 Travailleur social
531.13 Travailleur social en service collectif
531.18 Conseiller en toxicomanie

Sexologie
531.19 Sexologue

3.3 L'éducation et les loisirs

J'ai beaucoup apprécié mes deux professeurs de géographie au secondaire : ils m'ont transmis leur passion et ont allumé en moi le désir de voyager, de connaître le monde. Puis, grâce à ma participation à des compétitions de natation qui m'ont amené à voyager à l'extérieur, j'ai eu l'occasion de découvrir d'autres horizons et j'y ai pris goût. C'est aussi en enseignant cette discipline sportive pendant neuf ans que j'ai découvert le plaisir de transmettre mon savoir-faire aux autres. Maintenant, je me sens valorisé de pouvoir conjuguer ces deux intérêts dans une profession qui me passionne. J'ai en effet la joie, tous les jours, de pouvoir enseigner la géographie à des jeunes, de leur apprendre le respect de la vie et des différences entre les personnes et les peuples. À l'occasion, je les accompagne dans des voyages culturels.

Stéphane
Géographie

Photo de famille ←

La famille L'éducation et les loisirs regroupe des activités en rapport avec l'enseignement, l'éducation et les loisirs. Animer des groupes de personnes, enseigner une langue seconde, la danse ou l'informatique, éduquer les gens en matière de consommation, prendre soin de jeunes enfants dans une garderie et accompagner des gens à l'occasion d'un voyage à l'étranger ou d'une excursion en plein air, tout cela fait partie des activités propres à cette famille.

Les personnes intéressées par cette famille de programmes d'études et de carrières présentent un certain nombre de caractéristiques communes et relèvent des défis professionnels semblables.

- Elles proposent des activités d'apprentissage et de loisirs qui enrichissent la vie des gens.

- Elles enseignent à des personnes, les éduquent ou les divertissent, en tenant compte de leurs besoins et de leur âge ainsi que des moyens dont elles disposent dans leur milieu.

- Elles possèdent un bon sens de l'organisation et la capacité de faire de l'animation ou de l'intervention de groupe.

- Elles aiment les gens et sont animées par le désir sincère de leur être utiles.

- Elles travaillent principalement dans des établissements d'enseignement publics ou privés (écoles primaires, écoles secondaires, cégeps ou universités), dans des centres de loisirs, des clubs d'entraînement sportif, des bases de plein air, des organismes de tourisme d'aventure ou des centres de la petite enfance.

Programmes d'études par ordres d'enseignement et secteurs de formation

Les programmes énumérés ci-dessous permettent d'exercer une profession ou un métier en relation avec la famille **L'éducation et les loisirs**.

SECONDAIRE	COLLÉGIAL	UNIVERSITAIRE
Attestation de formation professionnelle (AFP)	**Diplôme d'études collégiales (DEC)**	**Diplôme de baccalauréat (Bac)**
Alimentation et tourisme • Commis dans un centre de plein air • Préposé dans un centre d'activités de loisirs • Préposé dans un centre d'activités sportives	**Techniques humaines** • Techniques d'éducation à l'enfance • Techniques d'intervention en loisir	**Sciences de la santé** • Éducation physique • Enseignement en éducation physique et à la santé
Services sociaux, éducatifs et juridiques • Préposé dans un centre d'activités récréatives	**Techniques de l'administration** • Techniques de tourisme d'aventure	**Sciences de l'éducation** • Enseignement au préscolaire et au primaire • Enseignement au secondaire • Enseignement de l'anglais, langue seconde • Enseignement en adaptation scolaire et sociale • Enseignement technologique et professionnel • Orthopédagogie
Diplôme d'études professionnelles (DEP)		
Services sociaux, éducatifs et juridiques • Assistance à la clientèle des services sociaux et de santé au Nunavik • Organisation des loisirs au Nunavik		**Sciences humaines** • Loisirs • Plein air et tourisme d'aventure • Récréologie

Programmes apparentés

La liste des programmes apparentés est fournie à titre indicatif. Compte tenu de leurs objectifs principaux, ces programmes ont été classés dans d'autres familles, mais ils partagent néanmoins certains de leurs objectifs avec les programmes énumérés ci-dessus. Vous trouverez des renseignements sur ces programmes aux pages indiquées.

SECONDAIRE	*COLLÉGIAL*	*UNIVERSITAIRE*
Aucun programme	*Diplôme d'études collégiales (DEC)* • *Art et technologie des médias, page 240* • *Soins infirmiers, page 40* • *Techniques d'hygiène dentaire, page 40* • *Techniques de diététique, page 40* • *Techniques de tourisme, page 156* • *Techniques de travail social, page 122*	*Diplôme de baccalauréat (Bac)* • *Communication sociale, page 114* • *Éducation musicale, page 184* • *Enseignement de la danse, page 184* • *Enseignement du théâtre (art dramatique), page 184* • *Enseignement des arts plastiques, page 192* • *Nutrition, page 40* • *Sciences infirmières, page 40*

Matières scolaires en relation avec la famille L'éducation et les loisirs
(ordre d'enseignement secondaire)

■ Régime actuel
▲ Nouveau régime
● Éducation des adultes

Anglais	■	▲	●
Art dramatique, danse et musique	■	▲	
Arts plastiques	■	▲	●
Biologie, chimie, physique et sciences physiques	■		●
Démocratie et culture au Québec			●
Développement personnel et social			●
Écologie	■		
Éducation au choix de carrière	■		
Éducation économique	■		
Éducation physique	■		●
Éducation physique et à la santé		▲	
Éducation technologique	■		
Enseignement moral, enseignement moral et religieux	■	▲	
Espagnol et autres langues	■	▲	●
Formation personnelle et sociale	■		
Français	■	▲	●
Géographie	■	▲	●
Histoire	■		●
Histoire et éducation à la citoyenneté		▲	
Industrialisation et urbanisation au Québec			●
Mathématique	■	▲	●
Science et technologie		▲	
Vie économique			●

Autoportrait

Découvrez le profil personnel des travailleurs de la famille **L'éducation et les loisirs** et vérifiez si leurs caractéristiques correspondent à votre propre réalité.

PROFIL PERSONNEL COMMUN

Les travailleurs de la famille **L'éducation et les loisirs** présentent des traits de personnalité, des goûts, des talents et des valeurs semblables.

Ils sont...
- compréhensifs;
- énergiques;
- enthousiastes;
- patients;
- rassembleurs;
- respectueux des différences individuelles;
- sociables et dynamiques.

Ils aiment...
- aider les autres à se développer sur les plans cognitif, affectif et social;
- apprendre et transmettre le goût d'apprendre aux autres;
- faire connaître les bienfaits de la pratique d'activités physiques ou de loisirs;
- préparer des cours ou des exposés et organiser des activités éducatives ou récréatives;
- travailler en équipe.

Ils ont...
- de bonnes capacités de communication;
- de l'imagination et de la créativité;
- de l'initiative;
- de la facilité à gérer adéquatement leurs émotions en cas de conflit;
- de la facilité à se faire comprendre;
- des aptitudes pour les activités physiques;
- des aptitudes pour les tâches de nature intellectuelle;
- la capacité d'adapter leurs interventions à différents styles d'apprentissage;
- un bon sens de l'organisation.

Ils privilégient...
- l'engagement social;
- l'épanouissement personnel de chaque individu;
- le bon développement mental et physique des personnes;
- le désir d'éduquer, d'instruire et de participer au développement collectif de la société;
- le désir d'être une source d'inspiration pour les jeunes;
- le développement de l'autonomie des personnes.

Typologie de Holland – R I A **S** E **C** Z
Social • Entreprenant • Écologiste

L'ANALYSE DE VOS EXPÉRIENCES

Les indices d'orientation qui suivent vous permettront de vérifier, à partir de vos diverses expériences, dans quelle mesure les caractéristiques des travailleurs de la famille **L'éducation et les loisirs** correspondent aux vôtres.

- Lisez attentivement les deux séries d'indices qui suivent et faites un crochet (√) vis-à-vis des énoncés qui s'appliquent ou pourraient s'appliquer à vous*.

- Comptez ensuite le nombre d'énoncés retenus et calculez le pourcentage.

- Le résultat obtenu vous donne des indications sur l'étendue de votre intérêt et de votre capacité à entreprendre un projet d'études relevant de la famille L'éducation et les loisirs.

* Voir la remarque « Important », au n° 7 de la page 19.

Indices d'orientation tirés de mon expérience personnelle

1. ☐ J'aime apprendre.
2. ☐ Je suis à l'aise avec des gens de tout âge.
3. ☐ Je suis disponible pour rendre service au besoin.
4. ☐ Je suis une personne joviale.
5. ☐ Je ne compte pas mon temps et je n'économise pas mon énergie quand quelque chose me tient à coeur.
6. ☐ Je m'efforce de ne pas faire de discrimination et de ne pas porter de jugement.
7. ☐ Je regarde avec intérêt les émissions télévisées consacrées aux sports et aux loisirs ainsi que les émissions d'éducation destinées aux jeunes.
8. ☐ Je réussis assez bien à me faire comprendre.
9. ☐ J'aime participer à des fêtes de toutes sortes.
10. ☐ J'aime apprendre à utiliser mon ordinateur de mieux en mieux.
11. ☐ J'aime naviguer dans Internet pour améliorer mes connaissances.
12. ☐ J'aime pratiquer plusieurs sports, individuellement ou en équipe.
13. ☐ J'entraîne d'autres personnes à participer aux jeux ou aux activités de groupe dans mon milieu.
14. ☐ J'aime distraire les gens et afficher ma bonne humeur et mon humour.

Indices d'orientation tirés de mon expérience scolaire et occupationnelle

15. ☐ J'aime les cours de formation personnelle et sociale, d'éducation physique, de français, de psychologie, de sociologie ou de sciences.
16. ☐ Je suis une personne engagée dans des activités sociales, culturelles ou sportives.
17. ☐ Je suis une personne à qui on confie volontiers la responsabilité de trouver des idées, d'organiser les temps libres ou de planifier des activités.
18. ☐ J'établis un bon contact avec les enfants quand je fais du gardiennage.
19. ☐ J'ai été moniteur ou monitrice de terrain de jeux, de colonies de vacances, de loisirs adaptés, de différents sports ou d'activités physiques.
20. ☐ Je collabore aux activités d'aide à l'apprentissage organisées dans mon école.
21. ☐ J'ai participé à l'organisation de semaines thématiques sur les sciences en général ou les sciences humaines en particulier.
22. ☐ Je collabore à la mise sur pied d'activités favorables au conditionnement physique et bénéfiques à la santé.
23. ☐ J'utilise régulièrement l'ordinateur pour faire des travaux et des recherches en rapport avec mon programme d'études.
24. ☐ J'ai dirigé des équipes sportives.

Résultat : _____ énoncés sur 24 = _____ %

Projet professionnel

VOS ATTENTES PAR RAPPORT À VOTRE FUTUR TRAVAIL

La série d'énoncés qui suit se rapporte aux exigences auxquelles doivent se soumettre les travailleurs de la famille **L'éducation et les loisirs**. Seriez-vous prêt ou prête à accepter ces exigences pour vous-même?

- **Lisez attentivement chaque énoncé et faites un crochet (√) vis-à-vis de ceux qui correspondent à vos attentes par rapport à votre futur travail.**

Exigences liées à mon futur travail

☐ Accepter que mon esprit d'ouverture soit mis à l'épreuve.

☐ Adapter mon travail selon les besoins exprimés, l'âge des personnes concernées et leur environnement.

☐ Enseigner, éduquer et divertir les gens.

☐ Être disponible.

☐ Faire preuve de capacités créatrices.

☐ Faire preuve de débrouillardise.

☐ Prendre beaucoup de décisions en groupe.

☐ Proposer et organiser des activités d'apprentissage et de loisirs.

VOS PRÉFÉRENCES PROFESSIONNELLES

La prochaine étape introduit une réflexion sur vos préférences professionnelles. Les énoncés proposés correspondent à des fonctions de travail propres à la famille **L'éducation et les loisirs**.

- **Lisez attentivement les 11 fonctions de travail suivantes.**

- **Numérotez, selon vos préférences, les trois ou quatre fonctions les plus significatives pour vous, le chiffre 1 indiquant la fonction la plus intéressante à vos yeux.**

- **Reportez ensuite les chiffres correspondant à vos préférences dans l'espace « Mes préférences » du tableau de la page suivante.**

Fonctions de travail

☐ **Accompagnement** : Aider des personnes éprouvant des difficultés psychologiques, physiques ou mentales à vivre et à s'organiser dans la vie quotidienne.

☐ **Administration** : Assumer la direction de personnes, d'activités ou de projets.

☐ **Analyse culturelle** : Jouer un rôle de conseiller ou de conseillère, ou encore de critique en matière culturelle.

☐ **Animation de groupe** : Accompagner des groupes de personnes pour aider celles-ci à se développer sur les plans personnel et social.

☐ **Communication** : S'exprimer devant un petit groupe ou devant un large public.

☐ **Coopération** : Travailler en équipe et interagir avec d'autres personnes.

☐ **Coordination** : Coordonner ou superviser une équipe de travail.

☐ **Éducation/Enseignement** : Proposer des activités d'apprentissage individuelles ou collectives.

☐ **Information** : Avoir la responsabilité de transmettre des renseignements.

☐ **Recherche** : S'interroger, explorer, expérimenter, afin d'innover et de faire progresser son domaine d'activités.

☐ **Travail physique** : Accomplir des tâches nécessitant de la force ou des capacités physiques.

PROGRAMMES D'ÉTUDES ET FONCTIONS DE TRAVAIL

Le tableau qui suit présente, dans l'ordre, les programmes offerts au secondaire, au collégial et au premier cycle universitaire.

- Recherchez, pour les fonctions de travail retenues, les programmes d'études signalés par les points et prenez note de ceux qui vous intéressent particulièrement.

Exemple : Si vous avez une préférence pour la fonction de travail « Animation de groupe », vous noterez que le programme collégial *Techniques d'intervention en loisirs* (DEC) accorde une grande importance à cette fonction, alors qu'elle n'en a aucune pour le programme d'études secondaires *Préposé dans un centre d'activités de loisirs* (AFP).

Pour faciliter la consultation du tableau

Vous pourriez :
- surligner les colonnes verticales correspondant à vos fonctions de travail préférées;
- prendre connaissance des programmes signalés par des points dans les colonnes retenues et surligner ceux qui vous intéressent particulièrement.

Pour comprendre l'organisation de ce tableau, consultez le premier encadré, page 19.

MES PRÉFÉRENCES

PROGRAMMES	FONCTIONS DE TRAVAIL										
• Faible importance •• Moyenne importance ••• Grande importance	ACCOMPAGNEMENT	ADMINISTRATION	ANALYSE CULTURELLE	ANIMATION DE GROUPE	COMMUNICATION	COOPÉRATION	COORDINATION	ÉDUCATION/ENSEIGNEMENT	INFORMATION	RECHERCHE	TRAVAIL PHYSIQUE
Secondaire (AFP)											
▸ **Alimentation et tourisme**											
7110 Commis dans un centre de plein air	••				•	•••			•		••
7228 Préposé dans un centre d'activités de loisirs	••				•	•••			•		••
7115 Préposé dans un centre d'activités sportives	••				•	•••			•		••
▸ **Services sociaux, éducatifs et juridiques**											
7119 Préposé dans un centre d'activités récréatives	••				•	•••			•		••
Secondaire (DEP)											
▸ **Services sociaux, éducatifs et juridiques**											
5237 Assistance à la clientèle des services sociaux et de santé au Nunavik	•	•	••	•		•••		•••	•	•	•
5228 Organisation des loisirs au Nunavik	••	••	••	•••	•	•••	•	••	•		••
Collégial (DEC)											
▸ **Techniques humaines**											
322.A0 Techniques d'éducation à l'enfance	•••	••	•	•••	•	•••	•	•••			•
391.A0 Techniques d'intervention en loisir	•••	•••	••	•••	••	•••	••	•••	•••	•	•••
▸ **Techniques de l'administration**											
384.A0 Techniques de tourisme d'aventure	•••	•••		•••	•	•••	••		•••		•••
Universitaire (Bac) [1]											
▸ **Sciences de la santé**											
15380* Éducation physique	•	•••	•	•••	•••	•••	•	•••	••	•	•••
▸ **Sciences de l'éducation**											
15704* Enseignement au préscolaire et au primaire	•	••	••	•••	•••	•••	•	•••	•••	•	•
15708* Enseignement au secondaire	•	••	••	•••	•••	•••	•	•••	•••	•	•
15708* Enseignement en éducation physique et à la santé	•	•••	•	•••	•••	•••	•	•••	•••	•	•••
15705* Enseignement de l'anglais (langue seconde)	•	••	••	•••	•••	•••	•	•••	•••	•	•
15706* Enseignement en adaptation scolaire et sociale	•	••	•	•••	•••	•••	•	•••	•••	•	•
15709* Enseignement technologique et professionnel	•	••	•	•••	•••	•••	•	•••	•••	•	•
15706* Orthopédagogie	••	••	•	•••	•••	•••	•	••	•••	•	•
▸ **Sciences humaines**											
15480* Loisirs	••	•••	••	•••	•••	•••	•••	••	•		•••
15480* Plein air et tourisme d'aventure	•••	•••	•	•••	•••	•••	•••	•	•		•••
15480* Récréologie	••	•••	••	•••	•••	•••	•	•••		•••	•••

1. Pour accéder à l'information sur le site www.reperes.qc.ca, il faut obligatoirement ajouter l'astérisque (*) à la suite du numéro d'identification du programme.

PROFESSIONS ET MÉTIERS EN RELATION AVEC LES PROGRAMMES D'ÉTUDES

Cette section comprend la liste des professions et des métiers en relation avec chacun des programmes d'études énumérés dans le tableau précédent, sauf ceux qui correspondent aux programmes conduisant à l'obtention d'une attestation de formation professionnelle (AFP).

Dans ce cas particulier, les titres des métiers étant identiques à ceux des programmes, nous avons jugé inutile de reprendre cette information dans la présente section.

Pour comprendre l'organisation de cette section, consultez le second encadré, page 19.

CLÉO	PROGRAMMES ET MÉTIERS

SECONDAIRE (DEP)

SERVICES SOCIAUX, ÉDUCATIFS ET JURIDIQUE

Assistance à la clientèle des services sociaux et de santé au Nunavik
— Assistant à la clientèle des services sociaux et de santé au Nunavik

Organisation des loisirs au Nunavik
— Préposé à l'organisation des loisirs au Nunavik

COLLÉGIAL (DEC)

TECHNIQUES HUMAINES

Techniques d'éducation à l'enfance
611.01 Éducateur en garderie

Techniques d'intervention en loisir
514.03 Technicien en loisirs
514.04 Moniteur de loisirs
514.05 Directeur de camp
514.06 Moniteur de camp
515.08 Entraîneur d'équipes sportives

TECHNIQUES DE L'ADMINISTRATION

Techniques de tourisme d'aventure
— Guide de plein air
513.04 Guide touristique
513.05 Guide accompagnateur

UNIVERSITAIRE (BAC)

SCIENCES DE LA SANTÉ

Éducation physique
515.01 Professeur d'éducation physique
515.02 Éducateur physique kinésiologique
515.03 Éducateur physique réadaptateur
515.04 Éducateur physique pleinairiste
515.05 Conseiller en conditionnement physique
515.06 Directeur d'équipe de sport professionnel
515.08 Entraîneur d'équipes sportives
515.09 Entraîneur d'athlètes

Enseignement en éducation physique et à la santé
515.01 Professeur d'éducation physique

SCIENCES DE L'ÉDUCATION

Enseignement au préscolaire et au primaire
611.03 Enseignant au préscolaire

611.05 Enseignant au primaire
611.17 Conseiller pédagogique
611.20 Spécialiste de la mesure et de l'évaluation en éducation

Enseignement au secondaire
611.10 Professeur en enseignement religieux
611.14 Professeur au secondaire
611.15 Professeur d'enseignement professionnel au secondaire
611.16 Professeur d'éducation au choix de carrière
611.17 Conseiller pédagogique

Enseignement de l'anglais, langue seconde
611.05 Enseignant au primaire
611.14 Professeur au secondaire
611.37 Professeur de langues modernes

Enseignement en adaptation scolaire et sociale
611.06 Orthopédagogue
611.11 Professeur pour personnes déficientes intellectuelles
611.12 Professeur pour personnes handicapées de la vue
611.13 Éducateur en réhabilitation des aveugles
611.20 Spécialiste des techniques et de l'évaluation en éducation
611.21 Spécialiste des techniques et moyens d'enseignement

Enseignement technologique et professionnel
611.15 Professeur d'enseignement professionnel au secondaire
611.39 Professeur en formation professionnelle au collège

Orthopédagogie
611.06 Orthopédagogue
611.11 Professeur pour personnes déficientes intellectuelles

SCIENCES HUMAINES

Loisirs
514.01 Récréologue
514.02 Directeur d'établissement de loisirs
514.05 Directeur de camp
611.22 Animateur de vie étudiante

Plein air et tourisme d'aventure
514.01 Récréologue
514.02 Directeur d'établissement de loisirs
611.22 Animateur de vie étudiante

Récréologie
514.01 Récréologue

FAMILLE
3.4 La loi

Photo de famille

La famille La loi regroupe des activités relatives au maintien de l'ordre et au respect de la justice. Défendre des individus devant la loi, aider des personnes à connaître et à faire respecter leurs droits, appliquer les lois et veiller à leur application, attraper des criminels et appliquer des sanctions, tout cela fait partie des activités propres à cette famille.

Les personnes intéressées par cette famille de programmes d'études et de carrières présentent un certain nombre de caractéristiques communes et relèvent des défis professionnels semblables.

- Elles se préoccupent de la défense et du respect des droits des personnes.

- Elles travaillent principalement dans le domaine de la justice.

- Elles appliquent, dans le cadre de leur travail, les lois et règlements relatifs aux droits des individus et des communautés.

- Elles doivent se montrer intègres, diplomates et convaincantes dans leurs relations avec les contrevenants, alors qu'elles doivent faire preuve de compréhension, d'empathie et de serviabilité dans leurs relations avec les victimes.

- Elles effectuent leur travail au sein d'organismes publics et privés œuvrant dans le domaine de la justice ou bien dans les corps policiers, les cabinets de notaires ou d'avocats et les agences de sécurité.

Je n'ai jamais toléré l'injustice et j'aime que tout soit juste et vrai. J'aime lire et écrire, mais surtout comprendre ce que je lis et m'assurer que ce que j'écris sera compris sans équivoque. J'aime beaucoup faire de la recherche, je suis d'une grande curiosité intellectuelle, j'ai sans cesse le goût d'apprendre. Cela est primordial pour une technicienne juridique qui devient en quelque sorte le prolongement des yeux et des oreilles de l'avocat pour lequel elle travaille. J'ai un grand sens des responsabilités et j'en ai bien besoin pour arriver à faire le suivi des douze à quinze dossiers qu'on me confie chaque jour.

Isabelle
Techniques juridiques

Programmes d'études par ordres d'enseignement et secteurs de formation

Les programmes énumérés ci-dessous permettent d'exercer une profession ou un métier en relation avec la famille **La loi**.

SECONDAIRE	COLLÉGIAL	UNIVERSITAIRE
Attestation de formation professionnelle (AFP)	Diplôme d'études collégiales (DEC)	Diplôme de baccalauréat (Bac)
Bâtiments et travaux publics • Gardien de sécurité	**Techniques humaines** • Techniques juridiques • Techniques policières	**Droit** • Criminologie • Droit

Programmes apparentés

La liste des programmes apparentés est fournie à titre indicatif. Compte tenu de leurs objectifs principaux, ces programmes ont été classés dans d'autres familles, mais ils partagent néanmoins certains de leurs objectifs avec les programmes énumérés ci-dessus. Vous trouverez des renseignements sur ces programmes aux pages indiquées.

SECONDAIRE	*COLLÉGIAL*	*UNIVERSITAIRE*
Diplôme d'études professionnelles (DEP) • *Protection et exploitation des territoires fauniques, page 50*	*Diplôme d'études collégiales (DEC)* • *Environnement, hygiène et sécurité au travail, page 66* • *Sécurité incendie, page 94* • *Techniques d'intervention en délinquance, page 122* • *Techniques de la documentation, page 114* • *Techniques de travail social, page 122*	*Diplôme de baccalauréat (Bac)* • *Service social, page 122*

Matières scolaires en relation avec la famille La loi

(ordre d'enseignement secondaire)

- ■ Régime actuel
- ▲ Nouveau régime
- ● Éducation des adultes

Anglais	■	▲	●
Démocratie et culture au Québec			●
Développement personnel et social			●
Éducation économique	■		
Formation personnelle et sociale	■		
Français	■	▲	●
Géographie	■	▲	●
Histoire et éducation à la citoyenneté		▲	
Histoire	■		●
Industrialisation et urbanisation au Québec			●
Vie économique			●

Autoportrait

Découvrez le profil personnel des travailleurs de la famille **La loi** et vérifiez si leurs caractéristiques correspondent à votre propre réalité.

PROFIL PERSONNEL COMMUN

Les travailleurs de la famille **La loi** présentent des traits de personnalité, des goûts, des talents et des valeurs semblables.

Ils sont...
- bien équilibrés mentalement et bien constitués physiquement;
- convaincants;
- intègres et respectueux de l'autorité;
- patients et disciplinés;
- sociables.

Ils aiment...
- enquêter, connaître tous les faits de nature à faciliter la résolution des problèmes;
- prendre des risques;
- se porter à la défense des autres;
- tenir leurs dossiers à jour;
- travailler en équipe et prendre des décisions;
- trouver de bons arguments pour défendre leurs points de vue avec tact et diplomatie.

Ils ont...
- de bonnes capacités d'analyse et de synthèse;
- de la facilité à s'exprimer et à communiquer avec les autres;
- le souci de maintenir une bonne forme physique si leur travail l'exige;
- un bon jugement;
- une bonne maîtrise d'eux-mêmes et de leurs émotions;
- une grande tolérance au stress.

Ils privilégient...
- l'amélioration de la qualité de vie des gens;
- la fierté d'avoir fait leur devoir dans le respect de la justice;
- la promotion de la sécurité et de la non-violence;
- le respect des droits et de la vie de toute personne.

Typologie de Holland – R I A **S E C** Z
Social • Entreprenant • Conventionnel

L'ANALYSE DE VOS EXPÉRIENCES

Les indices d'orientation qui suivent vous permettront de vérifier, à partir de vos diverses expériences, dans quelle mesure les caractéristiques des travailleurs de la famille **La loi** correspondent aux vôtres.

- **Lisez attentivement les deux séries d'indices qui suivent et faites un crochet (√) vis-à-vis des énoncés qui s'appliquent ou pourraient s'appliquer à vous*.**

- **Comptez ensuite le nombre d'énoncés retenus et calculez le pourcentage.**

- **Le résultat obtenu vous donne des indications sur l'étendue de votre intérêt et de votre capacité à entreprendre un projet d'études relevant de la famille La loi.**

* Voir la remarque « Important », au n° 7 de la page 19.

Indices d'orientation tirés de mon expérience personnelle

1. ☐ J'aime résoudre des problèmes.
2. ☐ J'ai un intérêt marqué pour les émissions télévisées de nature juridique (émissions d'actualité ou d'information, entrevues, témoignages, séries télévisées, biographies).
3. ☐ J'aime prendre connaissance de témoignages ou de causes se rapportant à des problèmes juridiques ou sociaux.
4. ☐ Je suis une personne juste et honnête.
5. ☐ Je suis une personne ordonnée.
6. ☐ J'aime me tenir en forme physiquement (conditionnement physique, pratique régulière de quelques sports).
7. ☐ Je n'hésite pas à me porter à la défense des personnes qui se font harceler.
8. ☐ J'ai déjà assisté à un procès.
9. ☐ Je fais preuve de courtoisie et de patience envers les gens qui ne partagent pas mon opinion.
10. ☐ Je m'intéresse à l'information relative à la protection des consommateurs.

Indices d'orientation tirés de mon expérience scolaire et occupationnelle

11. ☐ J'aime les cours de sciences humaines, de mathématique ou de psychologie.
12. ☐ J'exerce des rôles de leadership (représentant étudiant, responsable de comité, organisateur d'activités).
13. ☐ J'aime faire des recherches et des analyses de textes.
14. ☐ J'aime participer à des activités visant à mettre à l'épreuve ma débrouillardise, mon goût du défi et mon sang-froid.
15. ☐ Je fais partie de divers mouvements : scouts, Cadets, associations sportives ou culturelles.
16. ☐ Je fais partie de groupes d'entraide ou de mouvements qui s'intéressent aux problèmes sociaux et à la prévention de la criminalité.
17. ☐ J'ai été bénévole dans le cadre de l'opération Nez rouge.
18. ☐ J'ai participé au maintien de la sécurité dans le cadre d'événements spéciaux ou pour certains organismes.
19. ☐ Je suis brigadier scolaire.
20. ☐ J'ai déjà suivi des cours de premiers soins.

Résultat : _____ énoncés sur 20 = _____ %

Projet professionnel

VOS ATTENTES PAR RAPPORT À VOTRE FUTUR TRAVAIL

La série d'énoncés qui suit se rapporte aux exigences auxquelles doivent se soumettre les travailleurs de la famille **La loi**. Seriez-vous prêt ou prête à accepter ces exigences pour vous-même?

- **Lisez attentivement chaque énoncé et faites un crochet (√) vis-à-vis de ceux qui correspondent à vos attentes par rapport à votre futur travail.**

Exigences liées à mon futur travail

☐ Accomplir mon travail conformément aux droits et devoirs émanant des règles que la société s'est donnée.

☐ Adhérer à une certaine forme de discipline pour pouvoir mener à bien mon travail.

☐ Faire des heures de travail supplémentaires ou travailler sur des quarts de travail.

☐ Maîtriser mes émotions et être capable d'intervenir dans des situations parfois dramatiques.

☐ Me vêtir convenablement, selon les circonstances.

☐ Utiliser, de façon juste et honnête, le pouvoir qui m'est donné dans le but de faire respecter la loi.

VOS PRÉFÉRENCES PROFESSIONNELLES

La prochaine étape introduit une réflexion sur vos préférences professionnelles. Les énoncés proposés correspondent à des fonctions de travail propres à la famille **La loi**.

- **Lisez attentivement les 11 fonctions de travail suivantes.**

- **Numérotez, selon vos préférences, les trois ou quatre fonctions les plus significatives pour vous, le chiffre 1 indiquant la fonction la plus intéressante à vos yeux.**

- **Reportez ensuite les chiffres correspondant à vos préférences dans l'espace « Mes préférences » du tableau de la page suivante.**

Fonctions de travail

☐ **Accompagnement** : Aider des personnes éprouvant des difficultés psychologiques, physiques ou mentales, à vivre et à s'organiser dans la vie quotidienne.

☐ **Administration** : Assumer la direction de personnes, d'activités ou de projets.

☐ **Classification** : Exécuter des tâches nécessitant le classement d'objets ou de données.

☐ **Communication** : S'exprimer devant un petit groupe ou devant un large public.

☐ **Consultation** : Offrir des services personnalisés.

☐ **Coopération** : Travailler en équipe et interagir avec d'autres personnes.

☐ **Enquête** : Vérifier le profil, l'opinion ou la situation de groupes sociaux ou politiques, de manière à jeter un éclairage nouveau sur différentes situations.

☐ **Information** : Avoir la responsabilité de transmettre des renseignements.

☐ **Recherche** : S'interroger, explorer, expérimenter, afin d'innover et de faire progresser son domaine d'activités.

☐ **Résolution de problèmes** : Analyser des problèmes de gestion et proposer des solutions.

☐ **Travail physique** : Accomplir des tâches nécessitant de la force ou des capacités physiques.

PROGRAMMES D'ÉTUDES ET FONCTIONS DE TRAVAIL

Le tableau qui suit présente, dans l'ordre, les programmes offerts au secondaire, au collégial et au premier cycle universitaire.

• **Recherchez, pour les fonctions de travail retenues, les programmes d'études signalés par les points et prenez note de ceux qui vous intéressent particulièrement.**

Exemple : Si vous avez une préférence pour la fonction de travail «Communication», vous noterez que le programme universitaire *Droit* (Bac) accorde une grande importance à cette fonction, alors qu'elle n'en a aucune pour le programme collégial *Techniques juridiques* (DEC).

Pour faciliter la consultation du tableau

Vous pourriez :
– surligner les colonnes verticales correspondant à vos fonctions de travail préférées;
– prendre connaissance des programmes signalés par des points dans les colonnes retenues et surligner ceux qui vous intéressent particulièrement.

Pour comprendre l'organisation de ce tableau, consultez le premier encadré, page 19.

MES PRÉFÉRENCES											
PROGRAMMES	ACCOMPAGNEMENT	ADMINISTRATION	CLASSIFICATION	COMMUNICATION	CONSULTATION	COOPÉRATION	ENQUÊTE	INFORMATION	RECHERCHE	RÉSOLUTION DE PROBLÈMES	TRAVAIL PHYSIQUE
Secondaire (AFP)											
▶ **Bâtiments et travaux publics**											
7046 Gardien de sécurité		•			••	••		•			••
Collégial (DEC)											
▶ **Techniques humaines**											
322.A0 Techniques juridiques		•	•••		•	••	•••	•	•	••	
391.A0 Techniques policières	•	•••	•••	••	••	•••	•••	•••	•	••	•••
Universitaire (Bac) [1]											
▶ **Sciences humaines**											
15380* Criminologie	•••	••	••	••	••	•••	•••	••	•••	••	•
15704* Droit	•	•••	•••	•••	••	•••	•••	•••	•••	•••	

• Faible importance
•• Moyenne importance
••• Grande importance

FONCTIONS DE TRAVAIL

1. Pour accéder à l'information sur le site www.reperes.qc.ca, il faut obligatoirement ajouter l'astérisque (*) à la suite du numéro d'identification du programme.

PROFESSIONS ET MÉTIERS EN RELATION AVEC LES PROGRAMMES D'ÉTUDES

Cette section comprend la liste des professions et des métiers en relation avec chacun des programmes d'études énumérés dans le tableau précédent, sauf ceux qui correspondent aux programmes conduisant à l'obtention d'une attestation de formation professionnelle (AFP).

Dans ce cas particulier, les titres des métiers étant identiques à ceux des programmes, nous avons jugé inutile de reprendre cette information dans la présente section.

Pour comprendre l'organisation de cette section, consultez le second encadré, page 19.

CLÉO	PROGRAMMES ET MÉTIERS
	COLLÉGIAL (DEC)
	TECHNIQUES HUMAINES
	Techniques juridiques
321.03	Greffier-audiencier
321.04	Greffier
321.05	Huissier
321.11	Technicien juridique
322.08	Agent des loyers
322.10	Examinateur des titres de propriété
	Techniques policières
322.02	Policier
322.03	Policier communautaire
322.04	Enquêteur
331.11	Détective privé
433.61	Agent de police du port

	UNIVERSITAIRE (BAC)
	DROIT
	Criminologie
332.01	Criminologue
332.03	Agent au classement des détenus dans les pénitenciers
332.05	Agent de libération conditionnelle
531.18	Conseiller en toxicomanie
	Droit
311.06	Agent du service extérieur diplomatique
311.08	Protecteur du citoyen
321.01	Juge
321.02	Protonotaire
321.07	Avocat de la Couronne
321.08	Avocat
321.09	Conseiller juridique
321.10	Notaire
322.01	Coroner
322.11	Agent des brevets
423.06	Administrateur fiduciaire

DOMAINE
la Gestion

■ L'être humain, lorsqu'il se retrouve en société, sent le besoin d'organiser la vie commune. Comme il doit répondre à la fois aux besoins des personnes et à ceux de son groupe d'appartenance, il comprend la nécessité de répartir les tâches en fonction des capacités et des champs d'intérêt de chacun, d'établir les règles d'échange et de distribution des biens et des services, de mettre au point des méthodes de travail efficaces, d'élaborer des normes et des procédures et d'évaluer les résultats. Il contribue, de cette façon, à la création d'une société où règnent l'ordre, l'harmonie, l'efficacité et l'équité.

Les personnes intéressées par le domaine de la Gestion suivront des cours en rapport avec la comptabilité, la gestion des personnes ou des biens ou l'utilisation de divers logiciels informatiques, ou encore avec l'élaboration, la rédaction, la production, le traitement, la transmission, le classement ou l'analyse de documents administratifs.

Le domaine de la Gestion regroupe quatre familles de programmes : **Les ressources humaines**, **Les biens et les services**, **Le soutien administratif** et **L'informatique**.

4

DOMAINE
la **G**estion

FAMILLES

FAMILLE
4.1 Les ressources humaines

Photo de famille

La famille Les ressources humaines regroupe des activités relatives à la gestion du personnel. Recruter des employés, offrir des services à des personnes à la recherche d'un emploi, s'occuper des relations de travail font partie des activités propres à cette famille.

Les personnes intéressées par cette famille de programmes d'études et de carrières présentent un certain nombre de caractéristiques communes et relèvent des défis professionnels semblables.

- Elles manifestent de l'intérêt et des aptitudes pour un travail centré sur les personnes.

- Elles ont de la facilité à entretenir des relations avec les autres et un sens aigu de la collaboration et de l'engagement social.

- Elles s'occupent de mettre en place les conditions qui assureront l'efficacité du personnel et le maintien de relations harmonieuses entre les patrons et les employés.

- Elles recrutent le personnel et gèrent les conditions de travail, le perfectionnement, le rendement au travail et l'application des régimes collectifs.

- Elles occupent des postes dans les services du personnel d'entreprises ou d'organismes publics et privés (hôpitaux, institutions financières, commissions scolaires), dans des services de placement et dans des firmes de consultants en ressources humaines.

Ce qui m'a attirée vers les relations industrielles, c'est mon sens de la justice et mon désir de faire en sorte que les relations de travail soient chaque jour plus harmonieuses. Certaines personnes choisissent les relations industrielles parce qu'elles aiment le conflit et qu'elles veulent « jouer dur ». Moi, c'est plutôt mon côté « médiatrice » qui m'a guidée vers ce programme. Je pense aussi avoir une pensée humaniste qui peut trouver à s'exprimer dans ce champ d'activités.

Isabelle
Relations industrielles

Programmes d'études par ordres d'enseignement et secteurs de formation

Les programmes énumérés ci-dessous permettent d'exercer une profession ou un métier en relation avec la famille **Les ressources humaines**.

SECONDAIRE	COLLÉGIAL	UNIVERSITAIRE
Aucun programme	Aucun programme	**Diplôme de baccalauréat (Bac)** **Sciences de l'administration** • Administration • Gestion des ressources humaines • Relations industrielles

Programmes apparentés

La liste des programmes apparentés est fournie à titre indicatif. Compte tenu de leurs objectifs principaux, ces programmes ont été classés dans d'autres familles, mais ils partagent néanmoins certains de leurs objectifs avec les programmes énumérés ci-dessus. Vous trouverez des renseignements sur ces programmes aux pages indiquées.

SECONDAIRE	COLLÉGIAL	UNIVERSITAIRE
Aucun programme	*Diplôme d'études collégiales (DEC)* • *Gestion de commerces, page 156* • *Techniques de gestion de l'imprimerie, page 224* • *Techniques de gestion hôtelière, page 156* • *Techniques de gestion des services alimentaires et de restauration, page 156*	*Diplôme de baccalauréat (Bac)* • *Information et orientation professionnelles, page 122* • *Sciences de l'orientation, page 122*

Matières scolaires en relation avec la famille Les ressources humaines
(ordre d'enseignement secondaire)

- ■ Régime actuel
- ▲ Nouveau régime
- ● Éducation des adultes

Anglais	■	▲	●
Développement personnel et social			●
Éducation économique	■		
Formation personnelle et sociale	■		
Français	■	▲	●
Histoire	■		●
Histoire et éducation à la citoyenneté		▲	
Industrialisation et urbanisation au Québec			●
Informatique	■		●
Mathématique	■	▲	●
Vie économique			●

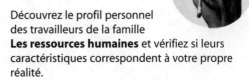

Autoportrait

Découvrez le profil personnel des travailleurs de la famille **Les ressources humaines** et vérifiez si leurs caractéristiques correspondent à votre propre réalité.

PROFIL PERSONNEL COMMUN

Les travailleurs de la famille **Les ressources humaines** présentent des traits de personnalité, des goûts, des talents et des valeurs semblables.

Ils sont…
- autonomes;
- bien équilibrés mentalement;
- dynamiques;
- perspicaces.

Ils aiment…
- assumer des responsabilités;
- entrer en relation avec les gens;
- négocier des conditions de travail;
- rencontrer les gens pour les convaincre ou les aider.

Ils ont…
- la capacité d'interpréter des textes de droit et des règlements relatifs aux conditions de travail;
- la capacité de faire preuve de diplomatie, de patience et de courtoisie;
- un bon jugement et un bon sens critique;
- un bon sens de l'organisation et la capacité de prendre des décisions.

Ils privilégient…
- l'équité;
- la justice;
- la loyauté;
- la primauté des valeurs humaines sur les valeurs matérielles.

Typologie de Holland – R I **A S E C** Z
Social • Entreprenant • Conventionnel

L'ANALYSE DE VOS EXPÉRIENCES

Les indices d'orientation qui suivent vous permettront de vérifier, à partir de vos diverses expériences, dans quelle mesure les caractéristiques des travailleurs de la famille **Les ressources humaines** correspondent aux vôtres.

- Lisez attentivement les deux séries d'indices qui suivent et faites un crochet (√) vis-à-vis des énoncés qui s'appliquent ou pourraient s'appliquer à vous*.

- Comptez ensuite le nombre d'énoncés retenus et calculez le pourcentage.

- Le résultat obtenu vous donne des indications sur l'étendue de votre intérêt et de votre capacité à entreprendre un projet d'études relevant de la famille Les ressources humaines.

* Voir la remarque « Important », au nº 7 de la page 19.

Indices d'orientation tirés de mon expérience personnelle

1. ☐ J'aime regarder des émissions télévisées et lire des ouvrages portant sur l'actualité, le monde des affaires, le tourisme, la consommation ou les services publics.
2. ☐ J'aime les relations humaines.
3. ☐ J'aime m'engager dans toutes sortes d'organisations et je suis disponible quand on me demande un service.
4. ☐ Je suis quelqu'un qui exprime facilement son opinion.
5. ☐ Je suis moniteur ou monitrice d'activités sportives ou de loisirs pour les jeunes.
6. ☐ J'aime relever des défis et les concours de toutes sortes me stimulent.
7. ☐ J'aime contribuer à régler des conflits.
8. ☐ J'aime voir «les deux côtés de la médaille» lorsque je dois régler un problème.
9. ☐ J'aime négocier.
10. ☐ Je suis la personne à qui on a recours pour régler des disputes au sein de mon groupe d'amis.
11. ☐ Je lis dans les journaux les comptes rendus des négociations entre patrons et syndicats.
12. ☐ J'aime bien présider les réunions de mon association étudiante.

Indices d'orientation tirés de mon expérience scolaire et occupationnelle

13. ☐ J'aime suivre des cours de français, de mathématique, d'éducation économique, de formation personnelle et sociale, de français et d'anglais.
14. ☐ J'aimerais représenter les étudiants dans mon milieu scolaire.
15. ☐ Je n'hésite pas à chercher des commanditaires pour financer des activités scolaires ou les mouvements, associations ou clubs dont je fais partie.
16. ☐ Je fais partie de la ligue d'improvisation de mon école.
17. ☐ J'ai un travail à temps partiel qui me permet d'être en relation avec le public.
18. ☐ J'aime les professeurs qui savent régler les conflits dans la classe sans élever la voix.
19. ☐ J'ai hâte d'être au cégep pour suivre des cours de psychologie et de relations humaines.
20. ☐ J'ai bien apprécié mon dernier emploi d'été comme vendeur ou vendeuse dans une quincaillerie.
21. ☐ J'ai déjà organisé une vente-débarras, surtout pour le plaisir de rencontrer les gens.
22. ☐ J'aime beaucoup raconter des histoires, susciter et animer des discussions.
23. ☐ J'ai un travail à temps partiel qui n'est pas très payant, mais que je trouve intéressant parce qu'il me permet d'exercer des responsabilités vis-à-vis de certains membres du personnel.
24. ☐ Je n'ai pas le temps de m'ennuyer entre mes cours parce que je suis toujours en train d'organiser des activités.

Résultat : _____ énoncés sur 24 = _____ %

Projet professionnel ◄——

VOS ATTENTES PAR RAPPORT À VOTRE FUTUR TRAVAIL

La série d'énoncés qui suit se rapporte aux exigences auxquelles doivent se soumettre les travailleurs de la famille **Les ressources humaines**. Seriez-vous prêt ou prête à accepter ces exigences pour vous-même?

- Lisez attentivement chaque énoncé et faites un crochet (√) vis-à-vis de ceux qui correspondent à vos attentes par rapport à votre futur travail.

Exigences liées à mon futur travail

☐ Assumer des responsabilités importantes dans divers dossiers, comme la participation des employés à des régimes de retraite ou à des régimes sociaux collectifs.

☐ Être capable de trouver des solutions à des problèmes inédits.

☐ Faire preuve de patience et de persuasion au cours des périodes de négociation des contrats de travail.

☐ Faire preuve tantôt de fermeté, tantôt de compréhension quand il s'agit de résoudre les problèmes des employés.

☐ Passer la plus grande partie de mon temps en relation avec les gens.

☐ Savoir faire preuve d'un bon jugement et de discernement dans l'application des conditions de travail des employés.

☐ Savoir prendre, à l'occasion, des décisions impopulaires, mais justes et nécessaires.

☐ Tolérer l'incertitude et l'ambiguïté dans la gestion de problèmes parfois difficiles à régler.

VOS PRÉFÉRENCES PROFESSIONNELLES

La prochaine étape introduit une réflexion sur vos préférences professionnelles. Les énoncés proposés correspondent à des fonctions de travail propres à la famille **Les ressources humaines**.

- Lisez attentivement les 10 fonctions de travail suivantes.

- Numérotez, selon vos préférences, les trois ou quatre fonctions les plus significatives pour vous, le chiffre 1 indiquant la fonction la plus intéressante à vos yeux.

- Reportez ensuite les chiffres correspondant à vos préférences dans l'espace « Mes préférences » du tableau de la page suivante.

Fonctions de travail

☐ **Administration** : Assumer la direction de personnes, d'activités ou de projets.

☐ **Comptabilité/Finance** : Travailler avec des données comptables et administratives.

☐ **Conseil** : Agir à titre de consultant ou de consultante auprès de travailleurs pour les aider à exercer leurs fonctions dans divers domaines d'activités.

☐ **Consultation** : Offrir des services personnalisés.

☐ **Coopération** : Travailler en équipe et interagir avec d'autres personnes.

☐ **Coordination** : Coordonner ou superviser une équipe de travail.

☐ **Enquête** : Vérifier le profil, l'opinion ou la situation de groupes sociaux ou politiques, de manière à jeter un éclairage nouveau sur différentes situations.

☐ **Information** : Avoir la responsabilité de transmettre des renseignements.

☐ **Recherche** : S'interroger, explorer, expérimenter afin d'innover et de faire progresser son domaine d'activités.

☐ **Résolution de problèmes** : Analyser des problèmes de gestion et proposer des solutions.

PROGRAMMES D'ÉTUDES ET FONCTIONS DE TRAVAIL

Le tableau qui suit présente, dans l'ordre, les programmes offerts au secondaire, au collégial et au premier cycle universitaire.

- **Recherchez, pour les fonctions de travail retenues, les programmes d'études signalés par les points et prenez note de ceux qui vous intéressent particulièrement.**

Exemple : Si vous avez une préférence pour la fonction de travail « Administration », vous noterez que tous les programmes de cette famille accordent une grande importance à cette fonction, alors que ces mêmes programmes accordent une faible importance à la fonction « Comptabilité/Finance ».

Pour faciliter la consultation du tableau

Vous pourriez :
- surligner les colonnes verticales correspondant à vos fonctions de travail préférées;
- prendre connaissance des programmes signalés par des points dans les colonnes retenues et surligner ceux qui vous intéressent particulièrement.

Pour comprendre l'organisation de ce tableau, consultez le premier encadré, page 19.

MES PRÉFÉRENCES											
PROGRAMMES	**FONCTIONS DE TRAVAIL**										
• Faible importance •• Moyenne importance ••• Grande importance	ADMINISTRATION	COMPTABILITÉ/ FINANCE	CONSEIL	CONSULTATION	COOPÉRATION	COORDINATION	ENQUÊTE	INFORMATION	RECHERCHE	RÉSOLUTION DE PROBLÈMES	
Universitaire (Bac) [1]											
▶ **Sciences de l'administration**											
15800* Administration	•••	•	•••	•	•••	•••	•	•••	••	•••	
15815* Gestion des ressources humaines	•••	•	•••	•	•••	•••	•	•••	••	•••	
15816* Relations industrielles	•••	•	•••	•	•••	•••	•	•••	••	•••	

1. Pour accéder à l'information sur le site www.reperes.qc.ca, il faut obligatoirement ajouter l'astérisque (*) à la suite du numéro d'identification du programme.

PROFESSIONS ET MÉTIERS EN RELATION AVEC LES PROGRAMMES D'ÉTUDES

Cette section comprend la liste des professions et des métiers en relation avec chacun des programmes d'études énumérés dans le tableau précédent, sauf ceux qui correspondent aux programmes conduisant à l'obtention d'une attestation de formation professionnelle (AFP).

Dans ce cas particulier, les titres des métiers étant identiques à ceux des programmes, nous avons jugé inutile de reprendre cette information dans la présente section.

Pour comprendre l'organisation de cette section, consultez le second encadré, page 19.

CLÉO	PROGRAMMES ET MÉTIERS
	UNIVERSITAIRE (BAC)
	SCIENCES DE L'ADMINISTRATION
	Administration
—	Administrateur agréé
—	Analyste des méthodes et procédures
—	Directeur des ventes
131.12	Surintendant de parc
211.01	Directeur de production industrielle
211.02	Directeur de production des matières premières
227.01	Directeur d'usine de production de textiles
235.01	Gérant d'imprimerie
411.07	Analyste en gestion d'entreprises
421.01	Directeur administratif
421.08	Agent d'administration
421.20	Agent d'assurance-emploi
422.11	Directeur des ressources humaines
422.12	Conseiller en organisation du travail
422.17	Agent des ressources humaines
422.18	Agent de dotation
423.04	Directeur d'institution financière
513.03	Directeur d'établissement touristique
513.07	Directeur d'agence de voyages
514.02	Directeur d'établissement de loisirs
521.01	Directeur général de centre hospitalier

Gestion des ressources humaines

422.01	Spécialiste en relations ouvrières
422.02	Conciliateur en relations du travail
422.03	Agent syndical
422.11	Directeur des ressources humaines
422.13	Conseiller en relations industrielles
422.17	Agent des ressources humaines
422.18	Agent de dotation
422.20	Chasseur de têtes

Relations industrielles

422.11	Directeur des ressources humaines
422.15	Conseiller en retraite
422.17	Agent des ressources humaines
422.18	Agent de dotation

4.2 Les biens et les services

Photo de famille

La famille Les biens et les services regroupe des activités de nature économique impliquant la vente de produits ou de services en échange de sommes d'argent. L'administration, les relations commerciales et la promotion de services touristiques font partie des activités propres à cette famille.

Les personnes intéressées par cette famille de programmes d'études et de carrières présentent un certain nombre de caractéristiques communes et relèvent des défis professionnels semblables.

- Elles s'intéressent aux tâches qui requièrent de la méthode, de la précision, le sens de l'organisation ainsi qu'un bon esprit d'analyse et de synthèse, et elles ont de la facilité à s'en acquitter.

- Elles sont souvent appelées à traiter avec d'autres travailleurs, par exemple le personnel d'agences de voyage, d'hôtels ou d'entreprises, afin de gérer efficacement les biens et les services sous leur responsabilité.

- Elles s'occupent de tâches telles que les achats, la production, la vente et la mise en marché, le service après-vente et la circulation des biens, ou encore la gestion et l'inventaire des stocks.

- Elles travaillent, entre autres, dans des entreprises œuvrant dans les secteurs de l'alimentation, de l'hôtellerie, du tourisme, du transport, de l'informatique, de l'assurance, de l'automobile ou du commerce de détail.

Ce n'est qu'après six mois passés sur le marché du travail que j'ai compris que j'avais fait de la comptabilité toute ma vie. Au secondaire, j'étais de toutes les organisations, mais l'expérience qui m'a le plus révélé à moi-même mes aptitudes pour la comptabilité, c'est celle de trésorière de l'association étudiante. Ce qui me passionne dans mon métier : présenter un bilan financier détaillé et facile à comprendre, réunir toutes les données d'ordre financier pour aider le patron à prendre une décision. Et, un beau jour, je m'apercevrai que j'aurai passé vingt-cinq ou trente ans dans mon domaine de travail sans avoir vu passer le temps!

Marie-Josée
Gestion de commerces

Programmes d'études par ordres d'enseignement et secteurs de formation

Les programmes énumérés ci-dessous permettent d'exercer une profession ou un métier en relation avec la famille **Les biens et les services**.

SECONDAIRE

Attestation de formation professionnelle (AFP)

Administration, commerce et informatique
- Commis à l'inventaire
- Commis à la réception et à l'expédition
- Commis au service à la clientèle
- Commis au service de messagerie
- Commis d'épicerie, de supermarché
- Commis dans un magasin de tissu et de services de couture
- Commis de bureau
- Commis de dépanneur
- Commis de marché de fruits et légumes
- Commis de matériaux de construction
- Commis de matériaux de construction et de quincaillerie
- Commis de meubles et d'appareils électroménagers usagés
- Commis de vente
- Magasinier
- Préposé à la livraison
- Préposé au développement de photos

Alimentation et tourisme
- Aide-boucher
- Aide-boucher d'abattoir
- Aide-boulanger
- Aide-cuisinier
- Aide-fromager
- Aide-pâtissier
- Aide-traiteur
- Commis dans un centre de plein air
- Commis dans une pourvoirie
- Commis de bar
- Commis en alimentation
- Commis en hôtellerie
- Manœuvre dans la lyophilisation des aliments
- Manœuvre dans la transformation des aliments
- Opérateur d'équipement de contrôle en pâtisserie
- Préposé au service au comptoir en restauration rapide
- Préposé au service aux tables
- Préposé dans un centre d'activités sportives
- Préposé dans un site touristique
- Préposé en centre récréotouristique
- Réparateur-monteur d'articles de sport

Diplôme d'études professionnelles (DEP)

Administration, commerce et informatique
- Vente-conseil

Alimentation et tourisme
- Boucherie de détail
- Boulangerie
- Cuisine d'établissement
- Pâtisserie
- Réception en hôtellerie
- Service de la restauration
- Vente de voyages

COLLÉGIAL

Diplôme d'études collégiales (DEC)

Techniques de l'administration
- Administration et coopération
- Conseil en assurances et en services financiers
- Gestion de commerces
- Techniques de gestion des services alimentaires et de restauration
- Techniques de gestion hôtelière

- Techniques de tourisme :
  - profil Accueil et guidage touristiques
  - profil Développement et promotion des produits du voyage
  - profil Mise en valeur de produits touristiques

UNIVERSITAIRE

Diplôme de baccalauréat (Bac)

Sciences de l'administration
- Administration
- Administration - Marketing
- Gestion du tourisme et de l'hôtellerie

Programmes apparentés

La liste des programmes apparentés est fournie à titre indicatif. Compte tenu de leurs objectifs principaux, ces programmes ont été classés dans d'autres familles, mais ils partagent néanmoins certains de leurs objectifs avec les programmes énumérés à la page précédente. Vous trouverez des renseignements sur ces programmes aux pages indiquées.

SECONDAIRE	COLLÉGIAL	UNIVERSITAIRE
Attestation de formation professionnelle (AFP) • Commis au matériel médical, page 40 • Préposé à l'entretien des piscines, page 94 • Préposé dans un centre d'activités, page 130 **Diplôme d'études professionnelles (DEP)** • Vente de pièces mécaniques et d'accessoires, page 75 • Vente de produits de quincaillerie, page 94	**Diplôme d'études collégiales (DEC)** • Exploitation et production des ressources marines, page 75 • Gestion et exploitation d'entreprise agricole, page 50 • Techniques d'intervention en loisir, page 130 • Techniques de gestion de l'imprimerie, page 224 • Techniques du milieu naturel, page 50 • Techniques de tourisme d'aventure, page 130 • Technologie du génie industriel, page 76	**Diplôme de baccalauréat (Bac)** • Actuariat, page 66 • Agronomie, page 50 • Génie de la production automatisée, page 76 • Génie industriel, page 76 • Génie informatique, page 76 • Informatique de génie, page 174

Matières scolaires en relation avec la famille Les biens et les services
(ordre d'enseignement secondaire)

- ■ Régime actuel
- ▲ Nouveau régime
- ● Éducation des adultes

	Régime actuel ■	Nouveau régime ▲	Éducation des adultes ●
Anglais	■	▲	●
Éducation économique	■		
Espagnols et autres langues	■	▲	●
Français	■	▲	●
Géographie	■	▲	●
Histoire	■		●
Histoire et éducation à la citoyenneté		▲	
Industrialisation et urbanisation au Québec			●
Informatique	■		●
Mathématique	■	▲	●
Vie économique			●

Autoportrait

Découvrez le profil personnel des travailleurs de la famille **Les biens et les services** et vérifiez si leurs caractéristiques correspondent à votre propre réalité.

PROFIL PERSONNEL COMMUN

Les travailleurs de la famille **Les biens et les services** présentent des traits de personnalité, des goûts, des talents et des valeurs semblables.

Ils sont...
- déterminés et persuasifs;
- minutieux et patients;
- perspicaces et coopératifs.

Ils aiment...
- accomplir des tâches concrètes;
- animer, informer et persuader;
- coordonner une équipe de travail;
- gérer des projets;
- jongler avec des chiffres;
- résoudre les problèmes liés à l'argent et à la rentabilité.

Ils ont...
- de la facilité à résoudre des problèmes d'organisation;
- du leadership;
- le sens de l'organisation et de la planification;
- le sens des affaires et du service;
- le souci du détail et de la précision;
- un esprit d'analyse et de synthèse.

Ils privilégient...
- l'efficacité;
- l'exactitude;
- l'ordre;
- la satisfaction du client et la qualité du service.

Typologie de Holland – R I A S E C Z
Social • Entreprenant • Réaliste

L'ANALYSE DE VOS EXPÉRIENCES

Les indices d'orientation qui suivent vous permettront de vérifier, à partir de vos diverses expériences, dans quelle mesure les caractéristiques des travailleurs de la famille **Les biens et les services** correspondent aux vôtres.

• Lisez attentivement les deux séries d'indices qui suivent et faites un crochet (√) vis-à-vis des énoncés qui s'appliquent ou pourraient s'appliquer à vous*.

• Comptez ensuite le nombre d'énoncés retenus et calculez le pourcentage.

• Le résultat obtenu vous donne des indications sur l'étendue de votre intérêt et de votre capacité à entreprendre un projet d'études relevant de la famille Les biens et les services.

* Voir la remarque « Important », au nº 7 de la page 19.

Indices d'orientation tirés de mon expérience personnelle

1. ☐ J'aime regarder des émissions télévisées ou lire des ouvrages portant sur l'actualité financière, le monde des affaires, les placements, la production industrielle.
2. ☐ J'ai l'habitude de planifier mon emploi du temps.
3. ☐ J'aime m'engager dans toutes sortes d'organisations et y jouer un rôle de leader.
4. ☐ J'aime m'occuper de l'organisation matérielle des activités auxquelles je participe.
5. ☐ J'aime les activités pour lesquelles la marche à suivre est clairement établie.
6. ☐ J'aime organiser des ventes-débarras.
7. ☐ Je lis souvent des revues qui traitent de vente, de comptabilité ou d'administration.
8. ☐ J'entends souvent mes amis vanter mes qualités de « vendeur ».
9. ☐ Je me fais un budget afin de pouvoir prévoir mes revenus et mes dépenses.
10. ☐ J'aime les jeux où l'on doit jongler avec des chiffres.
11. ☐ Je préfère un travail d'été dans lequel je peux prendre des initiatives.
12. ☐ J'aime analyser un problème afin d'y apporter une solution originale.

Indices d'orientation tirés de mon expérience scolaire et occupationnelle

13. ☐ J'aime les cours de mathématique, d'éducation économique, d'éducation technologique, d'informatique ou d'anglais.
14. ☐ Je fais partie du groupe « Jeunes entrepreneurs » à l'école.
15. ☐ Je fais partie de l'administration de la caisse populaire ou de la coopérative de mon école.
16. ☐ J'aime ou j'aimerais représenter les étudiants de mon école.
17. ☐ Je me débrouille pour gagner un peu d'argent en travaillant à temps partiel.
18. ☐ Je réussis à économiser sur mon argent de poche.
19. ☐ Je suis toujours volontaire pour participer à une collecte de fonds.
20. ☐ Je suis responsable du comité organisateur du bal de fin d'année.
21. ☐ J'ai un travail d'été qui me permet d'acquérir de l'expérience dans l'administration d'un commerce.
22. ☐ Je suis une personne qui, selon mes professeurs, va certainement choisir un métier en administration.
23. ☐ J'aime mon emploi d'été dans un restaurant et j'aimerais faire carrière dans ce type d'établissement.
24 ☐ Je m'intéresse à tout ce qui a trait à la mise en marché de produits.
25. ☐ J'aimerais avoir un emploi d'été dans une agence de voyages.

Résultat : _____ **énoncés sur 25 =** _____ %

Projet professionnel

VOS ATTENTES PAR RAPPORT À VOTRE FUTUR TRAVAIL

La série d'énoncés qui suit se rapporte aux exigences auxquelles doivent se soumettre les travailleurs de la famille **Les biens et les services**. Seriez-vous prêt ou prête à accepter ces exigences pour vous-même?

- **Lisez attentivement chaque énoncé et faites un crochet (√) vis-à-vis de ceux qui correspondent à vos attentes par rapport à votre futur travail.**

Exigences liées à mon futur travail

☐ Établir et maintenir de bonnes relations avec les gens avec qui je serai régulièrement en contact.

☐ Être capable de convaincre les clients d'acheter les biens ou les services que je leur offrirai.

☐ Exécuter des tâches concrètes (achats, gestion des stocks, comptabilité) plutôt que des tâches abstraites (analyse, création, gestion de projets).

☐ Faire preuve d'efficacité et travailler avec méthode et précision.

☐ Faire preuve de savoir-faire et manifester des aptitudes à saisir l'occasion, autrement dit «avoir le sens des affaires».

☐ Savoir réagir à des situations nouvelles en prenant les décisions appropriées.

☐ Suivre des méthodes bien établies et éprouvées, de manière à parvenir aux résultats escomptés.

☐ Travailler tous les jours en relation avec les gens en vue de leur offrir les services attendus.

VOS PRÉFÉRENCES PROFESSIONNELLES

La prochaine étape introduit une réflexion sur vos préférences professionnelles. Les énoncés proposés correspondent à des fonctions de travail propres à la famille **Les biens et les services**.

- **Lisez attentivement les 11 fonctions de travail suivantes.**

- **Numérotez, selon vos préférences, les trois ou quatre fonctions les plus significatives pour vous, le chiffre 1 indiquant la fonction la plus intéressante à vos yeux.**

- **Reportez ensuite les chiffres correspondant à vos préférences dans l'espace «Mes préférences» du tableau de la page suivante.**

Fonctions de travail

☐ **Administration** : Assumer la direction de personnes, d'activités ou de projets.

☐ **Communication** : S'exprimer devant un petit groupe ou devant un large public.

☐ **Comptabilité/Finance** : Travailler avec des données comptables et administratives.

☐ **Conseil** : Agir à titre de consultant ou de consultante auprès de travailleurs pour les aider à exercer leurs fonctions dans divers domaines d'activités.

☐ **Coopération** : Travailler en équipe et interagir avec d'autres personnes.

☐ **Gestion des affaires** : Gérer un projet commercial ou industriel.

☐ **Information** : Avoir la responsabilité de transmettre des renseignements.

☐ **Organisation** : Organiser des services administratifs ou techniques de nature commerciale.

☐ **Recherche** : M'interroger, explorer, expérimenter, afin d'innover et de faire progresser mon domaine d'activités.

☐ **Résolution de problèmes** : Analyser des problèmes de gestion et proposer des solutions.

☐ **Vente/Marketing** : Persuader les gens d'adopter une idée ou un produit.

PROGRAMMES D'ÉTUDES ET FONCTIONS DE TRAVAIL

Le tableau qui suit présente, dans l'ordre, les programmes offerts au secondaire, au collégial et au premier cycle universitaire.

- **Recherchez, pour les fonctions de travail retenues, les programmes d'études signalés par les points et prenez note de ceux qui vous intéressent particulièrement.**

Exemple : Si vous avez une préférence pour la fonction de travail « Communication », vous noterez que le programme collégial *Conseil en assurances et services financiers* (DEC) accorde une grande importance à cette fonction, alors qu'elle n'en a aucune pour le programme de formation secondaire *Commis à l'inventaire* (AFP).

Pour faciliter la consultation du tableau

Vous pourriez :
- surligner les colonnes verticales correspondant à vos fonctions de travail préférées;
- prendre connaissance des programmes signalés par des points dans les colonnes retenues et surligner ceux qui vous intéressent particulièrement.

Pour comprendre l'organisation de ce tableau, consultez le premier encadré, page 19.

MES PRÉFÉRENCES

PROGRAMMES	FONCTIONS DE TRAVAIL										
• Faible importance •• Moyenne importance ••• Grande importance	ADMINISTRATION	COMMUNICATION	COMPTABILITÉ/FINANCE	CONSEIL	COOPÉRATION	GESTION DES AFFAIRES	INFORMATION	ORGANISATION	RECHERCHE	RÉSOLUTION DE PROBLÈMES	VENTE/MARKETING
Secondaire (AFP)											
▶ Administration, commerce et informatique											
7100 — Commis à l'inventaire			•		•		•	••			
7001 — Commis à la réception et à l'expédition	•	•			•		•	••			
7003 — Commis au service à la clientèle	•	•			•		•	••			
7002 — Commis au service de messagerie	•	•			•		•	••			
7101 — Commis d'épicerie, de supermarché	•	•			•		•	••			
7005 — Commis dans un magasin de tissu et de services de couture	•	•			•		•	••			
7006 — Commis de bureau	•	•			•		•	••			
7007 — Commis de dépanneur	•	•			•		•	••			
7009 — Commis de marché de fruits et légumes	•	•			•		•	••			
7188 — Commis de matériaux de construction	•	•			•		•	••			
7048 — Commis de matériaux de construction et de quincaillerie	•	•			•		•	••			
7102 — Commis de meubles et d'appareils électroménagers usagés	•	•			•		•	••			
7011 — Commis de vente	•	•			•		•	••			
7014 — Magasinier	•	•			•		•	••			
7103 — Préposé à la livraison	•	•			•		•	••			
7158 — Préposé au développement de photos	•	•			•		•	••			
▶ Alimentation et tourisme											
7029 — Aide-boucher		•			•		•	••			
7107 — Aide-boucher d'abattoir		•			•		•	••			
7030 — Aide-boulanger		•			•		•	••			
7031 — Aide-cuisinier		•			•		•	•			
7108 — Aide-fromager		•			•		•	••			
7032 — Aide-pâtissier		•			•		•	••			
7109 — Aide-traiteur		•			•		•	••			

PROGRAMMES		FONCTIONS DE TRAVAIL										
• Faible importance •• Moyenne importance ••• Grande importance		ADMINISTRATION	COMMUNICATION	COMPTABILITÉ/FINANCE	CONSEIL	COOPÉRATION	GESTION DES AFFAIRES	INFORMATION	ORGANISATION	RECHERCHE	RÉSOLUTION DE PROBLÈMES	VENTE/MARKETING
7110	Commis dans un centre de plein air		•	•		•		•	••			
7111	Commis dans une pourvoirie		•	•		•		•	••			
7112	Commis de bar		•	•		•		•	••			
7113	Commis en alimentation		•	•		•		•	••			
7036	Commis en hôtellerie		•	•		•		•	••			
7190	Manœuvre dans la lyophilisation des aliments		•	•		•		•	••			
7114	Manœuvre dans la transformation des aliments		•	•		•		•	••			
7033	Opérateur d'équipement de contrôle en pâtisserie		•	•		•		•	••			
7034	Préposé au service au comptoir en restauration rapide		•	•		•		•	••			
7035	Préposé au service aux tables		•	•		•		•	••			
7115	Préposé dans un centre d'activités sportives		•	•		•		•	••			
7207	Préposé dans un site touristique		•	•		•		•	••			
7216	Préposé en centre récréotouristique		•	•		•		•	••			
7041	Réparateur-monteur d'articles de sport		•	•		•		•	••			
Secondaire (DEP)												
▶ **Administration, commerce et informatique**												
5196	Vente-conseil	••	•••	•	•	•••	•••	•••	•••		•	
▶ **Alimentation et tourisme**												
5268	Boucherie de détail	••	•	•		•••	••	•	••			••
5270	Boulangerie	••	•	•		••	••	•	••	•		••
1038	Cuisine d'établissement	••	•	••	•	•	•	•	••	•	•	•
5039	Pâtisserie	•	•	•	•	•	•	•	••	•	•	•
5283	Réception en hôtellerie	•	•••	•		•••	••	•••	•••		•	•
5130	Service de la restauration	•	•••	••	••	•••	•••	•••	•••			•
5236	Vente de voyages	••	•••	••	••	•••	•••	•••	••		•	•••
Collégial (DEC)												
▶ **Techniques de l'administration**												
413.01	Administration et coopération	•••	•••	•••	•••	•••	•••	•••	•••	••	•••	•••
410.C0	Conseil en assurances et services financiers	•••	•••	•••	•••	•••	•••	•••	•••	••	••	•••
410.D0	Gestion de commerces	•••	•••	•••	•••	•••	•••	•••	•••	••	••	•••
430.02	Techniques de gestion des services alimentaires et de restauration	•••	•••	•••	•••	•••	•••	•••	•••	••	••	•••
430.01	Techniques de gestion hôtelière	•••	•••	•••	•••	•••	•••	•••	•••	••	••	•••
414.A0	Techniques de tourisme, profil Accueil et guidage touristiques	•••	•••	•••	•••	•••	•••	•••	•••	••	••	•••
414.A0	Techniques de tourisme, profil Développement et promotion de produits touristiques	•••	•••	•••	•••	•••	•••	•••	•••	••	••	•••
414.A0	Techniques de tourisme, profil Mise en valeur de produits touristiques	•••	•••	•••	•••	•••	•••	•••	•••	••	••	•••
Universitaire (Bac) [1]												
▶ **Sciences de l'administration**												
15800*	Administration	•••	•••	•	•••	•••	•••	•••	•••	•••	•••	•••
15809*	Administration : Marketing	•••	•••	•	•••	•••	•••	•••	•••	•••	•••	•••
15800*	Gestion du tourisme et de l'hôtellerie	•••	•••	••	•••	•••	•••	•••	•••	•••	•••	•••

1. Pour accéder à l'information sur le site www.reperes.qc.ca, il faut obligatoirement ajouter l'astérisque (*) à la suite du numéro d'identification du programme.

PROFESSIONS ET MÉTIERS EN RELATION AVEC LES PROGRAMMES D'ÉTUDES

Cette section comprend la liste des professions et des métiers en relation avec chacun des programmes d'études énumérés dans le tableau précédent, sauf ceux qui correspondent aux programmes conduisant à l'obtention d'une attestation de formation professionnelle (AFP).

Dans ce cas particulier, les titres des métiers étant identiques à ceux des programmes, nous avons jugé inutile de reprendre cette information dans la présente section.

Pour comprendre l'organisation de cette section, consultez le second encadré, page 19.

CLÉO	PROGRAMMES ET MÉTIERS
	SECONDAIRE (DEP)
	ADMINISTRATION, COMMERCE ET INFORMATIQUE
	Vente-conseil
432.05	Représentant commercial
432.20	Commis-vendeur
432.22	Commis-vendeur de vêtements
432.24	Conseiller en produits de beauté
432.25	Commis-vendeur d'articles de sport
432.26	Commis-vendeur de matériel photographique
432.45	Conseiller à la vente de véhicules automobiles
433.15	Agent vendeur de billets
433.74	Commis à la réservation
	ALIMENTATION ET TOURISME
	Boucherie de détail
228.30	Charcutier
228.35	Boucher d'abattoir
432.18	Boucher
	Boulangerie
228.26	Boulanger-pâtissier
	Cuisine d'établissement
—	Cuisinier d'établissement communautaire
—	Cuisinier de camp
—	Cuisinier de navire
—	Cuisinier de plats exotiques
—	Premier chef
511.08	Chef cuisinier
511.09	Sous-chef de cuisine
511.10	Cuisinier
511.17	Traiteur
	Pâtisserie
—	Façonneur de pâte
—	Pétrisseur
228.26	Boulanger-pâtissier
228.28	Pâtissier
511.12	Chef pâtissier
	Réception en hôtellerie
512.05	Réceptionniste d'hôtel

	Service de la restauration
—	Serveur d'apparat
—	Serveur en chef
511.04	Capitaine de banquet
511.05	Maître d'hôtel
511.07	Serveur de bar
511.13	Serveur
	Vente de voyages
433.79	Commis à la réservation
513.09	Agent de voyages
	COLLÉGIAL (DEC)
	TECHNIQUES DE L'ADMINISTRATION
	Administration et coopération
421.07	Technicien en administration et coopération
423.09	Agent-conseil de crédit
424.04	Comptable adjoint
	Conseil en assurances et en services financiers
423.41	Tarificateur d'assurances
423.42	Courtier d'assurances
423.43	Agent d'assurances
423.44	Expert en sinistres (assurances)
423.45	Examinateur des réclamations d'assurances
423.46	Commis d'assurances
	Gestion de commerces
—	Directeur des ventes
421.04	Technicien en administration
431.01	Directeur des achats de marchandises
431.02	Acheteur
431.03	Acheteur adjoint
431.05	Commis aux approvisionnements
432.03	Agent commercial
432.04	Chef de service de promotion des ventes
432.05	Représentant commercial
432.10	Gérant de commerce de détail
432.38	Vendeur de publicité pour la radio et la télévision
	Techniques de gestion des services alimentaires et de restauration
433.48	Inspecteur du service de restauration
511.01	Directeur-gérant de restaurant
511.02	Technicien en gestion de services alimentaires
511.03	Directeur de la restauration
511.08	Chef cuisinier
512.02	Coordonnateur des congrès et des banquets
518.02	Superviseur des services alimentaires

Techniques de gestion hôtelière

433.48	Inspecteur du service de restauration
511.01	Directeur-gérant de restaurant
511.03	Directeur de la restauration
512.01	Directeur général d'établissements hôteliers
512.02	Coordonnateur des congrès et des banquets
512.04	Chef réceptionniste d'hôtel
512.05	Réceptionniste d'hôtel

Techniques de tourisme

433.48	Inspecteur du service de restauration
513.02	Agent de promotion touristique
513.04	Guide touristique
513.05	Guide accompagnateur
513.08	Forfaitiste
513.09	Agent de voyages

UNIVERSITAIRE (BAC)

SCIENCES DE L'ADMINISTRATION

Administration

—	Administrateur agréé
—	Analyste des méthodes et procédures
—	Directeur des ventes
131.12	Surintendant de parc
211.01	Directeur de production industrielle
211.02	Directeur de production des matières premières
227.01	Directeur d'usine de production de textiles
235.01	Gérant d'imprimerie
411.07	Analyste en gestion d'entreprises
421.01	Directeur administratif
421.02	Adjoint administratif
421.08	Agent d'administration
421.20	Agent d'assurance-emploi
422.12	Conseiller en organisation du travail
422.17	Agent des ressources humaines
422.18	Agent de dotation
423.04	Directeur d'institution financière
424.15	Vérificateur des impôts
431.01	Directeur des achats de marchandises
433.03	Directeur d'exploitation des transports routiers
513.03	Directeur d'établissement touristique
513.07	Directeur d'agence de voyages
514.02	Directeur d'établissement de loisirs
515.21	Directeur d'hippodrome
521.01	Directeur général de centre hospitalier
611.31	Registraire de collège ou d'université

Administration : Marketing

432.01	Expert-conseil en commercialisation
432.04	Chef de service de promotion des ventes
513.01	Coordonnateur des services de tourisme
711.01	Directeur général des ventes et de la publicité

Gestion du tourisme et de l'hôtellerie

511.01	Directeur-gérant de restaurant
512.01	Directeur général d'établissements hôteliers
513.01	Coordonnateur des services de tourisme
513.03	Directeur d'établissement touristique
513.07	Directeur d'agence de voyages
513.10	Organisateur de congrès et d'autres événements spéciaux

4.3 Le soutien administratif

Photo de famille ←

La famille Le soutien administratif regroupe des activités en relation avec la gestion financière et la bureautique. Offrir des services de secrétariat, faire de la gestion financière et de la comptabilité, opérer une unité de traitement de texte et vérifier des déclarations d'impôts font partie des activités propres à cette famille.

Les personnes intéressées par cette famille de programmes d'études et de carrières présentent un certain nombre de caractéristiques communes et relèvent des défis professionnels semblables.

- Elles manifestent de l'intérêt et des aptitudes pour les tâches sédentaires qui exigent de la précision, de la méthode et de la logique.

- Elles se sentent bien dans des secteurs de travail comme la comptabilité et la gestion financière et elles aiment exercer des activités de vérification et de contrôle.

- Elles accomplissent un travail habituellement bien encadré et elles ont des responsabilités clairement définies.

- Elles préfèrent des conditions de travail régulières et exécutent souvent des tâches répétitives, ordonnées et méthodiques.

- Elles occupent habituellement des postes dans des institutions financières ou des bureaux administratifs, dans divers organismes ou dans des moyennes ou grandes entreprises.

*J*e voulais travailler dans un bureau, mais j'avais aussi beaucoup d'intérêt pour tout ce qui concerne le corps humain, les maladies et la biologie. J'aurais peut-être souhaité être médecin, mais je n'étais pas prêt à affronter tout ce qu'aurait impliqué cette formation. J'ai donc choisi un travail qui, tout en me permettant de satisfaire mon intérêt pour le milieu médical, correspondrait à ma nature très ordonnée, à ma passion des livres, des gros volumes et de la paperasse. Dans ma chambre, c'est tout juste si mes tiroirs ne sont pas numérotés et si mes vêtements ne sont pas classés par ordre alphabétique!

Mathieu
Archives médicales

Programmes d'études par ordres d'enseignement et secteurs de formation

Les programmes énumérés ci-dessous permettent d'exercer une profession ou un métier en relation avec la famille **Le soutien administratif**.

SECONDAIRE	COLLÉGIAL	UNIVERSITAIRE
Attestation de formation professionnelle (AFP)	**Diplôme d'études collégiales (DEC)**	**Diplôme de baccalauréat (Bac)**

Communication et documentation
• Préposé dans une bibliothèque
	Techniques de l'administration
	• Archives médicales
	• Techniques de bureautique :
	  - profil Coordination de bureau
	  - profil Micro-édition et hypermédia
	• Techniques de comptabilité et de gestion
		Sciences de l'administration
		• Administration : Comptabilité
		• Administration : Finance

Diplôme d'études professionnelles (DEP)		
Administration, commerce et informatique • Comptabilité • Secrétariat • Secrétariat (inuktitut)		

Programmes apparentés

La liste des programmes apparentés est fournie à titre indicatif. Compte tenu de leurs objectifs principaux, ces programmes ont été classés dans d'autres familles, mais ils partagent néanmoins certains de leurs objectifs avec les programmes énumérés ci-dessus. Vous trouverez des renseignements sur ces programmes aux pages indiquées.

SECONDAIRE	COLLÉGIAL	UNIVERSITAIRE
Aucun programme	***Diplôme d'études collégiales (DEC)*** • *Technologie du génie industriel, page 76*	***Diplôme de baccalauréat (Bac)*** • *Génie industriel, page 76*

Matières scolaires en relation avec la famille Le soutien administratif
(ordre d'enseignement secondaire)

- ■ Régime actuel
- ▲ Nouveau régime
- ● Éducation des adultes

Anglais	■	▲	●
Éducation économique	■		
Français	■	▲	●
Informatique	■		●
Mathématique	■	▲	●
Vie économique			●

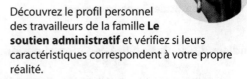

Autoportrait ←

Découvrez le profil personnel des travailleurs de la famille **Le soutien administratif** et vérifiez si leurs caractéristiques correspondent à votre propre réalité.

PROFIL PERSONNEL COMMUN

Les travailleurs de la famille **Le soutien administratif** présentent des traits de personnalité, des goûts, des talents et des valeurs semblables.

Ils sont…
- débrouillards;
- méthodiques;
- ordonnés;
- serviables.

Ils aiment…
- exécuter des tâches de bureau systématiques et parfois répétitives;
- collaborer avec des collègues de travail;
- communiquer oralement ou par écrit;
- gérer des données financières;
- suivre des directives claires.

Ils ont…
- l'esprit d'initiative;
- la capacité d'écrire un français correct et de faire de la lecture rapide;
- le sens de la précision et du classement;
- le souci du détail et du travail bien fait.

Ils privilégient…
- l'ordre;
- la précision;
- la régularité;
- le contrôle.

Typologie de Holland – R I A **S E C** Z
Conventionnel • Social • Entreprenant

L'ANALYSE DE VOS EXPÉRIENCES

Les indices d'orientation qui suivent vous permettront de vérifier, à partir de vos diverses expériences, dans quelle mesure les caractéristiques des travailleurs de la famille **Le soutien administratif** correspondent aux vôtres.

- **Lisez attentivement les deux séries d'indices qui suivent et faites un crochet (√) vis-à-vis des énoncés qui s'appliquent ou pourraient s'appliquer à vous*.**

- **Comptez ensuite le nombre d'énoncés retenus et calculez le pourcentage.**

- **Le résultat obtenu vous donne des indications sur l'étendue de votre intérêt et de votre capacité à entreprendre un projet d'études relevant de la famille Le soutien administratif.**

* Voir la remarque « Important », au n° 7 de la page 19.

Indices d'orientation tirés de mon expérience personnelle

1. ☐ J'aime regarder des émissions télévisées dont l'action se déroule dans des bureaux d'affaires ou lire des ouvrages consacrés au monde des affaires.
2. ☐ J'aime entrer des données dans l'ordinateur et les classer.
3. ☐ Je suis souvent la personne à qui l'on demande de rédiger des textes lorsque je participe à des comités.
4. ☐ J'aime rendre service.
5. ☐ Je fais mon propre budget.
6. ☐ J'ai un goût prononcé pour les choses ordonnées, méthodiques et bien classées.
7. ☐ J'aime les activités de bricolage qui requièrent beaucoup de minutie et de précision.
8. ☐ Je préfère les jeux qui se déroulent selon des règles bien définies à ceux qui font appel à l'imagination.
9. ☐ Je maintiens tout mon équipement de sport dans un état impeccable.
10. ☐ Je déteste bâcler une activité par manque de temps ou à cause d'une mauvaise planification.
11. ☐ J'aime m'occuper des finances dans les comités dont je fais partie.

Indices d'orientation tirés de mon expérience scolaire et occupationnelle

12. ☐ J'aime les cours de français, d'informatique, d'éducation économique, d'anglais, d'initiation au clavier et à la saisie de rapports.
13. ☐ J'ai eu l'occasion de visiter des milieux de travail où l'on trouve du personnel de secrétariat et j'aimerais travailler dans un tel milieu plus tard.
14. ☐ J'aimerais faire la comptabilité de la coopérative de mon école.
15. ☐ Je préfère les cours où j'apprends des notions pratiques à ceux qui portent sur des questions théoriques.
16. ☐ Je cherche un travail à temps partiel qui comporterait des tâches de contrôle et de vérification.
17. ☐ J'aime bien aider mon professeur à compiler des résultats d'examens ou des statistiques.
18. ☐ Je suis capable de vérifier la caisse du restaurant où je travaille durant l'été.
19. ☐ Je préfère un emploi comportant des tâches répétitives et bien définies à un emploi peu encadré demandant beaucoup d'initiative.
20. ☐ J'aime tous les cours où il est question de chiffres, de comptabilité, de finances ou de statistiques.
21. ☐ Je préférerais un travail sédentaire, dans un endroit calme et ordonné, à un travail en plein air ou à un emploi qui m'obligerait à voyager sans cesse.
22. ☐ Je suis responsable du comité des finances en prévision du bal de fin d'année.

Résultat : _____ énoncés sur 22 = _____ %

Projet professionnel

VOS ATTENTES PAR RAPPORT À VOTRE FUTUR TRAVAIL

La série d'énoncés qui suit se rapporte aux exigences auxquelles doivent se soumettre les travailleurs de la famille **Le soutien administratif**. Seriez-vous prêt ou prête à accepter ces exigences pour vous-même?

• **Lisez attentivement chaque énoncé et faites un crochet (√) vis-à-vis de ceux qui correspondent à vos attentes par rapport à votre futur travail.**

Exigences liées à mon futur travail

☐ Accepter d'avoir un travail essentiellement sédentaire.

☐ Appliquer des méthodes établies plutôt que faire preuve d'originalité ou de créativité.

☐ Garder constamment le souci du détail et du travail bien fait.

☐ Maîtriser des outils informatiques en perpétuelle évolution.

☐ Répondre aux attentes de mes supérieurs ou de mes collaborateurs en leur fournissant des données fiables sur lesquelles ils pourront appuyer leurs décisions.

☐ Suivre un horaire régulier de manière à faciliter l'organisation de mes activités personnelles.

☐ Traiter des dossiers qui me sont familiers et que je maîtrise bien.

☐ Travailler en collaboration avec mes collègues de bureau.

VOS PRÉFÉRENCES PROFESSIONNELLES

La prochaine étape introduit une réflexion sur vos préférences professionnelles. Les énoncés proposés correspondent à des fonctions de travail propres à la famille **Le soutien administratif**.

• **Lisez attentivement les huit fonctions de travail suivantes.**

• **Numérotez, selon vos préférences, les trois ou quatre fonctions les plus significatives pour vous, le chiffre 1 indiquant la fonction la plus intéressante à vos yeux.**

• **Reportez ensuite les chiffres correspondant à vos préférences dans l'espace « Mes préférences » du tableau de la page suivante.**

Fonctions de travail

☐ **Classification** : Exécuter des tâches impliquant le classement d'objets ou de données.

☐ **Comptabilité/Finance** : Travailler avec des données comptables ou administratives.

☐ **Coordination** : Coordonner ou superviser une équipe de travail.

☐ **Manipulation** : Manipuler des appareils, des outils ou des instruments.

☐ **Organisation** : Organiser des services administratifs ou techniques de nature commerciale.

☐ **Recherche** : S'interroger, explorer, expérimenter, afin d'innover et de faire progresser son domaine d'activités.

☐ **Résolution de problèmes** : Analyser des problèmes de gestion et proposer des solutions.

☐ **Vérification/Contrôle** : S'impliquer dans des activités de mesure, de vérification, de contrôle ou d'inspection de produits ou de services.

PROGRAMMES D'ÉTUDES ET FONCTIONS DE TRAVAIL

Le tableau qui suit présente, dans l'ordre, les programmes offerts au secondaire, au collégial et au premier cycle universitaire.

• Recherchez, pour les fonctions de travail retenues, les programmes d'études signalés par les points et prenez note de ceux qui vous intéressent particulièrement.

Exemple : Si vous avez une préférence pour la fonction de travail « Coordination », vous noterez que le programme universitaire *Administration : Comptabilité* (Bac) accorde une grande importance à cette fonction, alors qu'elle n'en a aucune pour le programme collégial *Archives médicales* (DEC).

Pour faciliter la consultation du tableau

Vous pourriez :
– surligner les colonnes verticales correspondant à vos fonctions de travail préférées;
– prendre connaissance des programmes signalés par des points dans les colonnes retenues et surligner ceux qui vous intéressent particulièrement.

Pour comprendre l'organisation de ce tableau, consultez le premier encadré, page 19.

MES PRÉFÉRENCES								
PROGRAMMES	FONCTIONS DE TRAVAIL							
• Faible importance •• Moyenne importance ••• Grande importance	CLASSIFICATION	COMPTABILITÉ/FINANCE	COORDINATION	MANIPULATION	ORGANISATION	RECHERCHE	RÉSOLUTION DE PROBLÈMES	VÉRIFICATION/CONTRÔLE
Secondaire (AFP)								
▶ **Communication et documentation**								
7139　Préposé dans une bibliothèque	•••			•				•
Secondaire (DEP)								
▶ **Administration, commerce et informatique**								
5231　Comptabilité	••	•••		•••	•••		•	••
5212　Secrétariat	••	••		•••	•••		•	••
5255　Secrétariat (inuktitut)	••	••		•••	•••		•	••
Collégial (DEC)								
▶ **Techniques de l'administration**								
411.A0　Archives médicales	••	•		•••	•••	•	•	•••
412.AA　Techniques de bureautique, profil Coordination de bureau	••	••	••	•••	•••		•	•••
412.AA　Techniques de bureautique, profil Micro-édition et hypermédia	••	••	••	•••	•••		•	•••
410.B0　Techniques de comptabilité et de gestion	••	•••	•	•••	•••	•	•	•••
Universitaire (Bac) [1]								
▶ **Sciences de l'administration**								
15802*　Administration : Comptabilité	••	•••	•••	••	•••	•••	•••	•••
15804*　Administration : Finance	••	•••	•••	••	•••	•••	•••	•••

1. Pour accéder à l'information sur le site www.reperes.qc.ca, il faut obligatoirement ajouter l'astérisque (*) à la suite du numéro d'identification du programme.

PROFESSIONS ET MÉTIERS EN RELATION AVEC LES PROGRAMMES D'ÉTUDES

Cette section comprend la liste des professions et des métiers en relation avec chacun des programmes d'études énumérés dans le tableau précédent, sauf ceux qui correspondent aux programmes conduisant à l'obtention d'une attestation de formation professionnelle (AFP).

Dans ce cas particulier, les titres des métiers étant identiques à ceux des programmes, nous avons jugé inutile de reprendre cette information dans la présente section.

Pour comprendre l'organisation de cette section, consultez le second encadré, page 19.

CLÉO	PROGRAMMES ET MÉTIERS

SECONDAIRE (DEP)

ADMINISTRATION, COMMERCE ET INFORMATIQUE

Comptabilité
421.09	Commis de bureau
424.05	Teneur de livres
424.06	Commis à la facturation
424.07	Commis à la fiscalité
424.08	Commis au budget
424.09	Commis au prix de revient
424.10	Commis au recouvrement
424.11	Enquêteur en recouvrement
424.12	Commis aux comptes à recevoir
424.13	Commis du service de la paie

Secrétariat
—	Commis-dactylographe
321.06	Sténographe juridique
421.09	Commis de bureau
421.10	Réceptionniste-téléphoniste
421.16	Opérateur d'unité de traitement de texte
421.17	Secrétaire

Secrétariat (inuktitut)
321.06	Sténographe juridique
421.09	Commis de bureau
421.16	Opérateur d'unité de traitement de texte
421.17	Secrétaire

COLLÉGIAL (DEC)

TECHNIQUES DE L'ADMINISTRATION

Archives médicales
521.05	Archiviste médical

Techniques de bureautique
421.02	Adjoint administratif
421.18	Secrétaire de direction
421.19	Surveillant de personnel de bureau
721.24	Technicien en bureautique

Techniques de comptabilité et de gestion
421.04	Technicien en administration
422.19	Commis au service du personnel
423.09	Agent-conseil de crédit
423.10	Technicien en finance
424.04	Comptable adjoint
424.05	Teneur de livres
424.15	Vérificateur des impôts

UNIVERSITAIRE (BAC)

SCIENCES DE L'ADMINISTRATION

Administration : Comptabilité
421.01	Directeur administratif
423.06	Administrateur fiduciaire
423.08	Fiscaliste
424.01	Comptable agréé
424.02	Comptable général licencié (CGA)
424.03	Comptable en management accrédité (CMA)
424.04	Comptable adjoint
424.14	Comptable de succursale de banque
424.15	Vérificateur des impôts

Administration : Finance
333.02	Officier de logistique
423.03	Analyste financier
423.04	Directeur d'institution financière
423.06	Administrateur fiduciaire
423.07	Planificateur financier
423.21	Conseiller en valeurs mobilières
423.22	Cambiste
423.24	Négociateur en bourse
423.31	Évaluateur agréé
423.32	Évaluateur commercial
424.14	Comptable de succursale de banque
424.15	Vérificateur des impôts

4.4 L'informatique

Photo de famille ←

La famille L'informatique regroupe des activités relatives à la programmation, à la conception et à l'analyse. Offrir du soutien informatique, concevoir des logiciels, faire de la recherche opérationnelle et gérer des réseaux informatiques font partie des activités propres à ce programme.

Les personnes intéressées par cette famille de programmes d'études et de carrières présentent un certain nombre de caractéristiques communes et relèvent des défis professionnels semblables.

- Elles manifestent de l'intérêt et des aptitudes pour les tâches qui requièrent de la rigueur scientifique, une bonne perception spatiale, une bonne coordination visuo-motrice ainsi que le souci du détail et de la précision.

- Elles doivent faire preuve de logique dans leur travail.

- Elles auront à se perfectionner constamment afin de suivre l'évolution rapide de ce secteur d'activité.

- Elles exercent leurs compétences dans des secteurs comme la programmation, la conception et l'analyse.

- Elles sont appelées à travailler dans des milieux très diversifiés, étant donné l'omniprésence de l'informatique dans les organismes et les entreprises.

Pendant la première session, j'ai vraiment détesté le programme d'informatique. À la session suivante, le contenu m'intéressait déjà davantage, compte tenu de mon goût pour les mathématiques et pour la logique. Il faut savoir que la logique, c'est vraiment l'essence de l'informatique; sans logique, impossible de concevoir ou d'utiliser des algorithmes qui sont des concepts totalement abstraits. Ça n'a vraiment rien à voir avec les séances de discussion et la navigation sur le Net ou le jeu de golf sur ordinateur! Mais si vous aimez les maths, ça vaut la peine d'essayer.

Jean-François
Informatique de gestion

Programmes d'études par ordres d'enseignement et secteurs de formation

Les programmes énumérés ci-dessous permettent d'exercer une profession ou un métier en relation avec la famille **L'informatique**.

SECONDAIRE	COLLÉGIAL	UNIVERSITAIRE
Diplôme d'études professionnelles (DEP)	**Diplôme d'études collégiales (DEC)**	**Diplôme de baccalauréat (Bac)**
Administration, commerce et informatique • Soutien informatique	**Techniques de l'administration** • Informatique : - profil Gestion de réseaux informatiques - profil Informatique de gestion - profil Informatique industrielle	**Sciences de l'administration** • Informatique de gestion • Informatique et recherche opérationnelle **Sciences appliquées** • Informatique • Informatique de génie • Informatique et génie logiciel

Programmes apparentés

La liste des programmes apparentés est fournie à titre indicatif. Compte tenu de leurs objectifs principaux, ces programmes ont été classés dans d'autres familles, mais ils partagent néanmoins certains de leurs objectifs avec les programmes énumérés ci-dessus. Vous trouverez des renseignements sur ces programmes aux pages indiquées.

SECONDAIRE	*COLLÉGIAL*	*UNIVERSITAIRE*
Aucun programme	*Diplôme d'études collégiales (DEC)* • *Technologie de systèmes ordinés, page 76*	*Diplôme de baccalauréat (Bac)* • *Génie informatique, page 76* • *Mathématique, page 66* • *Statistiques, page 66*

Matières scolaires en relation avec la famille L'informatique
(ordre d'enseignement secondaire)

- ■ Régime actuel
- ▲ Nouveau régime
- ● Éducation des adultes

Anglais	■	▲	●
Éducation économique	■		
Éducation technologique	■		
Français	■	▲	●
Informatique	■		●
Mathématique	■	▲	●
Science et technologie		▲	
Sciences physiques	■		●
Vie économique			●

Autoportrait

Découvrez le profil personnel des travailleurs de la famille **L'informatique** et vérifiez si leurs caractéristiques correspondent à votre propre réalité.

PROFIL PERSONNEL COMMUN

Les travailleurs de la famille **L'informatique** présentent des traits de personnalité, des goûts, des talents et des valeurs semblables.

Ils sont…
- à l'aise avec les langages abstraits et les symboles;
- ordonnés et méthodiques;
- passionnés par la recherche;
- rigoureux, patients et objectifs.

Ils aiment…
- accomplir des tâches concrètes, organisées, précises et parfois routinières;
- travailler avec des ordinateurs;
- trouver des solutions à l'aide de l'ordinateur.

Ils ont…
- de bonnes capacités d'analyse ou de synthèse, selon le cas;
- la capacité de faire preuve d'initiative, de perspicacité et de patience;
- la capacité de saisir les besoins exprimés par leurs clients;
- un esprit logique.

Ils privilégient…
- l'ordre;
- la précision;
- la régularité;
- la rigueur.

Typologie de Holland – R I A S E C Z
Réaliste • Investigateur • Conventionnel

L'ANALYSE DE VOS EXPÉRIENCES

Les indices d'orientation qui suivent vous permettront de vérifier, à partir de vos diverses expériences, dans quelle mesure les caractéristiques des travailleurs de la famille **L'informatique** correspondent aux vôtres.

- **Lisez attentivement les deux séries d'indices qui suivent et faites un crochet (√) vis-à-vis des énoncés qui s'appliquent ou pourraient s'appliquer à vous*.**

- **Comptez ensuite le nombre d'énoncés retenus et calculez le pourcentage.**

- **Le résultat obtenu vous donne des indications sur l'étendue de votre intérêt et de votre capacité à entreprendre un projet d'études relevant de la famille L'informatique.**

* Voir la remarque « Important », au n° 7 de la page 19.

Indices d'orientation tirés de mon expérience personnelle

1. ☐ J'aime regarder des émissions télévisées et lire des documents consacrés au monde des affaires, à l'évolution technologique, aux nouvelles applications de l'ordinateur, à la recherche ou à la gestion.
2. ☐ Je fais partie d'un club de passionnés d'ordinateurs.
3. ☐ Je passe mes temps libres à programmer mon ordinateur ou à découvrir divers logiciels.
4. ☐ Je prends plaisir à trouver de nouvelles façons de traiter les données quand j'utilise un ordinateur.
5. ☐ J'aime résoudre des problèmes de logique.
6. ☐ J'aime les jeux de société qui demandent beaucoup de raisonnement.
7. ☐ Je passe de plus en plus de temps à lire des revues portant sur les ordinateurs et l'informatique.
8. ☐ J'aime résoudre des énigmes en suivant un raisonnement logique, à la façon des détectives.
9. ☐ Je suis à l'aise dans un monde de symboles, de graphiques ou de langages abstraits.
10. ☐ J'aime bien manipuler tout ce qui a trait à l'informatique, aux ordinateurs ou aux imprimantes.

Indices d'orientation tirés de mon expérience scolaire et occupationnelle

11. ☐ J'aime les cours de mathématique, de français, d'informatique, d'éducation économique ou d'anglais.
12. ☐ Je fais souvent mes travaux scolaires à l'ordinateur.
13. ☐ J'aime trouver des solutions aux problèmes de mathématique.
14. ☐ J'ai suivi, à l'école, tous les cours touchant de près ou de loin à l'informatique.
15. ☐ Je suis toujours volontaire pour aider les élèves qui utilisent les ordinateurs à l'école le midi.
16. ☐ J'aime bien les professeurs qui utilisent les ressources de l'Internet.
17. ☐ J'ai réussi à trouver un emploi à temps partiel dans un cybercafé.
18. ☐ J'aimerais suivre un cours afin de m'initier à la programmation.
19. ☐ J'aide souvent ceux de mes amis qui ne maîtrisent pas vraiment l'informatique.
20. ☐ J'aimerais avoir un emploi d'été au service à la clientèle d'une entreprise de vente d'ordinateurs.

Résultat : _____ énoncés sur 20 = _____ %

Projet professionnel

VOS ATTENTES PAR RAPPORT À VOTRE FUTUR TRAVAIL

La série d'énoncés qui suit se rapporte aux exigences auxquelles doivent se soumettre les travailleurs de la famille **L'informatique**. Seriez-vous prêt ou prête à accepter ces exigences pour vous-même ?

• **Lisez attentivement chaque énoncé et faites un crochet (√) vis-à-vis de ceux qui correspondent à vos attentes par rapport à votre futur travail.**

Exigences liées à mon futur travail

☐ Accepter d'être tout à fait sédentaire dans l'exercice de ma profession.

☐ Avoir des horaires parfois bousculés par des situations urgentes.

☐ Avoir une occupation d'ordre essentiellement intellectuel.

☐ Être en mesure de résoudre les problèmes rapidement et efficacement.

☐ Me perfectionner pour demeurer à jour dans un domaine qui évolue rapidement.

☐ Savoir concilier le stress de la production urgente et le souci du travail bien fait.

☐ Travailler souvent sous pression, c'est-à-dire savoir être efficace dans des délais très courts.

VOS PRÉFÉRENCES PROFESSIONNELLES

La prochaine étape introduit une réflexion sur vos préférences professionnelles. Les énoncés proposés correspondent à des fonctions de travail propres à la famille **L'informatique**.

• **Lisez attentivement les huit fonctions de travail suivantes.**

• **Numérotez, selon vos préférences, les trois ou quatre fonctions les plus significatives pour vous, le chiffre 1 indiquant la fonction la plus intéressante à vos yeux.**

• **Reportez ensuite les chiffres correspondant à vos préférences dans l'espace « Mes préférences » du tableau de la page suivante.**

Fonctions de travail

☐ **Administration** : Assumer la direction de personnes, d'activités ou de projets.

☐ **Classification** : Exécuter des tâches impliquant le classement d'objets ou de données.

☐ **Comptabilité/Finance** : Travailler avec des données comptables ou administratives.

☐ **Conseil** : Agir à titre de consultant ou de consultante auprès de travailleurs pour les aider à exercer leurs fonctions dans divers domaines d'activités.

☐ **Manipulation** : Manipuler des appareils, des outils ou des instruments.

☐ **Recherche** : S'interroger, explorer, expérimenter, afin d'innover et de faire progresser son domaine d'activités.

☐ **Résolution de problèmes** : Analyser des problèmes de gestion et proposer des solutions.

☐ **Vente/Marketing** : Persuader des personnes d'adopter une idée ou un produit.

PROGRAMMES D'ÉTUDES ET FONCTIONS DE TRAVAIL

Le tableau qui suit présente, dans l'ordre, les programmes offerts au secondaire, au collégial et au premier cycle universitaire.

• Recherchez, pour les fonctions de travail retenues, les programmes d'études signalés par les points et prenez note de ceux qui vous intéressent particulièrement.

Exemple : Si vous avez une préférence pour la fonction de travail « Recherche », vous noterez que le programme universitaire *Informatique de génie* (Bac) accorde une grande importance à cette fonction, alors qu'elle n'en a aucune pour le programme de formation professionnelle *Soutien informatique* (DEP).

Pour faciliter la consultation du tableau

Vous pourriez :
– surligner les colonnes verticales correspondant à vos fonctions de travail préférées;
– prendre connaissance des programmes signalés par des points dans les colonnes retenues et surligner ceux qui vous intéressent particulièrement.

Pour comprendre l'organisation de ce tableau, consultez le premier encadré, page 19.

MES PRÉFÉRENCES								
PROGRAMMES	ADMINISTRATION	CLASSIFICATION	COMPTABILITÉ/ FINANCE	CONSEIL	MANIPULATION	RECHERCHE	RÉSOLUTION DE PROBLÈMES	VENTE/ MARKETING
• Faible importance •• Moyenne importance ••• Grande importance								
Secondaire (DEP)								
▶ **Administration, commerce et informatique**								
5229 Soutien informatique	•	••	•••		•••		•	
Collégial (DEC)								
▶ **Techniques de l'administration**								
420.AC Informatique, profil Gestion de réseaux informatiques	••	••	••	••	•••	••	•••	•
420.AA Informatique, profil Informatique de gestion	••	••	••	••	•••	••	•••	•
420.AB Informatique, profil Informatique industrielle	••	••	••	••	•••	••	•••	•
Universitaire (Bac) [1]								
▶ **Sciences de l'administration**								
15340* Informatique de gestion	•••	••	•••	•••	•••	•••	•••	••
15340* Informatique et recherche opérationnelle	•••	••	•••	•••	•••	•••	•••	••
▶ **Sciences appliquées**								
15340* Informatique	•••	••	•••	•••	•••	•••	•••	••
15373* Informatique de génie	•••	••	•••	•••	•••	•••	•••	••
15340* Informatique et génie logiciel	•••	••	•••	•••	•••	•••	•••	••

1. Pour accéder à l'information sur le site www.reperes.qc.ca, il faut obligatoirement ajouter l'astérisque (*) à la suite du numéro d'identification du programme.

PROFESSIONS ET MÉTIERS EN RELATION AVEC LES PROGRAMMES D'ÉTUDES

Cette section comprend la liste des professions et des métiers en relation avec chacun des programmes d'études énumérés dans le tableau précédent, sauf ceux qui correspondent aux programmes conduisant à l'obtention d'une attestation de formation professionnelle (AFP).

Dans ce cas particulier, les titres des métiers étant identiques à ceux des programmes, nous avons jugé inutile de reprendre cette information dans la présente section.

Pour comprendre l'organisation de cette section, consultez le second encadré, page 19.

CLÉO	PROGRAMMES ET MÉTIERS

SECONDAIRE (DEP)

ADMINISTRATION, COMMERCE ET INFORMATIQUE

Soutien informatique
—	Responsable du support informatique aux usagers

COLLÉGIAL (DEC)

TECHNIQUES DE L'ADMINISTRATION

Informatique
721.02	Architecte de systèmes informatiques
721.03	Concepteur de logiciels
721.06	Administrateur de systèmes informatiques
721.07	Administrateur de bases de données
721.08	Gestionnaire de réseau
721.09	Technologue en informatique
721.10	Spécialiste en matériel informatique
721.11	Spécialiste en informatique médicale
721.12	Spécialiste en sécurité de systèmes informatiques

UNIVERSITAIRE (BAC)

SCIENCES DE L'ADMINISTRATION

Informatique de gestion
—	Spécialiste de la recherche opérationnelle
721.04	Analyste en informatique de gestion
721.05	Analyste en informatique
721.13	Expert-conseil en informatique

Informatique et recherche opérationnelle
—	Spécialiste de la recherche opérationnelle
721.04	Analyste en informatique de gestion
721.05	Analyste en informatique
721.06	Administrateur de systèmes informatiques
721.08	Gestionnaire de réseau
721.11	Spécialiste en informatique médicale
721.12	Spécialiste en sécurité de systèmes informatiques
721.13	Expert-conseil en informatique
722.14	Webmestre

SCIENCES APPLIQUÉES

Informatique
—	Spécialiste de la recherche opérationnelle
612.09	Ingénieur en intelligence artificielle
721.02	Architecte de systèmes informatiques
721.03	Concepteur de logiciels
721.04	Analyste en informatique de gestion
721.05	Analyste en informatique
721.06	Administrateur de systèmes informatiques
721.07	Administrateur de bases de données
721.08	Gestionnaire de réseau
721.11	Spécialiste en informatique médicale
721.12	Spécialiste en sécurité de systèmes informatiques
721.13	Expert-conseil en informatique

Informatique de génie
—	Spécialiste de la recherche opérationnelle
721.03	Concepteur de logiciels
721.05	Analyste en informatique
721.13	Expert-conseil en informatique

Informatique et génie logiciel
612.10	Mathématicien de mathématiques appliquées

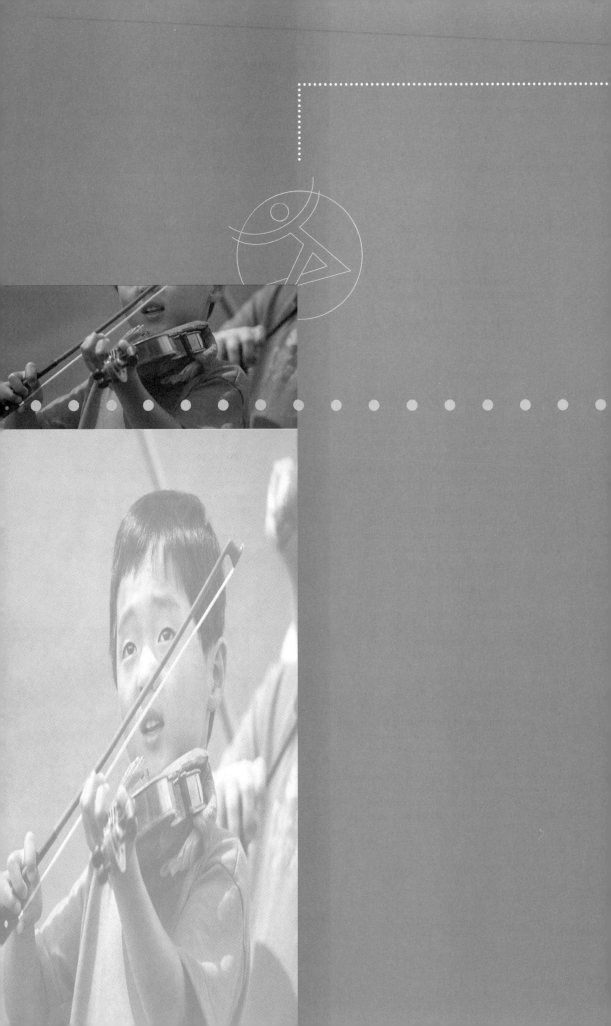

DOMAINE
la **C**ulture

■ Tout être humain ressent le besoin de connaître ses origines, de s'inscrire dans une tradition et dans une histoire, d'exprimer sa propre vision du monde et de la partager avec ses semblables et, surtout, de laisser un héritage qui témoigne de son passage sur la terre. Certaines personnes satisfont ce besoin en mettant à profit leur imagination et leur talent créateur. Que ce soit par l'écriture, les arts graphiques et visuels, l'expression théâtrale ou la musique, elles deviennent les porte-étendard de la culture qui anime leur société, la force vive de la croissance de tout un peuple.

Les personnes intéressées par le domaine de la Culture suivront des cours qui feront éclore leur créativité et leur imagination, comme le dessin, la musique, le théâtre, l'écriture, la représentation des idées, l'agencement des formes ou des couleurs. Ces matières leur permettront également d'exercer leurs habiletés manuelles, leur capacité d'expression et d'analyse, leur sens de la gestion et de la commercialisation.

Le domaine de la Culture regroupe huit familles de programmes : **Les arts d'expression**, **Les arts appliqués**, **La littérature**, **Les langues**, **La mode**, **Les arts d'impression**, **Les métiers d'art** et **La communication**.

5

DOMAINE
la Culture

FAMILLES

5.1 Les arts d'expression

Photo de famille ◄

La famille Les arts d'expression regroupe des activités qui se rapportent, pour la plupart, aux arts de la scène. Offrir une prestation en chant, en danse ou en théâtre, participer à des spectacles à titre d'accessoiriste ou de régisseur, enseigner l'art dramatique, organiser des expositions, faire de l'orchestration, réaliser des productions 2D ou 3D, tout cela fait partie des activités propres à ce domaine.

Les personnes intéressées par cette famille de programmes d'études et de carrières présentent un certain nombre de caractéristiques communes et relèvent des défis professionnels semblables.

- Elles manifestent de l'intérêt pour le travail de création et la liberté d'expression.

- Elles expriment leurs émotions et leurs sentiments à travers leur art.

- Elles aiment soumettre leur travail à l'appréciation du public et elles en ressentent même le besoin.

- Elles aiment consacrer de longues heures à la préparation ou à la répétition de spectacles.

- Elles utilisent très souvent leur corps pour s'exprimer à travers leurs œuvres.

- Elles travaillent principalement dans des salles de spectacle, sur la scène ou en coulisses, dans des studios d'enregistrement, des musées, des stations de télévision, des établissements d'enseignement ou dans leur propre atelier de création artistique ou musicale.

Depuis mon enfance, j'ai toujours aimé bricoler et dessiner. J'ai besoin d'exprimer ma créativité. J'aime beaucoup le changement et les tâches variées. Ce que je cherche avant tout, c'est que mon travail artistique révèle quelque chose qui vient de moi, mais aussi quelque chose de plus important que moi. Les arts d'expression nécessitent un engagement qui dépasse de beaucoup le besoin de travailler pour gagner sa vie. C'est bien plus fondamental que ça. Comme disait une collègue : « Mieux vaut en manger parce que, parfois, c'est tout ce qu'on a à manger! » La satisfaction vient vraiment du sens que je donne à mes réalisations, du plaisir d'inventer quelque chose à partir de ce que je suis.

Geneviève
Arts (interdisciplinaire)

Programmes d'études par ordres d'enseignement et secteurs de formation

Les programmes énumérés ci-dessous permettent d'exercer une profession ou un métier en relation avec la famille **Les arts d'expression**.

SECONDAIRE	COLLÉGIAL	UNIVERSITAIRE
Attestation de formation professionnelle (AFP)	**Diplôme d'études collégiales (DEC)**	**Diplôme de baccalauréat (Bac)**

Arts
• Aide en enregistrement audio
• Manœuvre de décors et d'événements
• Manœuvre de scène
	Arts
	• Arts du cirque
	• Danse-Interprétation :
	  - profil Danse classique
	  - profil Danse contemporaine
	• Interprétation théâtrale
	• Techniques professionnelles de musique et de chanson (Musique populaire) :
	  - profil Composition et arrangement
	  - profil Interprétation
	• Théâtre-Production :
	  - profil Décors et costumes
	  - profil Éclairage et techniques de scène
	  - profil Gestion et techniques de scène
		Arts
		• Art dramatique
		• Arts (interdisciplinaire)
		• Arts plastiques
		• Danse
		• Études cinématographiques
		• Musique
		
		Sciences de l'éducation
		• Éducation musicale
		• Enseignement de la danse
		• Enseignement du théâtre

Programmes apparentés

La liste des programmes apparentés est fournie à titre indicatif. Compte tenu de leurs objectifs principaux, ces programmes ont été classés dans d'autres familles, mais ils partagent néanmoins certains de leurs objectifs avec les programmes énumérés ci-dessus. Vous trouverez des renseignements sur ces programmes aux pages indiquées.

SECONDAIRE	COLLÉGIAL	UNIVERSITAIRE
Aucun programme	*Aucun programme*	*Diplôme de baccalauréat (Bac)* • *Enseignement au secondaire, page 130* • *Histoire de l'art, page 114*

Matières scolaires en relation avec la famille Les arts d'expression

(ordre d'enseignement secondaire)

- ■ Régime actuel
- ▲ Nouveau régime
- ● Éducation des adultes

	Régime actuel	Nouveau régime	Éducation des adultes
Anglais	■	▲	●
Art dramatique	■	▲	
Arts plastiques	■	▲	
Arts			●
Danse	■	▲	
Démocratie et culture au Québec			●
Éducation physique	■		●
Éducation physique et à la santé		▲	
Français	■	▲	●
Musique	■	▲	

Autoportrait ←

Découvrez le profil personnel des travailleurs de la famille **Les arts d'expression** et vérifiez si leurs caractéristiques correspondent à votre propre réalité.

PROFIL PERSONNEL COMMUN

Les travailleurs de la famille **Les arts d'expression** présentent des traits de personnalité, des goûts, des talents et des valeurs semblables.

Ils sont...
- expressifs et imaginatifs;
- extravertis;
- originaux et intuitifs;
- polyvalents.

Ils aiment...
- accomplir des tâches techniques exigeant de la créativité (comme la création de décors, la conception et l'installation d'éclairages appropriés, la réalisation de montages 3D);
- se produire ou travailler devant un public;
- suivre ou donner des cours en relation avec l'expression artistique (théâtre, danse, musique, arts plastiques);
- utiliser leur corps, leurs mains ou leur voix pour s'exprimer.

Ils ont...
- l'esprit critique;
- la capacité d'inventer ou d'interpréter des histoires, des scénarios, des chorégraphies et des musiques;
- la capacité d'utiliser la matière (bois, pierre, peinture, etc.) pour s'exprimer;
- la capacité de faire appel à leurs émotions pour créer;
- le désir et la capacité de séduire un public;
- le sens de l'esthétique.

Ils privilégient...
- l'autonomie au travail;
- l'expression personnelle;
- l'originalité;
- la recherche de la beauté et de l'harmonie;
- la reconnaissance du public.

Typologie de Holland – R I A S E C Z
Artistique • Social • Écologiste

L'ANALYSE DE VOS EXPÉRIENCES

Les indices d'orientation qui suivent vous permettront de vérifier, à partir de vos diverses expériences, dans quelle mesure les caractéristiques des travailleurs de la famille **Les arts d'expression** correspondent aux vôtres.

- Lisez attentivement les deux séries d'indices qui suivent et faites un crochet (√) vis-à-vis des énoncés qui s'appliquent ou pourraient s'appliquer à vous*.

- Comptez ensuite le nombre d'énoncés retenus et calculez le pourcentage.

- Le résultat obtenu vous donne des indications sur l'étendue de votre intérêt et de votre capacité à entreprendre un projet d'études relevant de la famille Les arts d'expression.

* Voir la remarque « Important », au n° 7 de la page 19.

Indices d'orientation tirés de mon expérience personnelle

1. ☐ J'aime me produire sur une scène.
2. ☐ J'adore le cinéma et je regarde plusieurs films par année.
3. ☐ J'apprécie une sortie au théâtre ou à un concert de musique.
4. ☐ Je me livre, à l'occasion, à une forme d'expression propre aux arts de la scène.
5. ☐ Je compose de la musique ou des chansons.
6. ☐ Je joue d'un instrument de musique.
7. ☐ Je fais du cinéma en amateur.
8. ☐ Je m'intéresse aux caméras vidéo.
9. ☐ Je fais partie d'une troupe de danse ou d'un groupe musical.
10. ☐ J'anime souvent la partie récréative lors des fêtes de famille ou des rencontres d'amis.
11. ☐ J'aime vivre dans un environnement où il y a des affiches ou des illustrations d'artistes.
12. ☐ Je visite régulièrement des expositions artistiques.
13. ☐ Je lis des revues et des livres spécialisés dans les arts d'expression.
14. ☐ J'écoute régulièrement de la musique.
15. ☐ Je présente souvent ma candidature à des concours en rapport avec mes capacités artistiques (chant, dessin, musique).
16. ☐ Je rêve de réaliser un jour mes propres œuvres.
17. ☐ J'aime me tenir en forme et j'excelle dans l'une ou l'autre forme d'expression liée aux arts du cirque (acrobatie, jonglerie, magie).

Indices d'orientation tirés de mon expérience scolaire et occupationnelle

18. ☐ J'aime suivre des cours (dans le milieu scolaire ou en dehors de celui-ci) en rapport avec les arts d'expression (théâtre, danse, arts plastiques, musique).
19. ☐ Je fais partie d'un groupe d'improvisation.
20. ☐ Je participe à l'organisation d'activités en rapport avec les arts d'expression dans le cadre d'événements ou de semaines thématiques (ex. : comité des spectacles).
21. ☐ Je fréquente des ateliers d'écriture ou d'interprétation musicales, de danse, de théâtre ou de cinéma.
22. ☐ Je fais partie d'une troupe de théâtre amateur.
23. ☐ Je fais partie d'un « band », d'un ensemble musical ou d'une chorale.
24. ☐ J'aime collaborer à la production de spectacles (scénarisation, éclairage, sonorisation, décors, etc.).
25. ☐ J'aime assister à des spectacles de toutes sortes.
26. ☐ Je m'occupe d'une disco mobile.

Résultat : _____ énoncés sur 26 = _____ %

Projet professionnel

VOS ATTENTES PAR RAPPORT À VOTRE FUTUR TRAVAIL

La série d'énoncés qui suit se rapporte aux exigences auxquelles doivent se soumettre les travailleurs de la famille **Les arts d'expression**. Seriez-vous prêt ou prête à accepter ces exigences pour vous-même?

• **Lisez attentivement chaque énoncé et faites un crochet (√) vis-à-vis de ceux qui correspondent à vos attentes par rapport à votre futur travail.**

Exigences liées à mon futur travail

☐ Accepter d'avoir un horaire irrégulier et de devoir me déplacer fréquemment.

☐ Accepter que mon travail soit soumis à l'appréciation d'un public.

☐ Consacrer de longues heures à la répétition ou à la préparation.

☐ Être en mesure de supporter le stress qui accompagne le travail de création ou d'interprétation.

☐ Maintenir une bonne forme physique (souplesse, coordination des mouvements et résistance à l'effort).

☐ Me soumettre à une forme de discipline mentale et physique régulière.

☐ Pratiquer mon art dans des salles de spectacles ou dans des ateliers en présence d'un public.

VOS PRÉFÉRENCES PROFESSIONNELLES

La prochaine étape introduit une réflexion sur vos préférences professionnelles. Les énoncés proposés correspondent à des fonctions de travail propres à la famille **Les arts d'expression**.

• **Lisez attentivement les huit fonctions de travail suivantes.**

• **Numérotez, selon vos préférences, les trois ou quatre fonctions les plus significatives pour vous, le chiffre 1 indiquant la fonction la plus intéressante à vos yeux.**

• **Reportez ensuite les chiffres correspondant à vos préférences dans l'espace « Mes préférences » du tableau de la page suivante.**

Fonctions de travail

☐ **Analyse culturelle** : Jouer un rôle de conseiller, de conseillère ou de critique dans un domaine culturel.

☐ **Communication** : S'exprimer devant un petit groupe ou devant un large public.

☐ **Coopération** : Travailler en équipe et interagir avec d'autres personnes.

☐ **Création** : Créer des objets, des formes, des textures ou des concepts.

☐ **Création/Fabrication** : Concevoir et produire quelque chose qui soit beau, esthétique et harmonieux.

☐ **Manipulation** : Manipuler des appareils, des outils ou des instruments.

☐ **Recherche** : S'interroger, explorer, expérimenter, afin d'innover et de faire progresser son domaine d'activités.

☐ **Travail physique** : Accomplir des tâches nécessitant de la force ou des capacités physiques.

PROGRAMMES D'ÉTUDES ET FONCTIONS DE TRAVAIL

Le tableau qui suit présente, dans l'ordre, les programmes offerts au secondaire, au collégial et au premier cycle universitaire.

- Recherchez, pour les fonctions de travail retenues, les programmes d'études signalés par les points et prenez note de ceux qui vous intéressent particulièrement.

Exemple : Si vous avez une préférence pour la fonction de travail « Manipulation », vous noterez que le programme universitaire *Arts plastiques* (Bac) accorde une grande importance à cette fonction, alors qu'elle a peu d'importance pour le programme collégial *Danse-Interprétation, profil Danse classique* (DEC).

Pour faciliter la consultation du tableau

Vous pourriez :
- surligner les colonnes verticales correspondant à vos fonctions de travail préférées;
- prendre connaissance des programmes signalés par des points dans les colonnes retenues et surligner ceux qui vous intéressent particulièrement.

Pour comprendre l'organisation de ce tableau, consultez le premier encadré, page 19.

MES PRÉFÉRENCES

PROGRAMMES — **FONCTIONS DE TRAVAIL**

- Faible importance
- •• Moyenne importance
- ••• Grande importance

PROGRAMMES	ANALYSE CULTURELLE	COMMUNICATION	COOPÉRATION	CRÉATION	CRÉATION/ FABRICATION	MANIPULATION	RECHERCHE	TRAVAIL PHYSIQUE
Secondaire (AFP)								
▶ **Arts**								
7116 Aide en enregistrement audio	•		•	•		•••		
7116 Manœuvre de décors et d'événements	•			•		•••		••
7116 Manœuvre de scène	•			•		•••		••
Collégial (DEC)								
▶ **Arts**								
561.08 Arts du cirque	•••	•••	•	•••	•••	•••	•••	•••
561.B0 Danse-Interprétation, profil Danse classique	•••	•••	•	•••	•••	•	••	•••
561.B0 Danse-Interprétation, profil Danse contemporaine	•••	•••	•	•••	•••	•••	••	•••
561.C0 Interprétation théâtrale	•••	•••	•	•••	•••	•	••	••
551.A0 Techniques professionnelles de musique et chanson (Musique populaire), profil Composition et arrangement	•••	•••	••	•••	•••	•••		••
551.A0 Techniques professionnelles de musique et chanson (Musique populaire), profil Interprétation	•••	•••	••	•••	•••	•••	•••	••
561.A0 Théâtre-Production, profil Décors et costumes	•••		•	•••	••	•••		•
561.A0 Théâtre-Production, profil Éclairage et techniques de scène	•••		•	•••	••		•••	•
561.A0 Théâtre-Production, profil Gestion de techniques de scène	•••		•	•••	••		•••	•
Universitaire (Bac) [1]								
▶ **Beaux-arts et arts appliqués**								
15907* Art dramatique	•••	•••	•	••	••	•••	•••	••
15909* Arts (interdisciplinaire)	•••	•	••	•••	•••	•••	•••	
15902* Arts plastiques	•••	•	••	•••	•••	•••	•••	
15908* Danse	•••	•••		•••	•••		••	•••
15910* Études cinématographiques	•••	•••	••	•••	•••		•••	
15905* Musique	•••	•••	••	•••	•••		•••	••
▶ **Sciences de l'éducation**								
15705* Éducation musicale	•••	•••	•••	•••	•••	•••	•••	
17505* Enseignement de la danse	•••	•••	•••	•••	•••	••	•••	••
15705* Enseignement du théâtre	•••	•••	•••	•••	•••	••	•••	•

1. Pour accéder à l'information sur le site www.reperes.qc.ca, il faut obligatoirement ajouter l'astérisque (*) à la suite du numéro d'identification du programme.

PROFESSIONS ET MÉTIERS EN RELATION AVEC LES PROGRAMMES D'ÉTUDES

Cette section comprend la liste des professions et des métiers en relation avec chacun des programmes d'études énumérés dans le tableau précédent, sauf ceux qui correspondent aux programmes conduisant à l'obtention d'une attestation de formation professionnelle (AFP).

Dans ce cas particulier, les titres des métiers étant identiques à ceux des programmes, nous avons jugé inutile de répéter cette information dans la présente section.

Pour comprendre l'organisation de cette section, consultez le second encadré, page 19.

CLÉO	PROGRAMMES ET MÉTIERS

COLLÉGIAL (DEC)

ARTS

Arts du cirque
625.08	Magicien
625.09	Jongleur
625.10	Clown
625.11	Trapéziste
625.12	Équilibriste
625.13	Échassier
625.14	Acrobate
625.15	Contorsionniste
625.17	Dompteur
625.18	Cracheur de feu

Danse-Interprétation
623.02	Professeur de danse
623.03	Danseur

Interprétation théâtrale
611.38	Professeur d'art dramatique
625.01	Acteur
625.05	Mime

Techniques professionnelles de musique et chanson (Musique populaire)
622.05	Auteur-compositeur-interprète
622.10	Chanteur populaire
622.12	Musicien populaire

Théâtre-Production
—	Technicien de production (télévision)
624.11	Régisseur
624.31	Concepteur de décors
624.34	Chef accessoiriste
624.52	Éclairagiste

UNIVERSITAIRE (BAC)

ARTS

Art dramatique
—	Directeur technique (cinéma, radio, télé, théâtre)
611.38	Professeur d'art dramatique
621.02	Auteur dramatique
624.03	Producteur
624.07	Metteur en scène de théâtre
624.11	Régisseur
624.12	Directeur artistique
624.19	Narrateur
625.01	Acteur
713.06	Critique d'art

Arts (interdisciplinaire)
611.07	Professeur d'arts plastiques
624.31	Concepteur de décors
624.33	Peintre-scénographe

626.01	Artiste peintre
626.07	Graveur d'art
626.10	Dessinateur d'animation 2D
626.33	Décorateur-ensemblier
626.35	Concepteur-designer d'expositions

Arts plastiques
624.31	Concepteur de décors
626.01	Artiste peintre
626.07	Graveur d'art
626.08	Caricaturiste
626.09	Bédéiste
626.10	Dessinateur d'animation 2D
626.17	Sculpteur
626.35	Concepteur-designer d'expositions

Danse
623.01	Chorégraphe
623.02	Professeur de danse
623.03	Danseur

Études cinématographiques
624.02	Scénariste-dialoguiste
624.03	Producteur
624.04	Directeur de production (cinéma, télévision)
624.05	Directeur de la distribution
624.08	Réalisateur
624.11	Régisseur
624.12	Directeur artistique
624.13	Directeur de la photographie
624.15	Directeur technique de productions artistiques
624.61	Monteur de films
713.06	Critique d'art

Musique
524.08	Musicothérapeute
611.08	Professeur de musique
622.01	Compositeur
622.02	Orchestrateur
622.03	Arrangeur de musique
622.04	Chef d'orchestre
622.05	Auteur-compositeur-interprète
622.06	Musicien
622.07	Instrumentiste
622.08	Chanteur de concert
622.09	Choriste
622.11	Professeur de chant
631.06	Musicologue
713.06	Critique d'art

SCIENCES DE L'ÉDUCATION

Enseignement de la danse
623.02	Professeur de danse

Enseignement du théâtre
611.38	Professeur d'art dramatique

Éducation musicale
611.08	Professeur de musique

5.2 Les arts appliqués

Photo de famille

La famille Les arts appliqués regroupe des activités qui font appel à la créativité et à la dextérité manuelle. On trouve aussi dans cette famille les services en rapport avec les soins esthétiques. Faire de la photographie, créer des décors, concevoir des expositions, réaliser des produits d'animation 3D, des caricatures ou des bandes dessinées, agir à titre de conseiller ou de conseillère en matière de coiffure ou de maquillage, tout cela fait partie des activités propres à cette famille.

Les personnes intéressées par cette famille de programmes d'études et de carrières présentent un certain nombre de caractéristiques communes et relèvent des défis professionnels semblables.

- Elles réalisent des œuvres ou des projets mettant à contribution leur créativité et leur dextérité.

- Elles sont soucieuses de l'effet visuel de leur production.

- Elles doivent adapter leur capacité créatrice aux besoins exprimés par leurs clients.

- Elles réalisent, à partir de matériaux divers ou à l'aide de l'ordinateur, des produits ou des images à la fois esthétiques et utilitaires.

- Elles travaillent habituellement dans des agences de publicité, des studios de décoration, des bureaux de design privés, des musées, des studios de photographie, des salons de coiffure et d'esthétique ou dans l'industrie du multimédia.

J'ai choisi mon programme un peu sur un coup de tête. Ma sœur plus âgée m'a fait remarquer mon intérêt pour les bandes dessinées. Je trouvais le programme Dessin animé original et différent des autres formations. On n'a qu'à voir mon prénom pour savoir que j'aime la différence! Je suis allée visiter l'école et hop! je me suis inscrite. Tout s'est passé très, très vite. Je n'ai jamais regretté mon choix car je suis vraiment à ma place ici; ça me convient sur bien des points.

Yasmée
Dessin animé

Programmes d'études par ordres d'enseignement et secteurs de formation

Les programmes énumérés ci-dessous permettent d'exercer une profession ou un métier en relation avec la famille **Les arts appliqués**.

SECONDAIRE	COLLÉGIAL	UNIVERSITAIRE
Attestation de formation professionnelle (AFP)	**Diplôme d'études collégiales (DEC)**	**Diplôme de baccalauréat (Bac)**
Arts • Aide-décorateur • Préposé au développement de photos	**Arts** • Design d'intérieur • Design de présentation • Dessin animé • Photographie • Techniques de design industriel	**Arts** • Communication graphique **Sciences appliquées** • Design industriel **Sciences de l'éducation** • Enseignement des arts plastiques
Diplôme d'études professionnelles (DEP)		
Arts • Décoration intérieure et étalage • Photographie		
Soins esthétiques • Coiffure • Esthétique		

Programmes apparentés

La liste des programmes apparentés est fournie à titre indicatif. Compte tenu de leurs objectifs principaux, ces programmes ont été classés dans d'autres familles, mais ils partagent néanmoins certains de leurs objectifs avec les programmes énumérés ci-dessus. Vous trouverez des renseignements sur ces programmes aux pages indiquées.

SECONDAIRE

Diplôme d'études professionnelles (AFP)
• *Aide-fleuriste, page 50*
• *Commis dans un magasin de tissu et de services de couture, pages 156 et 216*
• *Manœuvre en aménagement paysager, page 50*
• *Ouvrier en fabrication d'objets décoratifs, page 232*
• *Préposé au développement de photos, pages 156 et 192*

Diplôme d'études professionnelles (DEP)
• *Cuisine d'établissement, page 156*
• *Dessin de bâtiment, page 94*
• *Dessin industriel, page 75*
• *Fleuristerie, page 50*
• *Horticulture ornementale, page 50*

• *Pâtisserie, page 156*
• *Peinture en bâtiment, page 94*
• *Réalisation d'aménagements paysagers, page 50*

COLLÉGIAL

Diplôme d'études collégiales (DEC)
• *Animation 3D et synthèse d'images, page 240*
• *Techniques d'aménagement et d'urbanisme, page 94*
• *Techniques d'architecture navale, page 75*
• *Techniques de muséologie, page 114*
• *Techniques des métiers d'art, page 232*
• *Techniques du meuble et de l'ébénisterie, page 76*
• *Technologie de l'architecture, page 94*

• *Technologie de l'estimation et de l'évaluation du bâtiment, page 94*
• *Technologie de la géomatique, page 94*
• *Technologie de la mécanique du bâtiment, page 94*
• *Technologie du génie civil, page 94*

UNIVERSITAIRE

Diplôme de baccalauréat (Bac)
• *Architecture, page 94*
• *Architecture de paysage, page 94*
• *Arts plastiques, pages 184 et 232*
• *Design de l'environnement, page 94*
• *Urbanisme, page 94*

Matières scolaires en relation avec la famille Les arts appliqués

(ordre d'enseignement secondaire)

- ■ Régime actuel
- ▲ Nouveau régime
- ● Éducation des adultes

Arts			●
Arts plastiques	■	▲	
Démocratie et culture au Québec			●
Science et technologie		▲	

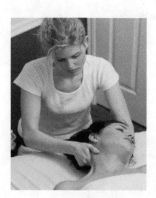

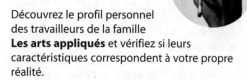

Autoportrait

Découvrez le profil personnel des travailleurs de la famille **Les arts appliqués** et vérifiez si leurs caractéristiques correspondent à votre propre réalité.

PROFIL PERSONNEL COMMUN

Les travailleurs de la famille **Les arts appliqués** présentent des traits de personnalité, des goûts, des talents et des valeurs semblables.

Ils sont…
- créatifs et originaux;
- curieux;
- passionnés et autonomes;
- polyvalents;
- rigoureux;
- sensibles et attentifs aux goûts exprimés par leurs clients.

Ils aiment…
- dessiner;
- réaliser des maquettes;
- réaliser des projets relevant des arts plastiques;
- se servir de leur imagination pour créer des environnements ou agencer des matériaux ou des éléments disparates;
- travailler manuellement.

Ils ont…
- de la facilité à communiquer avec leurs clients;
- des aptitudes pour s'exprimer à l'aide de différents matériaux comme le bois, la pierre ou la peinture;
- du talent pour agencer les couleurs et les formes;
- la capacité de travailler avec des instruments ou des outils qui exigent de la précision et de la minutie;
- le sens des affaires.

Ils privilégient…
- l'originalité et la créativité;
- la recherche de l'esthétique;
- la satisfaction du client;
- le non-conformisme et la liberté;
- les défis et l'innovation.

Typologie de Holland – R I A S E C Z
Artistique • Investigateur • Réaliste

L'ANALYSE DE VOS EXPÉRIENCES

Les indices d'orientation qui suivent vous permettront de vérifier, à partir de vos diverses expériences, dans quelle mesure les caractéristiques des travailleurs de la famille **Les arts appliqués** correspondent aux vôtres.

- Lisez attentivement les deux séries d'indices qui suivent et faites un crochet (√) vis-à-vis des énoncés qui s'appliquent ou pourraient s'appliquer à vous*.

- Comptez ensuite le nombre d'énoncés retenus et calculez le pourcentage.

- Le résultat obtenu vous donne des indications sur l'étendue de votre intérêt et de votre capacité à entreprendre un projet d'études relevant de la famille Les arts appliqués.

* Voir la remarque « Important », au n° 7 de la page 19.

Indices d'orientation tirés de mon expérience personnelle

1. ☐ J'aime visiter des musées.
2. ☐ J'aime visiter des galeries d'art et aller voir des expositions de photographies, de peintures, de sculptures, etc.
3. ☐ J'aime que mon environnement physique soit bien décoré.
4. ☐ Je fais de la photographie.
5. ☐ Je suis des cours de dessin ou de peinture.
6. ☐ Je suis sensible à l'aspect esthétique des choses (illustrations d'un livre, ameublement d'une pièce, agencement des objets et des couleurs, etc.).
7. ☐ J'aime utiliser un ordinateur.
8. ☐ Je développe mes photos.
9. ☐ Je suis quelqu'un qui dessine beaucoup dans ses temps libres.
10. ☐ Je fais souvent des esquisses de plans de maison.
11. ☐ J'éprouve du plaisir à monter des modèles réduits.
12. ☐ J'aime lire des revues et des livres consacrés à la décoration ou aux arts en général.
13. ☐ J'aime visiter les boutiques de décoration et faire du lèche-vitrine.

Indices d'orientation tirés de mon expérience scolaire et occupationnelle

14. ☐ J'aime les cours d'arts plastiques, de photographie, d'histoire de l'art, de communication visuelle ou de cinéma.
15. ☐ J'ai illustré l'album des finissants ou d'autres productions en relation avec les activités scolaires.
16. ☐ J'ai participé à des ateliers de décoration.
17. ☐ Je suis une personne à qui l'on demande souvent de concevoir des affiches ou de faire des maquettes.
18. ☐ Je travaille à temps partiel dans une boutique de décoration, un magasin d'ameublement, un service de photographie ou un salon d'esthétique.
19. ☐ Je fais partie d'un club de photo ou de vidéo.
20. ☐ J'ai appris à connaître et à utiliser des logiciels de dessin ou de présentation visuelle de documents.
21. ☐ J'aime conseiller les gens en ce qui a trait à leur apparence physique.

Résultat : _____ **énoncés sur 21 =** _____ **%**

Projet professionnel

VOS ATTENTES PAR RAPPORT À VOTRE FUTUR TRAVAIL

La série d'énoncés qui suit se rapporte aux exigences auxquelles doivent se soumettre les travailleurs de la famille **Les arts appliqués**. Seriez-vous prêt ou prête à accepter ces exigences pour vous-même?

- **Lisez attentivement chaque énoncé et faites un crochet (√) vis-à-vis de ceux qui correspondent à vos attentes par rapport à votre futur travail.**

Exigences liées à mon futur travail

- ☐ Adapter mes capacités de création aux goûts de mes clients.
- ☐ Assurer la bonne marche d'une entreprise commerciale.
- ☐ Avoir une bonne résistance au stress.
- ☐ Être capable de respecter des échéanciers serrés.
- ☐ Faire usage d'outils informatisés.
- ☐ Produire des objets ou des images à la fois esthétiques et utilitaires.
- ☐ Réaliser des œuvres ou des projets concrets requérant de la créativité et de la dextérité.
- ☐ Savoir concilier aspect esthétique et aspect pratique.

VOS PRÉFÉRENCES PROFESSIONNELLES

La prochaine étape introduit une réflexion sur vos préférences professionnelles. Les énoncés proposés correspondent à des fonctions de travail propres à la famille **Les arts appliqués**.

- **Lisez attentivement les neuf fonctions de travail suivantes.**

- **Numérotez, selon vos préférences, les trois ou quatre fonctions les plus significatives pour vous, le chiffre 1 indiquant la fonction la plus intéressante à vos yeux.**

- **Reportez ensuite les chiffres correspondant à vos préférences dans l'espace « Mes préférences » du tableau de la page suivante.**

Fonctions de travail

☐ **Aménagement/Design** : Aménager des espaces physiques ou agencer des formes et des objets dans un but pratique ou esthétique.

☐ **Coopération** : Travailler en équipe et interagir avec d'autres personnes.

☐ **Création** : Créer des objets, des formes, des textures ou des concepts.

☐ **Création/Fabrication** : Concevoir et produire quelque chose qui soit beau, esthétique et harmonieux.

☐ **Fabrication industrielle** : Fabriquer des objets et assembler des matériaux.

☐ **Gestion des affaires** : Gérer un projet commercial ou industriel.

☐ **Manipulation** : Manipuler des appareils, des outils ou des instruments.

☐ **Recherche** : S'interroger, explorer, expérimenter, afin d'innover et de faire progresser son domaine d'activités.

☐ **Vente/Marketing** : Persuader des personnes d'adopter une idée ou un produit.

PROGRAMMES D'ÉTUDES ET FONCTIONS DE TRAVAIL

Le tableau qui suit présente, dans l'ordre, les programmes offerts au secondaire, au collégial et au premier cycle universitaire.

- **Recherchez, pour les fonctions de travail retenues, les programmes d'études signalés par les points et prenez note de ceux qui vous intéressent particulièrement.**

Exemple : Si vous avez une préférence pour la fonction de travail « Création », vous noterez que le programme collégial *Photographie* (DEC) accorde une grande importance à cette fonction, alors qu'elle en a peu pour le programme *Aide-décorateur* (AFP).

Pour faciliter la consultation du tableau

Vous pourriez :
- surligner les colonnes verticales correspondant à vos fonctions de travail préférées;
- prendre connaissance des programmes signalés par des points dans les colonnes retenues et surligner ceux qui vous intéressent particulièrement.

Pour comprendre l'organisation de ce tableau, consultez le premier encadré, page 19.

MES PRÉFÉRENCES									
PROGRAMMES	**FONCTIONS DE TRAVAIL**								
• Faible importance •• Moyenne importance ••• Grande importance	AMÉNAGEMENT/ DESIGN	COOPÉRATION	CRÉATION	CRÉATION/ FABRICATION	FABRICATION INDUSTRIELLE	GESTION DES AFFAIRES	MANIPULATION	RECHERCHE	VENTE/ MARKETING
Secondaire (AFP)									
▸ **Arts**									
7209 Aide-décorateur	••		•	••	••		••		
7158 Préposé au développement de photos	•		•	••			••		
Secondaire (DEP)									
▸ **Arts**									
5005 Décoration intérieure et étalage	•••	•	•••	•••	••	••	•••		••
5013 Photographie	••	•	•••	•••	••	••	•••		••
▸ **Soins esthétiques**									
5245 Coiffure	••	••	••	•••	••	•••	•••		••
5035 Esthétique	••	••		•••	••		•••		••
Collégial (DEC)									
▸ **Arts**									
570.03 Design d'intérieur	•••	••	•••	•••	••	•••	•••	••	•••
570.02 Design de présentation	•••	••	•••	•••	••	•••	•••	••	•••
570.18 Dessin animé	•••	•	•••	•••	••	•••	•••	••	•
570.04 Photographie	•••	••	•••	•••	••	•••	••	••	•••
570.07 Techniques de design industriel	•••	••	•••	•••	••	•••	•••	•••	••
Universitaire (Bac) [1]									
▸ **Arts**									
159.71* Communication graphique	•••	••	•••	•••	••	•••	•••	•••	••
▸ **Sciences appliquées**									
153.37* Design industriel	•••	•	•••	•••	••	•••	•••	•••	••
▸ **Sciences de l'éducation**									
15705* Enseignement des arts plastiques	•••	•••	•••	•••		•	•••	•••	••

1. Pour accéder à l'information sur le site www.reperes.qc.ca, il faut obligatoirement ajouter l'astérisque (*) à la suite du numéro d'identification du programme.

PROFESSIONS ET MÉTIERS EN RELATION AVEC LES PROGRAMMES D'ÉTUDES

Cette section comprend la liste des professions et des métiers en relation avec chacun des programmes d'études énumérés dans le tableau précédent, sauf ceux qui correspondent aux programmes conduisant à l'obtention d'une attestation de formation professionnelle (AFP).

Dans ce cas particulier, les titres des métiers étant identiques à ceux des programmes, nous avons jugé inutile de répéter cette information dans la présente section.

Pour comprendre l'organisation de cette section, consultez le second encadré, page 19.

CLÉO	PROGRAMMES ET MÉTIERS

SECONDAIRE (DEP)

ARTS

Décoration intérieure et étalage
626.34	Aide technique en aménagement d'intérieur
626.37	Décorateur-étalagiste
626.38	Étalagiste

Photographie
—	Photographe scientifique
432.26	Commis-vendeur de matériel photographique
626.15	Photographe
626.16	Photographe-portraitiste

SOINS ESTHÉTIQUES

Coiffure
516.07	Coiffeur

Esthétique
516.09	Esthéticien
516.12	Manucure
516.13	Conseiller en couleurs
624.38	Maquilleur-coiffeur

COLLÉGIAL (DEC)

ARTS

Design d'intérieur
232.49	Spécialiste d'aménagement intérieur des avions
236.01	Dessinateur-modéliste de meubles
626.33	Décorateur-ensemblier

Design de présentation
624.31	Concepteur de décors
624.32	Chef constructeur de décors
624.34	Chef accessoiriste
626.35	Concepteur-designer d'expositions
626.36	Technicien en design de présentation
626.39	Maquettiste

Dessin animé
626.09	Bédéiste
722.08	Designer visuel en multimédia

Photographie
—	Photographe scientifique
235.04	Technicien de laboratoire photographique
626.15	Photographe
626.16	Photographe-portraitiste
711.07	Photographe publicitaire
711.08	Dessinateur de publicité
711.10	Photographe de mode
713.08	Photographe de presse

Techniques de design industriel
626.32	Technicien en design industriel

UNIVERSITAIRE (BAC)

ARTS

Communication graphique
626.02	Illustrateur
626.04	Graphiste
626.05	Infographiste
626.07	Graveur d'art
626.08	Caricaturiste
626.09	Bédéiste
626.10	Dessinateur d'animation 2D
626.11	Concepteur d'animation 3D
626.12	Héraldiste
626.33	Décorateur-ensemblier
626.35	Concepteur-designer d'expositions

SCIENCES APPLIQUÉES

Design industriel
626.31	Designer industriel

SCIENCES DE L'ÉDUCATION

Enseignement des arts plastiques
611.07	Professeur d'arts plastiques

Photo de famille

La famille La littérature regroupe des activités en rapport avec le monde littéraire d'ici et d'ailleurs. Concevoir des textes et les rédiger, faire de l'analyse ou de la critique littéraires et offrir des services de révision ou de correction de textes font partie des activités propres à cette famille.

Les personnes intéressées par cette famille de programmes d'études et de carrières présentent un certain nombre de caractéristiques communes et relèvent des défis professionnels semblables.

- Elles partagent la passion de l'écriture, des lettres et des langues.

- Elles s'intéressent à la compréhension et à la vulgarisation d'œuvres littéraires.

- Elles ont un regard critique sur la vie, les événements, l'actualité, les modes de pensée et d'expression des gens.

- Elles s'occupent de projets qui ont une portée pluriculturelle.

- Elles travaillent pour des maisons d'édition, des organismes gouvernementaux, des établissements d'enseignement, des agences de publicité ou des maisons de production cinématographique.

J'ai passé mon enfance et mon adolescence à lire. J'étais très calme et très discret. Même par de belles journées ensoleillées, j'aimais m'enfermer dans ma chambre pour lire un livre d'une couverture à l'autre. Je ne pensais pas que mon intérêt pour la lecture et pour la littérature me permettrait un jour de gagner ma vie. Comme j'ai toujours eu le sens de l'autonomie et des responsabilités, passer des heures à chercher, à lire et à travailler par moi-même, cela n'a rien de nouveau pour moi. Je le faisais déjà quand j'étais au primaire!

Marc-André
Études françaises

Programmes d'études par ordres d'enseignement et secteurs de formation

Les programmes énumérés ci-dessous permettent d'exercer une profession ou un métier en relation avec la famille **La littérature**.

SECONDAIRE	COLLÉGIAL	UNIVERSITAIRE
Aucun programme	Aucun programme	**Diplôme de baccalauréat (Bac)** **Lettres** • Études allemandes • Études anglaises • Études françaises • Études hispaniques • Études littéraires **Sciences humaines** • Études anciennes (grecques ou latines)

Programmes apparentés

La liste des programmes apparentés est fournie à titre indicatif. Compte tenu de leurs objectifs principaux, ces programmes ont été classés dans d'autres familles, mais ils partagent néanmoins certains de leurs objectifs avec les programmes énumérés ci-dessus. Vous trouverez des renseignements sur ces programmes aux pages indiquées.

SECONDAIRE	COLLÉGIAL	UNIVERSITAIRE
Aucun programme	*Aucun programme*	*Diplôme de baccalauréat (Bac)* • *Communication, page 240* • *Enseignement au secondaire, page 130*

Matières scolaires en relation avec la famille La littérature

(ordre d'enseignement secondaire)

■　Régime actuel
▲　Nouveau régime
●　Éducation des adultes

Anglais	■	▲	●
Art dramatique	■	▲	
Espagnol et autres langues	■	▲	●
Démocratie et culture au Québec			●
Français	■	▲	●

Autoportrait

Découvrez le profil personnel des travailleurs de la famille **La littérature** et vérifiez si leurs caractéristiques correspondent à votre propre réalité.

PROFIL PERSONNEL COMMUN

Les travailleurs de la famille **La littérature** présentent des traits de personnalité, des goûts, des talents et des valeurs semblables.

Ils sont...
• créatifs et originaux;
• d'une grande curiosité intellectuelle;
• imaginatifs;
• rigoureux et disciplinés.

Ils aiment...
• découvrir et comprendre d'autres cultures par les œuvres littéraires qu'elles ont produites;
• lire et écrire;
• partager leur connaissance des autres cultures avec leurs pairs ou dans le cadre d'activités d'enseignement.

Ils ont...
• de la facilité à apprendre d'autres langues;
• des aptitudes pour créer des personnages et inventer des histoires;
• la capacité de comprendre des textes littéraires;
• un bon sens de l'analyse et de l'observation;
• une grande facilité d'expression;
• une grande ouverture d'esprit.

Ils privilégient...
• l'autonomie;
• la créativité;
• la liberté d'expression;
• la rigueur intellectuelle;
• le respect de la diversité culturelle.

Typologie de Holland – R I A S E C Z
Investigateur • Artistique • Écologiste

L'ANALYSE DE VOS EXPÉRIENCES

Les indices d'orientation qui suivent vous permettront de vérifier, à partir de vos diverses expériences, dans quelle mesure les caractéristiques des travailleurs de la famille **La littérature** correspondent aux vôtres.

- Lisez attentivement les deux séries d'indices qui suivent et faites un crochet (√) vis-à-vis des énoncés qui s'appliquent ou pourraient s'appliquer à vous*.

- Comptez ensuite le nombre d'énoncés retenus et calculez le pourcentage.

- Le résultat obtenu vous donne des indications sur l'étendue de votre intérêt et de votre capacité à entreprendre un projet d'études relevant de la famille La littérature.

* Voir la remarque « Important », au n° 7 de la page 19.

Indices d'orientation tirés de mon expérience personnelle

1. ☐ Je lis beaucoup dans mes moments libres.
2. ☐ J'aime assister à des soirées de poésie.
3. ☐ Je m'intéresse à la vie des romanciers et des écrivains.
4. ☐ J'écris beaucoup dans mes temps libres.
5. ☐ J'accorde une attention particulière à la qualité de mon français.
6. ☐ Je m'exprime relativement bien et on me demande souvent de parler au nom d'autres personnes.
7. ☐ Je corresponds avec des gens d'un peu partout dans le monde.
8. ☐ Je possède une bibliothèque bien garnie.
9. ☐ J'adore bouquiner dans les bibliothèques et les librairies.
10. ☐ J'aime jouer à des jeux faisant appel à la connaissance de la langue (ex. : mots croisés, scrabble).
11. ☐ J'ai tendance à mettre les choses par écrit quand je vis des émotions fortes ou que la nature m'inspire.
12. ☐ J'utilise régulièrement l'ordinateur pour composer mes textes et je navigue dans l'Internet.
13. ☐ J'aime regarder les émissions culturelles à la télévision.
14. ☐ Je corresponds, au moyen d'Internet, avec des personnes s'exprimant dans une autre langue.

Indices d'orientation tirés de mon expérience scolaire et occupationnelle

15. ☐ J'aime les cours de français, d'expression orale ou écrite, de philosophie, de langues ou d'autres cours de même nature.
16. ☐ J'aime assister à des rencontres littéraires (cercles littéraires).
17. ☐ J'aime participer à des concours littéraires.
18. ☐ J'aime les examens ou les exercices qui portent sur la compréhension de textes.
19. ☐ J'aime travailler à des productions écrites en classe de français.
20. ☐ Je participe à la rédaction du journal étudiant.
21. ☐ Je participe activement aux activités organisées dans le cadre des semaines thématiques du français.
22. ☐ Je suis toujours volontaire pour aider les étudiants éprouvant des difficultés en français.

Résultat : _____ énoncés sur 22 = _____ %

Projet professionnel

VOS ATTENTES PAR RAPPORT À VOTRE FUTUR TRAVAIL

La série d'énoncés qui suit se rapporte aux exigences auxquelles doivent se soumettre les travailleurs de la famille **La littérature**. Seriez-vous prêt ou prête à accepter ces exigences pour vous-même?

• **Lisez attentivement chaque énoncé et faites un crochet (√) vis-à-vis de ceux qui correspondent à vos attentes par rapport à votre futur travail.**

Exigences liées à mon futur travail

☐ Accomplir un travail de nature plutôt solitaire.

☐ Accomplir un travail intellectuel dans lequel l'expression orale ou écrite occupe une grande place.

☐ Collaborer avec d'autres professionnels, particulièrement si mes textes sont transposés pour le théâtre, le cinéma ou la télévision ou si on fait appel à mes compétences.

☐ Être capable d'utiliser l'ordinateur comme principal outil de travail.

☐ Faire un travail sédentaire, c'est-à-dire qui nécessite peu d'efforts ou d'exercices physiques.

☐ Tenir mes connaissances à jour en fréquentant régulièrement des bibliothèques, des librairies, des salons du livre ou d'autres lieux du même genre.

☐ Travailler dans un environnement plutôt «feutré», parfois même en silence.

☐ Trouver régulièrement l'inspiration nécessaire pour créer des textes, des personnages ou des histoires.

☐ Voyager pour connaître d'autres cultures.

VOS PRÉFÉRENCES PROFESSIONNELLES

La prochaine étape introduit une réflexion sur vos préférences professionnelles. Les énoncés proposés correspondent à des fonctions de travail propres à la famille **La littérature**.

• **Lisez attentivement les six fonctions de travail suivantes.**

• **Numérotez, selon vos préférences, les trois ou quatre fonctions les plus significatives pour vous, le chiffre 1 indiquant la fonction la plus intéressante à vos yeux.**

• **Reportez ensuite les chiffres correspondant à vos préférences dans l'espace « Mes préférences » du tableau de la page suivante.**

Fonctions de travail

☐ **Analyse culturelle** : Jouer un rôle de conseiller, de conseillère ou de critique dans un domaine culturel.

☐ **Communication** : S'exprimer devant un petit groupe ou devant un large public.

☐ **Création** : Créer des objets, des formes, des textures ou des concepts.

☐ **Éducation/Enseignement** : Proposer des activités d'apprentissage individuelles ou collectives.

☐ **Information** : Avoir la responsabilité de transmettre des renseignements.

☐ **Recherche** : S'interroger, explorer, expérimenter, afin d'innover et de faire progresser son domaine d'activités.

PROGRAMMES D'ÉTUDES ET FONCTIONS DE TRAVAIL

Le tableau qui suit présente, dans l'ordre, les programmes offerts au secondaire, au collégial et au premier cycle universitaire.

• **Recherchez, pour les fonctions de travail retenues, les programmes d'études signalés par les points et prenez note de ceux qui vous intéressent particulièrement.**

Exemple : Si vous avez une préférence pour la fonction de travail « Analyse culturelle » vous noterez que tous les programmes de cette famille accordent une grande importance à cette fonction, alors que ces mêmes programmes accordent une moyenne importance à la fonction « Création ».

Pour faciliter la consultation du tableau

Vous pourriez :
– surligner les colonnes verticales correspondant à vos fonctions de travail préférées;
– prendre connaissance des programmes signalés par des points dans les colonnes retenues et surligner ceux qui vous intéressent particulièrement.

Pour comprendre l'organisation de ce tableau, consultez le premier encadré, page 19.

MES PRÉFÉRENCES						
PROGRAMMES	**FONCTIONS DE TRAVAIL**					
• Faible importance •• Moyenne importance ••• Grande importance	ANALYSE CULTURELLE	COMMUNICATION	CRÉATION	ÉDUCATION/ ENSEIGNEMENT	INFORMATION	RECHERCHE
Universitaire (Bac) [1]						
▶ **Lettres et langues**						
15499* Études allemandes	•••	•••	••	•••	•••	•••
15594* Études anglaises	•••	•••	••	•••	•••	•••
15595* Études françaises	•••	•••	••	•••	•••	•••
15500* Études hispaniques	•••	•••	••	•••	•••	•••
15590* Études littéraires	•••	•••	••	•••	•••	•••
▶ **Sciences humaines**						
15584* Études anciennes (grecques ou latines)	•••	•••	••	•••	•••	•••

1. Pour accéder à l'information sur le site www.reperes.qc.ca, il faut obligatoirement ajouter l'astérisque (*) à la suite du numéro d'identification du programme.

PROFESSIONS ET MÉTIERS EN RELATION AVEC LES PROGRAMMES D'ÉTUDES

Cette section comprend la liste des professions et des métiers en relation avec chacun des programmes d'études énumérés dans le tableau précédent, sauf ceux qui correspondent aux programmes conduisant à l'obtention d'une attestation de formation professionnelle (AFP).

Dans ce cas particulier, les titres des métiers étant identiques à ceux des programmes, nous avons jugé inutile de reprendre cette information dans la présente section.

Pour comprendre l'organisation de cette section, consultez le second encadré, page 19.

CLÉO	PROGRAMMES ET MÉTIERS

UNIVERSITAIRE (BAC)

LETTRES

Études allemandes
611.37	Professeur de langues modernes
621.03	Directeur littéraire
621.08	Traducteur
621.11	Interprète

Études anglaises
611.37	Professeur de langues modernes
621.03	Directeur littéraire
621.08	Traducteur
621.11	Interprète

Études françaises
621.01	Écrivain
621.03	Directeur littéraire
621.05	Réviseur
621.07	Lexicographe
624.02	Scénariste-dialoguiste

Études hispaniques
611.37	Professeur de langues modernes
621.03	Directeur littéraire
621.08	Traducteur
621.11	Interprète

Études littéraires
621.01	Écrivain
621.03	Directeur littéraire
621.04	Éditeur
621.10	Critique littéraire
624.02	Scénariste-dialoguiste

SCIENCES HUMAINES

Études anciennes (grecques ou latines)
631.01	Ethnologue
631.03	Archéologue
631.04	Historien

5.4 Les langues

Photo de famille

La famille Les langues regroupe des activités en relation avec l'apprentissage ou l'enseignement des langues. Faire de la traduction, offrir un service à titre d'interprète, acquérir des connaissances avancées dans sa langue maternelle ou dans une autre langue, enseigner une langue ancienne ou moderne, tout cela partie des activités propres à cette famille.

Les personnes intéressées par cette famille de programmes d'études et de carrières présentent un certain nombre de caractéristiques communes et relèvent des défis professionnels semblables.

- Elles ont de l'intérêt et des aptitudes particulières pour l'expression orale ou écrite.

- Elles sont animées par le désir d'approfondir la connaissance de leur langue maternelle ou d'autres langues en usage dans le monde.

- Elles choisissent parfois d'étudier les langues anciennes.

- Elles s'intéressent aux modes de communication interculturelle.

- Elles se servent de leur connaissance des langues comme d'un tremplin vers des carrières nationales ou internationales.

- Elles travaillent dans des organismes gouvernementaux ou internationaux, des maisons d'édition ou des médias d'information, à titre de traducteurs ou d'interprètes.

Ce qui me plaît le plus dans ce programme, c'est qu'il me permet d'exprimer à la fois mon côté artistique et mon côté plus rationnel. Je ne serais pas capable de sacrifier un de ces deux aspects de ma personnalité. J'ai besoin des deux pour me sentir en équilibre. Je ne suis pas un artiste, mais j'ai pris conscience que j'étais quand même créatif, capable d'imagination et d'ouverture d'esprit lorsqu'il s'agit d'analyser un texte. Si j'avais un message à transmettre aux étudiants, ce serait qu'au-delà des notes et des résultats, il est très important de se sentir bien dans ce que l'on fait.

Simon
Anglais, langue et
littérature comparée

Programmes d'études par ordres d'enseignement et secteurs de formation

Les programmes énumérés ci-dessous permettent d'exercer une profession ou un métier en relation avec la famille **Les langues**.

SECONDAIRE	COLLÉGIAL	UNIVERSITAIRE
Diplôme d'études professionnelles (DEP) **Communication et documentation** • Traduction-interprétation inuttitut	Aucun programme	**Diplôme de baccalauréat (Bac)** **Lettres** • Langues modernes • Linguistique • Traduction

Programmes apparentés

La liste des programmes apparentés est fournie à titre indicatif. Compte tenu de leurs objectifs principaux, ces programmes ont été classés dans d'autres familles, mais ils partagent néanmoins certains de leurs objectifs avec les programmes énumérés ci-dessus. Vous trouverez des renseignements sur ces programmes aux pages indiquées.

SECONDAIRE	COLLÉGIAL	UNIVERSITAIRE
Aucun programme	*Aucun programme*	*Diplôme de baccalauréat (Bac)* • *Anthropologie et éthnologie, page 114* • *Communication, page 240* • *Enseignement au secondaire, page 130* • *Enseignement de l'anglais langue seconde, page 130* • *Histoire, page 114*

Matières scolaires en relation avec la famille Les langues

(ordre d'enseignement secondaire)

■ Régime actuel
▲ Nouveau régime
● Éducation des adultes

	Régime actuel	Nouveau régime	Éducation des adultes
Anglais	■	▲	●
Art dramatique	■	▲	
Espagnol et autres langues	■	▲	●
Démocratie et culture au Québec			●
Français	■	▲	●

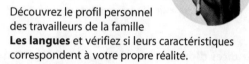

Autoportrait ←

Découvrez le profil personnel des travailleurs de la famille **Les langues** et vérifiez si leurs caractéristiques correspondent à votre propre réalité.

PROFIL PERSONNEL COMMUN

Les travailleurs de la famille **Les langues** présentent des traits de personnalité, des goûts, des talents et des valeurs semblables.

Ils sont…
- à l'aise dans un travail encadré par une procédure bien établie;
- d'excellents communicateurs;
- d'une grande curiosité intellectuelle.

Ils aiment…
- apprendre d'autres langues;
- communiquer par la parole ou par l'écriture;
- connaître le sens des mots;
- découvrir différentes cultures par l'entremise de leur langue;
- maîtriser les subtilités de la langue écrite;
- voyager.

Ils ont…
- des aptitudes pour apprendre et maîtriser plusieurs langues;
- la capacité de comprendre très facilement les textes qu'ils lisent;
- la capacité de s'adapter à différents milieux de travail;
- une bonne mémoire;
- une grande facilité à s'exprimer en public et à se faire comprendre.

Ils privilégient…
- l'autonomie et la mobilité;
- la culture;
- la rigueur.

Typologie de Holland – R I A S E C Z
Artistique • Investigateur • Écologiste

L'ANALYSE DE VOS EXPÉRIENCES

Les indices d'orientation qui suivent vous permettront de vérifier, à partir de vos diverses expériences, dans quelle mesure les caractéristiques des travailleurs de la famille **Les langues** correspondent aux vôtres.

- Lisez attentivement les deux séries d'indices qui suivent et faites un crochet (√) vis-à-vis des énoncés qui s'appliquent ou pourraient s'appliquer à vous*.

- Comptez ensuite le nombre d'énoncés retenus et calculez le pourcentage.

- Le résultat obtenu vous donne des indications sur l'étendue de votre intérêt et de votre capacité à entreprendre un projet d'études relevant de la famille Les langues.

* Voir la remarque « Important », au nº 7 de la page 19.

Indices d'orientation tirés de mon expérience personnelle

1. ☐ J'ai toujours le nez dans un livre.
2. ☐ J'aime faire des mots croisés et des mots-mystères ou jouer à des jeux dans lesquels mon vocabulaire et mes connaissances sont mis à l'épreuve.
3. ☐ Je rédige un journal personnel.
4. ☐ Je suis une personne à qui les gens, à cause de mon aisance en anglais, délèguent des responsabilités ou demandent de traduire des documents pour eux.
5. ☐ J'ai eu l'occasion de pratiquer, en voyage, d'autres langues que le français.
6. ☐ J'écoute souvent des stations de télévision anglophones.
7. ☐ J'ai participé à des échanges d'étudiants dans le but d'apprendre une autre langue.
8. ☐ J'ai fréquenté des camps ou des écoles de langues pendant mes vacances d'été.
9. ☐ Je m'intéresse aux modes de vie et aux cultures d'autres régions ou d'autres pays.
10. ☐ Je vis dans un quartier où des gens s'expriment dans une autre langue.

Indices d'orientation tirés de mon expérience scolaire et occupationnelle

11. ☐ J'aime suivre des cours de français, d'anglais langue seconde ou d'autres langues comme l'espagnol ou l'allemand.
12. ☐ J'ai un grand intérêt pour les cours d'initiation aux réalités interculturelles.
13. ☐ Je participe à des soirées de discussion ou à des soirées littéraires.
14. ☐ Je fais de la radio étudiante.
15. ☐ Je participe à des ateliers d'apprentissage d'une autre langue.
16. ☐ J'ai déjà occupé des fonctions dans des comités ou des groupements où je devais faire appel à mes capacités de communication.
17. ☐ Je fais un travail ou j'effectue des tâches qui me demandent de communiquer dans une autre langue ou, tout au moins, de bien comprendre les consignes données dans une autre langue.

Résultat : _____ **énoncés sur 17** = _____ %

Projet professionnel

VOS ATTENTES PAR RAPPORT À VOTRE FUTUR TRAVAIL

La série d'énoncés qui suit se rapporte aux exigences auxquelles doivent se soumettre les travailleurs de la famille **Les langues**. Seriez-vous prêt ou prête à accepter ces exigences pour vous-même?

• **Lisez attentivement chaque énoncé et faites un crochet (√) vis-à-vis de ceux qui correspondent à vos attentes par rapport à votre futur travail.**

Exigences liées à mon futur travail

☐ Accepter de côtoyer des milieux culturels différents de celui dans lequel j'ai l'habitude de vivre.

☐ Accomplir un travail intellectuel dans lequel l'expression orale et écrite occupe une grande place.

☐ Accomplir un travail dans le cade duquel j'aurai à communiquer avec d'autres personnes.

☐ Apprendre les langues et saisir les modes de pensée et les habitudes de vie des personnes qui les utilisent pour mieux pouvoir traduire les documents relatifs à leurs cultures.

☐ Développer un intérêt pour les voyages.

☐ Faire appel, chaque jour, à mes facultés de mémorisation.

☐ Rechercher les occasions de parler les langues que je connais, de manière à garder mes connaissances à jour.

VOS PRÉFÉRENCES PROFESSIONNELLES

La prochaine étape introduit une réflexion sur vos préférences professionnelles. Les énoncés proposés correspondent à des fonctions de travail propres à la famille **Les langues**.

• **Lisez attentivement les six fonctions de travail suivantes.**

• **Numérotez, selon vos préférences, les trois ou quatre fonctions les plus significatives pour vous, le chiffre 1 indiquant la fonction la plus intéressante à vos yeux.**

• **Reportez ensuite les chiffres correspondant à vos préférences dans l'espace « Mes préférences » du tableau de la page suivante.**

Fonctions de travail

☐ **Communication** : S'exprimer devant un petit groupe ou devant un large public.

☐ **Coopération** : Travailler en équipe et interagir avec d'autres personnes.

☐ **Éducation/Enseignement** : Proposer des activités d'apprentissage individuelles ou collectives.

☐ **Information** : Avoir la responsabilité de transmettre des renseignements.

☐ **Recherche** : S'interroger, explorer, expérimenter, afin d'innover et de faire avancer son domaine d'activités.

☐ **Vente/Marketing** : Persuader des personnes d'adopter une idée ou un produit.

PROGRAMMES D'ÉTUDES ET FONCTIONS DE TRAVAIL

Le tableau qui suit présente, dans l'ordre, les programmes offerts au secondaire, au collégial et au premier cycle universitaire.

- Recherchez, pour les fonctions de travail retenues, les programmes d'études signalés par les points et prenez note de ceux qui vous intéressent particulièrement.

Exemple : Si vous avez une préférence pour la fonction de travail «Éducation/Enseignement», vous noterez que le programme universitaire *Langues modernes* (Bac) accorde une moyenne importance à cette fonction, alors qu'elle n'en a aucune pour le programme universitaire *Traduction* (Bac).

Pour faciliter la consultation du tableau

Vous pourriez :
- surligner les colonnes verticales correspondant à vos fonctions de travail préférées;
- prendre connaissance des programmes signalés par des points dans les colonnes retenues et surligner ceux qui vous intéressent particulièrement.

Pour comprendre l'organisation de ce tableau, consultez le premier encadré, page 19.

MES PRÉFÉRENCES						
PROGRAMMES	**FONCTIONS DE TRAVAIL**					
• Faible importance •• Moyenne importance ••• Grande importance	COMMUNICATION	COOPÉRATION	ÉDUCATION/ ENSEIGNEMENT	INFORMATION	RECHERCHE	VENTE/MARKETING
Secondaire (DEP)						
▶ **Communication et documentation**						
5204 Traduction-interprétation inuttitut	••	••		•••	•••	•
Universitaire (Bac) [1]						
▶ **Lettres**						
15500* Langues modernes	••	••	••	•••	•••	••
15585* Linguistique	••	••	••	••	•••	••
15571* Traduction	••	••		•••	•••	••

1. Pour accéder à l'information sur le site www.reperes.qc.ca, il faut obligatoirement ajouter l'astérisque (*) à la suite du numéro d'identification du programme.

PROFESSIONS ET MÉTIERS EN RELATION AVEC LES PROGRAMMES D'ÉTUDES

Cette section comprend la liste des professions et des métiers en relation avec chacun des programmes d'études énumérés dans le tableau précédent, sauf ceux qui correspondent aux programmes conduisant à l'obtention d'une attestation de formation professionnelle (AFP).

Dans ce cas particulier, les titres des métiers étant identiques à ceux des programmes, nous avons jugé inutile de reprendre cette information dans la présente section.

Pour comprendre l'organisation de cette section, consultez le second encadré, page 19.

CLÉO	PROGRAMMES ET MÉTIERS
	SECONDAIRE (DEP)
	COMMUNICATION ET DOCUMENTATION
	Traduction-interprétation inuttitut
—	Traducteur (inuttitut)
	UNIVERSITAIRE (BAC)
	LETTRES
	Langues modernes
611.37	Professeur de langues modernes
621.03	Directeur littéraire
621.08	Traducteur
621.11	Interprète

CLÉO	
	Linguistique
—	Philologue
621.05	Réviseur
621.06	Linguiste
621.07	Lexicographe
621.09	Terminologue
	Traduction
621.08	Traducteur
621.09	Terminologue
621.11	Interprète

5.5 La mode

Photo de famille ←

La famille La mode regroupe des activités relatives à la conception, à la réalisation et à la commercialisation des vêtements. Travailler à la production de textiles, dessiner et créer des vêtements, confectionner des articles de cuir, diriger une boutique de mode ou s'occuper de mise en marché, tout cela fait partie des activités propres à cette famille.

Les personnes intéressées par cette famille de programmes d'études et de carrières présentent un certain nombre de caractéristiques communes et relèvent des défis professionnels semblables.

J'ai toujours aimé coudre, ma mère et ma grand-mère aussi. J'adore lire des magazines de mode et regarder des émissions télévisées consacrées à la mode. Travailler avec mes mains est presque une nécessité pour moi et voir le produit fini m'apporte beaucoup de satisfaction. De plus, en faisant de la peinture à l'huile, j'ai développé ma patience, travaillant sans relâche jusqu'à ce que j'obtienne la bonne couleur. En réalité, ça me fatigue quand il y a quelque chose de travers; j'aime mieux défaire et recommencer jusqu'à ce que ce soit… du haut de gamme.

Marie-France
Confection de vêtements (façon tailleur)

- Elles ont l'occasion de recourir à leur imagination et de faire appel à leur créativité et à leur talent pour agencer les couleurs, les formes et les textures.

- Elles mettent à profit, tout au long du processus de fabrication de vêtements ou d'accessoires vestimentaires, leur sens de l'organisation et de la précision ainsi que leur doigté et leur patience.

- Elles doivent faire preuve de leadership, d'originalité et de détermination dans toutes les activités relatives à la mise en marché des produits de la mode.

- Elles œuvrent parfois dans le secteur du journalisme de mode ou de la publicité.

- Elles travaillent à leur compte ou dans des entreprises commerciales de confection de vêtements, des commerces de distribution ou de vente de vêtements, des agences de mannequins ou des manufactures de bottes et de souliers.

Programmes d'études par ordres d'enseignement et secteurs de formation

Les programmes énumérés ci-dessous permettent d'exercer une profession ou un métier en relation avec la famille **La mode**.

SECONDAIRE	COLLÉGIAL	UNIVERSITAIRE
Attestation de formation professionnelle (AFP)	**Diplôme d'études collégiales (DEC)**	**Diplôme de baccalauréat (Bac)**
Administration, commerce et informatique • Commis dans un magasin de tissu et de services de couture	**Arts** • Commercialisation de la mode • Design de mode • Gestion de la production du vêtement	**Arts** • Gestion et design de la mode
Diplôme d'études professionnelles (DEP)		
Cuir, textile et habillement • Confection de vêtements (façon tailleur) • Confection de vêtements et d'articles de cuir • Confection sur mesure et retouche		

Programmes apparentés

La liste des programmes apparentés est fournie à titre indicatif. Compte tenu de leurs objectifs principaux, ces programmes ont été classés dans d'autres familles, mais ils partagent néanmoins certains de leurs objectifs avec les programmes énumérés ci-dessus. Vous trouverez des renseignements sur ces programmes aux pages indiquées.

SECONDAIRE	COLLÉGIAL	UNIVERSITAIRE
Diplôme d'études professionnelles (DEP) • *Cordonnerie, page 75* • *Dessin de patron, page 75* • *Nettoyage à sec et entretien de vêtements, page 75* • *Vente-conseil, page 156*	*Diplôme d'études collégiales (DEC)* • *Technologie de la production textile, page 76* • *Théâtre-Production, page 184*	*Diplôme de baccalauréat (Bac)* • *Administration, pages 148 et 156* • *Histoire de l'art, page 114*

Matières scolaires en relation avec la famille La mode

(ordre d'enseignement secondaire)

- ■ Régime actuel
- ▲ Nouveau régime
- ● Éducation des adultes

Anglais	■	▲	●
Arts plastiques	■	▲	
Arts			●
Démocratie et culture au Québec			●

Autoportrait ←

Découvrez le profil personnel des travailleurs de la famille **La mode** et vérifiez si leurs caractéristiques correspondent à votre propre réalité.

PROFIL PERSONNEL COMMUN

Les travailleurs de la famille **La mode** présentent des traits de personnalité, des goûts, des talents et des valeurs semblables.

Ils sont...
- émotifs;
- originaux et fiers;
- persuasifs;
- rigoureux et persévérants;
- soucieux des apparences;
- très créatifs.

Ils aiment...
- dessiner et faire des croquis;
- faire appel à leur imagination et être autonomes dans le cadre de leur travail;
- s'investir dans le monde commercial;
- suivre les tendances de la mode.

Ils ont...
- de la facilité à agencer les couleurs, les formes et les textures;
- le sens de l'esthétique;
- le sens de l'observation;
- le sens des affaires;
- un bon esprit critique;
- un bon sens de l'organisation;
- une grande dextérité manuelle.

Ils privilégient...
- l'autonomie;
- l'esthétique;
- l'innovation;
- l'originalité;
- la créativité;
- le bon goût.

Typologie de Holland – R I A S E C Z
Artistique • Entreprenant • Réaliste

L'ANALYSE DE VOS EXPÉRIENCES

Les indices d'orientation qui suivent vous permettront de vérifier, à partir de vos diverses expériences, dans quelle mesure les caractéristiques des travailleurs de la famille **La mode** correspondent aux vôtres.

- **Lisez attentivement les deux séries d'indices qui suivent et faites un crochet (√) vis-à-vis des énoncés qui s'appliquent ou pourraient s'appliquer à vous*.**

- **Comptez ensuite le nombre d'énoncés retenus et calculez le pourcentage.**

- **Le résultat obtenu vous donne des indications sur l'étendue de votre intérêt et de votre capacité à entreprendre un projet d'études relevant de la famille La mode.**

* Voir la remarque « Important », au nᵒ 7 de la page 19.

Indices d'orientation tirés de mon expérience personnelle

1. ☐ J'aime magasiner des vêtements et je fréquente les boutiques de mode.
2. ☐ Je consulte des revues ou des catalogues de mode.
3. ☐ Je remarque souvent ce que les gens portent.
4. ☐ Je couds et je me confectionne quelques vêtements originaux.
5. ☐ J'aime assister à des défilés de mode.
6. ☐ Je regarde particulièrement les émissions télévisées où il est question de mode.
7. ☐ Je réussis à me monter une garde-robe de bon goût et à bon prix, car je sais comment concilier mes goûts, mes besoins et mes moyens financiers.
8. ☐ Je conseille souvent les personnes de mon entourage en matière d'habillement.

Indices d'orientation tirés de mon expérience scolaire et occupationnelle

9. ☐ J'aime les cours d'économie familiale (volet habillement) et d'arts plastiques.
10. ☐ J'ai participé à la confection de costumes pour la troupe de théâtre de mon école.
11. ☐ J'ai fait partie de l'organisation de défilés de mode.
12. ☐ J'ai suivi des cours de couture de vêtements.
13. ☐ J'aimerais participer à un défilé de mode à titre de mannequin.
14. ☐ Je confectionne ou je retouche souvent des vêtements, pour moi-même et pour les personnes de mon entourage.

Résultat : _____ énoncés sur 14 = _____ %

Projet professionnel

VOS ATTENTES PAR RAPPORT À VOTRE FUTUR TRAVAIL

La série d'énoncés qui suit se rapporte aux exigences auxquelles doivent se soumettre les travailleurs de la famille **La mode**. Seriez-vous prêt ou prête à accepter ces exigences pour vous-même?

• **Lisez attentivement chaque énoncé et faites un crochet (√) vis-à-vis de ceux qui correspondent à vos attentes par rapport à votre futur travail.**

Exigences liées à mon futur travail

☐ Accepter de recevoir des honoraires pouvant varier d'un client à l'autre.

☐ Accomplir un travail où le client est roi et maître.

☐ Avoir le souci de la qualité du travail accompli.

☐ Être capable de gérer mon stress.

☐ Faire preuve constamment de créativité et d'originalité.

☐ Me renouveler continuellement, c'est-à-dire suivre les tendances et les particularités de la mode.

☐ Ne pas calculer mon temps quand il s'agit d'assurer un service de qualité.

☐ Prendre des décisions importantes sur le plan commercial et pouvoir négocier.

☐ Travailler en équipe.

VOS PRÉFÉRENCES PROFESSIONNELLES

La prochaine étape introduit une réflexion sur vos préférences professionnelles. Les énoncés proposés correspondent à des fonctions de travail propres à la famille **La mode**.

• **Lisez attentivement les dix fonctions de travail suivantes.**

• **Numérotez, selon vos préférences, les trois ou quatre fonctions les plus significatives pour vous, le chiffre 1 indiquant la fonction la plus intéressante à vos yeux.**

• **Reportez ensuite les chiffres correspondant à vos préférences dans l'espace « Mes préférences » du tableau de la page suivante.**

Fonctions de travail

☐ **Aménagement/Design** : Aménager des espaces physiques ou agencer des formes et des objets dans un but pratique ou esthétique.

☐ **Analyse culturelle** : Jouer un rôle de conseiller, de conseillère ou de critique dans un domaine culturel.

☐ **Coopération** : Travailler en équipe et interagir avec d'autres personnes.

☐ **Création** : Créer des objets, des formes, des textures ou des concepts.

☐ **Création/Fabrication** : Concevoir et produire quelque chose qui soit beau, esthétique et harmonieux.

☐ **Fabrication industrielle** : Fabriquer des objets et assembler des matériaux.

☐ **Gestion des affaires** : Gérer un projet commercial ou industriel.

☐ **Manipulation** : Manipuler des appareils, des outils ou des instruments.

☐ **Recherche** : S'interroger, explorer, expérimenter, afin d'innover et de faire progresser son domaine d'activités.

☐ **Vente/Marketing** : Persuader des personnes d'adopter une idée ou un produit.

PROGRAMMES D'ÉTUDES ET FONCTIONS DE TRAVAIL

Le tableau qui suit présente, dans l'ordre, les programmes offerts au secondaire, au collégial et au premier cycle universitaire.

- Recherchez, pour les fonctions de travail retenues, les programmes d'études signalés par les points et prenez note de ceux qui vous intéressent particulièrement.

Exemple : Si vous avez une préférence pour la fonction de travail « Analyse culturelle », vous noterez que le programme collégial *Design de mode* (DEC) accorde une grande importance à cette fonction, alors qu'elle en a peu pour le programme professionnel *Confection sur mesure et retouche* (DEP).

Pour faciliter la consultation du tableau

Vous pourriez :
- surligner les colonnes verticales correspondant à vos fonctions de travail préférées;
- prendre connaissance des programmes signalés par des points dans les colonnes retenues et surligner ceux qui vous intéressent particulièrement.

Pour comprendre l'organisation de ce tableau, consultez le premier encadré, page 19.

MES PRÉFÉRENCES										
PROGRAMMES • Faible importance •• Moyenne importance ••• Grande importance	AMÉNAGEMENT/DESIGN	ANALYSE CULTURELLE	COOPÉRATION	CRÉATION	CRÉATION/FABRICATION	FABRICATION INDUSTRIELLE	GESTION DES AFFAIRES	MANIPULATION	RECHERCHE	VENTE/MARKETING
Secondaire (AFP)										
▶ **Administration, commerce et informatique**										
7005 Commis dans un magasin de tissu et de services de couture	•	•	•	•	•	•	•	•		•
Secondaire (DEP)										
▶ **Cuir, textile et habillement**										
5219 Confection de vêtements (façon tailleur)	•••	•		••	•••	•••	••	•••	••	••
5247 Confection de vêtements et d'articles de cuir	•••	•		••	•••	•••	••	•••	••	••
5239 Confection sur mesure et retouche	•••	•		••	•••	•••	••	•••	••	••
Collégial (DEC)										
▶ **Arts**										
571.04 Commercialisation de la mode	••	••	•••	•	•••	•••	•••		•••	•••
571.A0 Design de mode	•••	•••		•••	•••	•••		•••	•••	
571.03 Gestion de la production du vêtement	••	••	•••	•	•••	•••	•••		•••	•••
Universitaire (Bac) [1]										
▶ **Arts**										
15909* Gestion et design de la mode	••	••	•••		•••	•••	•••		•••	•••

1. Pour accéder à l'information sur le site www.reperes.qc.ca, il faut obligatoirement ajouter l'astérisque (*) à la suite du numéro d'identification du programme.

PROFESSIONS ET MÉTIERS EN RELATION AVEC LES PROGRAMMES D'ÉTUDES

Cette section comprend la liste des professions et des métiers en relation avec chacun des programmes d'études énumérés dans le tableau précédent, sauf ceux qui correspondent aux programmes conduisant à l'obtention d'une attestation de formation professionnelle (AFP).

Dans ce cas particulier, les titres des métiers étant identiques à ceux des programmes, nous avons jugé inutile de reprendre cette information dans la présente section.

Pour comprendre l'organisation de cette section, consultez le second encadré, page 19.

CLÉO	PROGRAMMES ET MÉTIERS

SECONDAIRE (DEP)

CUIR, TEXTILE ET HABILLEMENT

Confection de vêtements (façon tailleur)
—	Tailleur de vêtements pour hommes
237.10	Tailleur en confection
237.11	Couturier

Confection de vêtements et d'articles de cuir
—	Modéliste de sacs à main pour dames
—	Réparateur de bagages
—	Tailleur de vêtements pour hommes
237.06	Coupeur à la coupeuse électrique portative
237.10	Tailleur en confection
237.11	Couturier
237.16	Coupeur de fourrures
237.19	Coupeur de pièces de cuir
237.20	Maroquinier
237.22	Bottier
627.17	Artisan du cuir

Confection sur mesure et retouche
—	Couturier en confection sur mesure et retouche
—	Couturier en retouche de vêtements pour hommes
237.10	Tailleur en confection
237.11	Couturier
624.37	Habilleur

COLLÉGIAL (DEC)

ARTS

Commercialisation de la mode
432.21	Gérant de boutique de vêtements

Design de mode
—	Dessinateur de mode féminine
237.02	Styliste de mode
237.03	Modéliste en vêtements
237.09	Couturier de haute couture
237.13	Chapelier
237.15	Modéliste en fourrure
237.18	Modéliste de chaussures
624.35	Créateur de costumes
624.36	Chef costumier

Gestion de la production du vêtement
211.09	Coordonnateur de la production
237.01	Directeur d'usine de production de vêtements

UNIVERSITAIRE (BAC)

ARTS

Gestion et design de la mode
227.04	Modéliste en textiles
237.03	Modéliste en vêtements
237.18	Modéliste de chaussures
624.35	Créateur de costumes

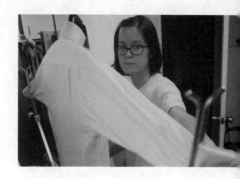

5.6 Les arts d'impression

Photo de famille

La famille Les arts d'impression regroupe des activités relatives à la production de documents imprimés tels que les journaux, les revues, les dépliants publicitaires et les livres. Insérer et modifier des images pour illustrer un périodique, faire de la mise en pages au moyen de procédés infographiques, gérer une imprimerie ou s'adonner à la reliure d'art, tout cela fait partie des activités propres à cette famille.

Les personnes intéressées par cette famille de programmes d'études et de carrières présentent un certain nombre de caractéristiques communes et relèvent des défis professionnels semblables.

- Elles ont recours à des technologies d'impression assistées par ordinateur.

- Elles collaborent aux diverses étapes de la production des documents, depuis la conception jusqu'au produit final.

- Elles exercent leurs fonctions à titre de travailleurs ou de travailleuses autonomes ou dans des studios de graphisme, des ateliers de préparation à l'impression, des imprimeries, des ateliers de reliure et des maisons d'édition, ou encore dans l'industrie du multimédia.

J'ai choisi le programme de formation professionnelle Reprographie et façonnage *parce que j'avais hâte d'accéder au marché du travail. J'ai des champs d'intérêt très diversifiés : l'informatique, la physique, la musique et les sports. Mais ce qui a déterminé mon choix, c'est ma fascination pour la robotique et mon besoin de travailler sur quelque chose de concret. J'ai toujours été quelqu'un qui aime le côté pratique des choses. J'ai aussi tenu compte de mon goût de l'ordre et de mon côté perfectionniste : j'aime les choses bien faites !*

Antoine
Reprographie et façonnage

Programmes d'études par ordres d'enseignement et secteurs de formation

Les programmes énumérés ci-dessous permettent d'exercer une profession ou un métier en relation avec la famille **Les arts d'impression**.

SECONDAIRE	COLLÉGIAL	UNIVERSITAIRE
Attestation de formation professionnelle (AFP) **Communication et documentation** • Aide en imprimerie • Aide-relieur **Diplôme d'études professionnelles (DEP)** **Communication et documentation** • Imprimerie • Procédés infographiques • Reprographie et façonnage	**Diplôme d'études collégiales (DEC)** **Arts** • Infographie en préimpression • Techniques de gestion de l'imprimerie • Techniques de l'impression	Aucun programme

Programmes apparentés

La liste des programmes apparentés est fournie à titre indicatif. Compte tenu de leurs objectifs principaux, ces programmes ont été classés dans d'autres familles, mais ils partagent néanmoins certains de leurs objectifs avec les programmes énumérés ci-dessus. Vous trouverez des renseignements sur ces programmes aux pages indiquées.

SECONDAIRE	COLLÉGIAL	UNIVERSITAIRE
Diplôme d'études professionnelles (DEP) • *Dessin de patron, page 75* • *Soutien informatique, page 174* • *Vente-conseil, page 156*	*Diplôme d'études collégiales (DEC)* • *Graphisme, page 240* • *Techniques d'intégration multimédia, page 240* • *Informatique, page 174*	*Diplôme de baccalauréat (Bac)* • *Administration, pages 148 et 156* • *Informatique, page 174*

Matières scolaires en relation avec la famille Les arts d'impression
(ordre d'enseignement secondaire)

- ■ Régime actuel
- ▲ Nouveau régime
- ● Éducation des adultes

Matière	Régime actuel	Nouveau régime	Éducation des adultes
Anglais	■	▲	●
Art			●
Arts plastiques	■	▲	
Démocratie et culture au Québec			●
Éducation technologique	■		
Français	■	▲	●
Mathématique	■	▲	●
Science et technologie		▲	
Sciences physiques	■		●

Autoportrait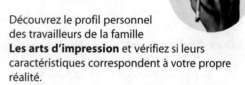

Découvrez le profil personnel des travailleurs de la famille **Les arts d'impression** et vérifiez si leurs caractéristiques correspondent à votre propre réalité.

PROFIL PERSONNEL COMMUN

Les travailleurs de la famille **Les arts d'impression** présentent des traits de personnalité, des goûts, des talents et des valeurs semblables.

Ils sont...
- curieux;
- méthodiques et objectifs;
- patients et constants;
- précis et minutieux.

Ils aiment...
- accomplir des tâches concrètes;
- dessiner;
- travailler avec les nouveaux outils multimédia;
- travailler en équipe.

Ils ont...
- de la facilité à agencer les couleurs et les formes;
- le sens des affaires;
- le souci du détail et de la précision;
- un bon sens de l'organisation;
- une grande dextérité manuelle.

Ils privilégient...
- l'esthétique;
- le respect du client;
- le sens des responsabilités;
- le travail bien fait.

Typologie de Holland – R I A S E C Z
Réaliste • Investigateur • Artistique

L'ANALYSE DE VOS EXPÉRIENCES

Les indices d'orientation qui suivent vous permettront de vérifier, à partir de vos diverses expériences, dans quelle mesure les caractéristiques des travailleurs de la famille **Les arts d'impression** correspondent aux vôtres.

• Lisez attentivement les deux séries d'indices qui suivent et faites un crochet (√) vis-à-vis des énoncés qui s'appliquent ou pourraient s'appliquer à vous*.

• Comptez ensuite le nombre d'énoncés retenus et calculez le pourcentage.

• Le résultat obtenu vous donne des indications sur l'étendue de votre intérêt et de votre capacité à entreprendre un projet d'études relevant de la famille Les arts d'impression.

* Voir la remarque « Important », au n° 7 de la page 19.

Indices d'orientation tirés de mon expérience personnelle

1. ☐ Je me sers d'un ordinateur personnel.
2. ☐ J'aime faire de la photographie et développer mes négatifs.
3. ☐ J'aime dessiner à l'aide d'un logiciel de dessin.
4. ☐ J'aime faire des montages ou des collages à partir de papiers divers, de vieux journaux ou d'autres matériaux similaires.
5. ☐ Je suis sensible à l'aspect esthétique des choses (illustrations d'un livre, affiches, reliures, etc.).
6. ☐ Je consacre régulièrement du temps à la lecture de journaux et de revues.

Indices d'orientation tirés de mon expérience scolaire et occupationnelle

7. ☐ J'aime suivre des cours d'arts plastiques, d'informatique, de photographie, de journalisme ou d'éducation technologique.
8. ☐ J'ai appris à utiliser des logiciels de traitement de texte, de chiffrier électronique ou de mise en pages.
9. ☐ J'ai participé au montage du journal étudiant.
10. ☐ J'aime soigner la présentation visuelle de mes travaux.
11. ☐ Je m'occupe souvent de la publicité relative à divers événements ou activités (aspect visuel et texte) dans mon milieu scolaire ou pour les organismes pour lesquels je travaille.
12. ☐ Je fais partie des Jeunes entrepreneurs de mon école ou dans mon milieu de travail.

Résultat : _____ énoncés sur 12 = _____ %

Projet professionnel

VOS ATTENTES PAR RAPPORT À VOTRE FUTUR TRAVAIL

La série d'énoncés qui suit se rapporte aux exigences auxquelles doivent se soumettre les travailleurs de la famille **Les arts d'impression**. Seriez-vous prêt ou prête à accepter ces exigences pour vous-même?

- **Lisez attentivement chaque énoncé et faites un crochet (√) vis-à-vis de ceux qui correspondent à vos attentes par rapport à votre futur travail.**

Exigences liées à mon futur travail

☐ Accepter de travailler selon des méthodes bien établies.

☐ Accomplir un travail où la technologie informatisée est omniprésente.

☐ Être capable de négocier des contrats de production avec des clients.

☐ Être capable de respecter les échéances et de supporter la pression causée par des délais très courts.

☐ Faire appel à mes capacités de leadership.

☐ Manifester un grand souci de la qualité et faire preuve de rigueur et de minutie.

☐ Pouvoir travailler, en équipe, à des projets nécessitant la contribution de personnes ayant des compétences variées.

☐ Respecter les procédés et les méthodes en vigueur dans mon milieu de travail.

VOS PRÉFÉRENCES PROFESSIONNELLES

La prochaine étape introduit une réflexion sur vos préférences professionnelles. Les énoncés proposés correspondent à des fonctions de travail propres à la famille **Les arts d'impression**.

- **Lisez attentivement les huit fonctions de travail suivantes.**

- **Numérotez, selon vos préférences, les trois ou quatre fonctions les plus significatives pour vous, le chiffre 1 indiquant la fonction la plus intéressante à vos yeux.**

- **Reportez ensuite les chiffres correspondant à vos préférences dans l'espace « Mes préférences » du tableau de la page suivante.**

Fonctions de travail

☐ **Aménagement/Design** : Aménager des espaces physiques ou agencer des formes et des objets dans un but pratique ou esthétique.

☐ **Classification** : Exécuter des tâches impliquant le classement d'objets ou de données.

☐ **Création** : Créer des objets, des formes, des textures ou des concepts.

☐ **Création/Fabrication** : Concevoir et produire quelque chose qui soit beau, esthétique et harmonieux.

☐ **Fabrication industrielle** : Fabriquer des objets et assembler des matériaux.

☐ **Gestion des affaires** : Gérer un projet commercial ou industriel.

☐ **Manipulation** : Manipuler des appareils, des outils ou des instruments.

☐ **Recherche** : S'interroger, explorer, expérimenter, afin d'innover et de faire progresser son domaine d'activités.

PROGRAMMES D'ÉTUDES ET FONCTIONS DE TRAVAIL

Le tableau qui suit présente, dans l'ordre, les programmes offerts au secondaire, au collégial et au premier cycle universitaire.

• **Recherchez, pour les fonctions de travail retenues, les programmes d'études signalés par les points et prenez note de ceux qui vous intéressent particulièrement.**

Exemple : Si vous avez une préférence pour la fonction de travail «Aménagement/Design», vous noterez que le programme collégial *Infographie en préimpression* (DEC) accorde une grande importance à cette fonction, alors qu'elle en a peu pour le programme secondaire *Aide en imprimerie* (AFP).

Pour faciliter la consultation du tableau

Vous pourriez :
– surligner les colonnes verticales correspondant à vos fonctions de travail préférées;
– prendre connaissance des programmes signalés par des points dans les colonnes retenues et surligner ceux qui vous intéressent particulièrement.

Pour comprendre l'organisation de ce tableau, consultez le premier encadré, page 19.

MES PRÉFÉRENCES								
PROGRAMMES	**FONCTIONS DE TRAVAIL**							
• Faible importance •• Moyenne importance ••• Grande importance	AMÉNAGEMENT/ DESIGN	CLASSIFICATION	CRÉATION	CRÉATION/ FABRICATION	FABRICATION INDUSTRIELLE	GESTION DES AFFAIRES	MANIPULATION	RECHERCHE
Secondaire (AFP)								
▶ **Communication et documentation**								
7055 Aide en imprimerie	•	•••	•	•	•••		•••	•
7200 Aide-relieur	•	•••		•	•••		•••	•
Secondaire (DEP)								
▶ **Communication et documentation**								
5246 Imprimerie	••	•••		••	•••		•••	•
5221 Procédés infographiques	••	•••	•	•••	•••	••	•••	•
5240 Reprographie et façonnage	••	•••	•	••	•••	•	•••	•
Collégial (DEC)								
▶ **Arts**								
581.A0 Infographie en préimpression	•••	•••	••	•••	•••	••	•••	••
581.08 Techniques de gestion de l'imprimerie	••	•••	•	••	•••	•••	•	••
581.04 Techniques de l'impression	••	•••	•	••	•••	•	•••	••

PROFESSIONS ET MÉTIERS EN RELATION AVEC LES PROGRAMMES D'ÉTUDES

Cette section comprend la liste des professions et des métiers en relation avec chacun des programmes d'études énumérés dans le tableau précédent, sauf ceux qui correspondent aux programmes conduisant à l'obtention d'une attestation de formation professionnelle (AFP).

Dans ce cas particulier, les titres des métiers étant identiques à ceux des programmes, nous avons jugé inutile de reprendre cette information dans la présente section.

Pour comprendre l'organisation de cette section, consultez le second encadré, page 19.

CLÉO	PROGRAMMES ET MÉTIERS

SECONDAIRE (DEP)

COMMUNICATION ET DOCUMENTATION

Imprimerie
—	Conducteur de presse
—	Conducteur de presse à platine
—	Conducteur de presse offset
—	Conducteur de presse rotative
—	Préposé à l'impression
235.12	Conducteur de plieuse
235.13	Assembleur-encolleur à la machine

Procédés infographiques
—	Dessinateur commercial
—	Metteur en pages
235.07	Technicien en impression
626.03	Illustrateur de publication technique
626.14	Lettreur
713.10	Opérateur de systèmes d'éditique

Reprographie et façonnage
—	Préposé à la reprographie
235.12	Conducteur de plieuse
235.13	Assembleur-encolleur à la machine
235.14	Opérateur de photocopieur

COLLÉGIAL (DEC)

ARTS

Infographie en préimpression
—	Metteur en pages-encolleur
—	Typographe (photocomposition)
235.02	Estimateur en imprimerie
235.03	Infographe en préimpression
626.05	Infographiste
626.06	Technicien infographiste

Techniques de gestion de l'imprimerie
235.01	Gérant d'imprimerie
235.02	Estimateur en imprimerie

Techniques de l'impression
235.02	Estimateur en imprimerie
235.04	Technicien de laboratoire photographique
235.10	Relieur industriel
626.13	Sérigraphiste à la main
627.21	Relieur à la main

Photo de famille

La famille Les métiers d'art regroupe des activités relatives à la fabrication artisanale d'objets et d'articles divers, à partir de matériaux tels que le verre, la pierre, l'argile, les textiles, le cuir, le bois ou les métaux. Créer des bijoux, fabriquer des vases en verre soufflé ou en céramique, tailler des pierres précieuses, faire de la gravure d'art, restaurer des meubles ou des œuvres d'art, tout cela fait partie des activités propres à cette famille.

Les personnes intéressées par cette famille de programmes d'études et de carrières présentent un certain nombre de caractéristiques communes et relèvent des défis professionnels semblables.

- Elles ont recours à des procédés traditionnels ou à des techniques modernes pour fabriquer des objets artisanaux.

- Elles explorent et exploitent les possibilités offertes par différents matériaux comme le verre, les métaux, le bois ou les fibres textiles.

- Elles mettent à profit leur créativité et leur imagination pour créer des objets décoratifs ou utilitaires, pour leur satisfaction personnelle ou pour répondre aux besoins d'une clientèle.

- Elles font preuve d'originalité, de patience, de persévérance et d'une dextérité hors du commun dans l'agencement des matériaux, des formes, des textures et des couleurs.

- Elles travaillent souvent dans leur propre atelier ou dans des entreprises ou organismes concernés par les arts : établissements d'enseignement, ateliers d'ébénisterie ou de réparation d'œuvres d'art, industrie de la décoration intérieure ou bijouteries.

Quand j'étais petite, j'adorais les couleurs et je dessinais souvent des femmes ou des princesses portant de grandes robes aux tissus somptueux. Je posais régulièrement des questions à ma mère sur les tissus et les motifs qui les décoraient. Ces motifs, je remarquais toujours leur présence et leur répétition sur mes propres vêtements. Voilà bien des observations peu communes chez les petites filles! Ce n'est que vers la fin de mes études en design de présentation que j'ai appris que le programme Impression textile existait. J'ai pensé : « Enfin! J'ai trouvé! ».

Marie-Hélène
Impression textile
(Techniques des métiers d'art)

Programmes d'études par ordres d'enseignement et secteurs de formation

Les programmes énumérés ci-dessous permettent d'exercer une profession ou un métier en relation avec la famille **Les métiers d'art**.

SECONDAIRE	COLLÉGIAL	UNIVERSITAIRE
Attestation de formation professionnelle (AFP)	**Diplôme d'études collégiales (DEC)**	**Diplôme de baccalauréat (Bac)**
Arts	**Arts**	**Arts**
• Aide-taxidermiste	• Techniques des métiers	• Arts plastiques
• Assistant-céramiste	d'art :	
• Manœuvre d'atelier de	- profil Céramique	
ferronnerie d'art	- profil Construction textile	
• Opérateur de four à poterie	- profil Ébénisterie artisanale	
• Ouvrier en fabrication	- profil Impression textile	
d'objets décoratifs	- profil Joaillerie	
• Tisserand	- profil Lutherie	
	- profil Maroquinerie	
Bois et matériaux connexes	- profil Sculpture sur bois	
• Aide-ébéniste	- profil Verre	

Diplôme d'études professionnelles (DEP)		
Arts		
• Bijouterie-joaillerie		
• Taille de pierre		

Programmes apparentés

La liste des programmes apparentés est fournie à titre indicatif. Compte tenu de leurs objectifs principaux, ces programmes ont été classés dans d'autres familles, mais ils partagent néanmoins certains de leurs objectifs avec les programmes énumérés ci-dessus. Vous trouverez des renseignements sur ces programmes aux pages indiquées.

SECONDAIRE

Diplôme d'études professionnelles (AFP)
• *Tailleur-polisseur de pierres tombales, page 74*
• *Préposé à la fabrication de tubes au néon, page 74*

Diplôme d'études professionnelles (DEP)
• *Carrelage, page 94*
• *Charpenterie-menuiserie, page 94*
• *Cordonnerie, page 75*
• *Découpe et transformation du verre, page 94*
• *Ébénisterie, page 75*

• *Fabrication en série de meubles et de produits en bois ouvré, page 75*
• *Finition de meubles, page 75*
• *Modelage, page 75*
• *Rembourrage industriel, page 75*

COLLÉGIAL

Diplôme d'études collégiales (DEC)
• *Techniques du meuble et de l'ébénisterie, page 76*
• *Technologie de la production textile, page 76*
• *Technologie des matières textiles, page 76*

UNIVERSITAIRE

Aucun programme

Matières scolaires en relation avec la famille Les métiers d'art
(ordre d'enseignement secondaire)

- ■ Régime actuel
- ▲ Nouveau régime
- ● Éducation des adultes

Art			●
Arts plastiques	■	▲	
Démocratie et culture au Québec			●

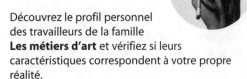

Autoportrait ◀

Découvrez le profil personnel des travailleurs de la famille **Les métiers d'art** et vérifiez si leurs caractéristiques correspondent à votre propre réalité.

PROFIL PERSONNEL COMMUN

Les travailleurs de la famille **Les métiers d'art** présentent des traits de personnalité, des goûts, des talents et des valeurs semblables.

Ils sont…
- généralement autonomes et indépendants;
- sensibles et originaux;
- passionnés et intuitifs.

Ils aiment…
- construire des maquettes;
- créer des œuvres uniques à partir de différents matériaux;
- dessiner;
- faire appel à leur imagination et à leur talent pour créer des objets à la fois utilitaires et décoratifs;
- manipuler, assembler, modifier des matériaux, des couleurs et des textures.

Ils ont…
- la capacité de jeter un regard neuf sur les objets qui les entourent;
- le sens de l'esthétique;
- le sens des affaires;
- le souci du travail bien fait;
- une très grande dextérité manuelle.

Ils privilégient…
- l'esthétique;
- la créativité;
- la satisfaction du client.

Typologie de Holland – R I **A** S E C Z
Artistique • Entreprenant • Réaliste

L'ANALYSE DE VOS EXPÉRIENCES

Les indices d'orientation qui suivent vous permettront de vérifier, à partir de vos diverses expériences, dans quelle mesure les caractéristiques des travailleurs de la famille **Les métiers d'art** correspondent aux vôtres.

• Lisez attentivement les deux séries d'indices qui suivent et faites un crochet (√) vis-à-vis des énoncés qui s'appliquent ou pourraient s'appliquer à vous*.

• Comptez ensuite le nombre d'énoncés retenus et calculez le pourcentage.

• Le résultat obtenu vous donne des indications sur l'étendue de votre intérêt et de votre capacité à entreprendre un projet d'études relevant de la famille Les métiers d'art.

* Voir la remarque « Important », au n° 7 de la page 19.

Indices d'orientation tirés de mon expérience personnelle

1. ☐ Je bricole souvent dans l'atelier familial.
2. ☐ J'aime sculpter des objets esthétiques dans différents matériaux.
3. ☐ J'ai trouvé du plaisir à créer des formes avec de la pâte à modeler.
4. ☐ J'aime observer des artisans au travail quand j'en ai l'occasion.
5. ☐ J'apprécie les objets faits à la main.
6. ☐ J'aime bien ajouter ma touche personnelle aux vêtements ou aux objets qui m'appartiennent.
7. ☐ J'aime fabriquer des choses moi-même.
8. ☐ Je suis une personne plutôt autonome et déterminée quand je réalise un projet.
9. ☐ Je me passionne pour les objets d'art.
10. ☐ J'aime observer et manipuler les objets et je suis sensible à leur aspect esthétique.

Indices d'orientation tirés de mon expérience scolaire et occupationnelle

11. ☐ J'aime les cours d'arts plastiques, d'histoire de l'art, de dessin, de sculpture ou les autres cours du même genre.
12. ☐ J'ai collaboré à la production des décors destinés aux activités culturelles dans mon milieu scolaire ou dans mon milieu de travail.
13. ☐ J'ai appris, grâce à une personne de mon entourage, à travailler le bois, le métal, le cuir ou d'autres matériaux similaires.
14. ☐ J'aime travailler avec des outils et m'en servir pour du travail délicat demandant beaucoup d'attention.
15. ☐ J'ai déjà travaillé dans une boutique d'artisanat.
16. ☐ Je visite régulièrement des expositions d'œuvres artisanales.

Résultat : _____ **énoncés sur 16 =** _____ **%**

Projet professionnel ◄────

VOS ATTENTES PAR RAPPORT À VOTRE FUTUR TRAVAIL

La série d'énoncés qui suit se rapporte aux exigences auxquelles doivent se soumettre les travailleurs de la famille **Les métiers d'art**. Seriez-vous prêt ou prête à accepter ces exigences pour vous-même?

• **Lisez attentivement chaque énoncé et faites un crochet (√) vis-à-vis de ceux qui correspondent à vos attentes par rapport à votre futur travail.**

Exigences liées à mon futur travail

☐ Accomplir mon travail à titre de travailleur ou de travailleuse autonome ou dans de petites entreprises.

☐ Avoir des horaires et des revenus variables selon mes disponibilités, mon rythme de production et mes capacités à répondre à la demande.

☐ Faire preuve de patience tout au long des nombreuses étapes de fabrication d'un produit.

☐ Maîtriser des techniques de travail et des outils exigeant une grande dextérité.

☐ Me charger de la commercialisation de mes produits à titre de propriétaire de commerce ou prendre contact avec d'autres marchés pour en assurer la vente.

☐ Réaliser, à la main, des objets uniques et originaux.

VOS PRÉFÉRENCES PROFESSIONNELLES

La prochaine étape introduit une réflexion sur vos préférences professionnelles. Les énoncés proposés correspondent à des fonctions de travail propres à la famille **Les métiers d'art**.

• **Lisez attentivement les sept fonctions de travail suivantes.**

• **Numérotez, selon vos préférences, les trois ou quatre fonctions les plus significatives pour vous, le chiffre 1 indiquant la fonction la plus intéressante à vos yeux.**

• **Reportez ensuite les chiffres correspondant à vos préférences dans l'espace « Mes préférences » du tableau de la page suivante.**

Fonctions de travail

☐ **Aménagement/Design** : Aménager des espaces physiques ou agencer des formes et des objets dans un but pratique ou esthétique.

☐ **Classification** : Exécuter des tâches impliquant le classement d'objets ou de données.

☐ **Création** : Créer des objets, des formes, des textures ou des concepts.

☐ **Création/Fabrication** : Concevoir et produire quelque chose qui soit beau, esthétique et harmonieux.

☐ **Fabrication industrielle** : Fabriquer des objets et assembler des matériaux.

☐ **Manipulation** : Manipuler des appareils, des outils ou des instruments.

☐ **Recherche** : S'interroger, explorer, expérimenter, afin d'innover et de faire progresser son domaine d'activités.

PROGRAMMES D'ÉTUDES ET FONCTIONS DE TRAVAIL

Le tableau qui suit présente, dans l'ordre, les programmes offerts au secondaire, au collégial et au premier cycle universitaire.

- **Recherchez, pour les fonctions de travail retenues, les programmes d'études signalés par les points et prenez note de ceux qui vous intéressent particulièrement.**

Exemple : Si vous avez une préférence pour la fonction de travail « Création », vous noterez que le programme collégial *Techniques des métiers d'art, profil Céramique* (DEC) accorde une grande importance à cette fonction, alors qu'elle en a peu pour le programme secondaire *Aide-ébéniste* (AFP).

Pour faciliter la consultation du tableau

Vous pourriez :
- surligner les colonnes verticales correspondant à vos fonctions de travail préférées;
- prendre connaissance des programmes signalés par des points dans les colonnes retenues et surligner ceux qui vous intéressent particulièrement.

Pour comprendre l'organisation de ce tableau, consultez le premier encadré, page 19.

MES PRÉFÉRENCES							
PROGRAMMES	AMÉNAGEMENT/ DESIGN	CLASSIFICATION	CRÉATION	CRÉATION/ FABRICATION	FABRICATION INDUSTRIELLE	MANIPULATION	RECHERCHE
• Faible importance •• Moyenne importance ••• Grande importance							
Secondaire (AFP)							
▶ **Arts**							
7206 Aide-taxidermiste	•	••		••	•••	•••	•
7042 Assistant-céramiste	•	••	•	••	•••	•••	•
7161 Manœuvre d'atelier de ferronerie d'art	•	••	•	••	•••	•••	•
7117 Opérateur de four à poterie	•	••	•	••	•••	•••	•
7118 Ouvrier en fabrication d'objets décoratifs	•	••	•	••	•••	•••	•
7049 Tisserand	•	••	•	••	•••	•••	•
▶ **Bois et matériaux connexes**							
7049 Aide-ébéniste	•	••	•	••	••	•••	•
Secondaire (DEP)							
▶ **Arts**							
5085 Bijouterie-joaillerie	••	•••	•••	•••	•••	•••	••
5178 Taille de pierre	••	•••	•••	•••	•••		••
Collégial (DEC)							
▶ **Arts**							
573.AA Techniques des métiers d'art, profil Céramique	•••	•••	•••	•••	•••	•••	••
573.AB Techniques des métiers d'art, profil Construction textile	•••	•••	•••	•••	•••	•••	••
573.AC Techniques des métiers d'art, profil Ébénisterie arctisanale	•••	•••	•••	•••	•••	•••	••
573.07 Techniques des métiers d'art, profil Impression textile	•••	•••	•••	•••	•••	•••	••
573.AE Techniques des métiers d'art, profil Joaillerie	•••	•••	•••	•••	•••	•••	••
573.AF Techniques des métiers d'art, profil Lutherie	•••	•••	•••	•••	•••	•••	••
573.03 Techniques des métiers d'art, profil Maroquinerie	•••	•••	•••	•••	•••	•••	••
573.AH Techniques des métiers d'art, profil Sculpture sur bois	•••	•••	•••	•••	•••	•••	••
573.02 Techniques des métiers d'art, profil Verre	•••	•••	•••	•••	•••	•••	••
Universitaire (Bac) [1]							
▶ **Arts**							
15902* Arts plastiques	•••	•••	•••	•••	•••	•••	•••

1. Pour accéder à l'information sur le site www.reperes.qc.ca, il faut obligatoirement ajouter l'astérisque (*) à la suite du numéro d'identification du programme.

PROFESSIONS ET MÉTIERS EN RELATION AVEC LES PROGRAMMES D'ÉTUDES

Cette section comprend la liste des professions et des métiers en relation avec chacun des programmes d'études énumérés dans le tableau précédent, sauf ceux qui correspondent aux programmes conduisant à l'obtention d'une attestation de formation professionnelle (AFP).

Dans ce cas particulier, les titres des métiers étant identiques à ceux des programmes, nous avons jugé inutile de reprendre cette information dans la présente section.

Pour comprendre l'organisation de cette section, consultez le second encadré, page 19.

CLÉO	PROGRAMMES ET MÉTIERS

SECONDAIRE (DEP)

ARTS

Bijouterie-joaillerie
—	Bijoutier
627.02	Bijoutier-joaillier
627.03	Gemmologiste
627.04	Sertisseur de pierres précieuses
627.05	Tailleur de pierres précieuses

Taille de pierre
| 223.01 | Tailleur de pierre |

COLLÉGIAL (DEC)

ARTS

Techniques des métiers d'art
223.12	Modéliste en céramique
227.04	Modéliste en textiles
236.13	Sculpteur sur bois (meubles)
236.20	Ébéniste
237.20	Maroquinier
626.17	Sculpteur
627.07	Potier céramiste
627.08	Vitrailliste
627.09	Souffleur de verre (artisan)
627.13	Luthier
627.15	Restaurateur de meubles
627.19	Artisan-tisserand

UNIVERSITAIRE (BAC))

ARTS

Arts plastiques
624.31	Concepteur de décors
626.01	Artiste peintre
626.07	Graveur d'art
626.08	Caricaturiste
626.09	Bédéiste
626.10	Dessinateur d'animation 2D
626.17	Sculpteur
626.35	Concepteur-designer d'expositions

5.8 La communication

Photo de famille

La famille La communication regroupe des activités relatives aux communications et aux médias, incluant la conception de pages Web, l'animation 2D et 3D, les relations publiques et la publicité. Animer une émission de radio, concevoir des publicités, écrire des textes journalistiques pour des revues spécialisées, travailler comme attaché de presse, tout cela fait partie des activités propres à cette famille.

Les personnes intéressées par cette famille de programmes d'études et de carrières présentent un certain nombre de caractéristiques communes et relèvent des défis professionnels semblables.

- Elle font preuve d'audace et d'originalité et elles ont la capacité d'entrer facilement en contact avec les gens.

- Elles s'expriment avec facilité, tant oralement que par écrit.

- Elles font de la conception ou de la production d'information et de publicité à la radio, à la télévision, dans les journaux ou dans l'Internet.

- Elles conçoivent et planifient les stratégies et les programmes d'information et de communication en vue de promouvoir les services d'un organisme privé ou public.

- Elles font de la recherche, préparent des dossiers documentaires, gèrent l'agenda de personnalités du monde des arts ou de la politique.

- Elles travaillent souvent à la pige pour des organismes spécialisés dans les communications comme les stations de radio, les chaînes de télévision, les maisons de production cinématographique, les agences de publicité, les agences de presse ou les organismes gouvernementaux.

Je suis un homme aussi rationnel que créatif et la communication publique me permet vraiment d'exploiter ces deux facettes de ma personnalité. J'aime être entouré de gens passionnés, comme dans le milieu du théâtre que j'ai connu un peu au secondaire et au collégial. J'aimais la passion qui habitait les gens de théâtre et, en communication, j'ai retrouvé cette passion. Je suis un fonceur, j'adore les défis, je suis dynamique et j'ai un tempérament de leader. Quand je me lève le matin, j'aime savoir que j'ai une journée ultra-remplie devant moi et que je vais revenir tard le soir. Ma mère en est épuisée à ma place!

Vincent
Communication publique

Programmes d'études par ordres d'enseignement et secteurs de formation

Les programmes énumérés ci-dessous permettent d'exercer une profession ou un métier en relation avec la famille **La communication**.

SECONDAIRE	COLLÉGIAL	UNIVERSITAIRE
Attestation de formation professionnelle (AFP)	**Diplôme d'études collégiales (DEC)**	**Diplôme de baccalauréat (Bac)**

Communication et documentation
• Aide en infographie
• Aide en production télévisuelle
	Arts
	• Animation 3D et synthèse d'images
	• Art et technologie des médias :
	  - profil Information écrite
	  - profil Publicité
	  - profil Radio
	  - profil Télévision
	• Graphisme
	• Techniques d'intégration multimédia
		Lettres
		• Communication, rédaction et multimédia
		
		Sciences humaines
		• Animation et recherche culturelles
		• Communication
		• Communication et politique

Programmes apparentés

La liste des programmes apparentés est fournie à titre indicatif. Compte tenu de leurs objectifs principaux, ces programmes ont été classés dans d'autres familles, mais ils partagent néanmoins certains de leurs objectifs avec les programmes énumérés ci-dessus. Vous trouverez des renseignements sur ces programmes aux pages indiquées.

SECONDAIRE	COLLÉGIAL	UNIVERSITAIRE
Diplôme d'études professionnelles (DEP) • *Procédés infographiques, page 224*	*Diplôme d'études collégiales (DEC)* • *Dessin animé, page 192* • *Infographie en préimpression, page 224* • *Techniques de bureautique, page 166* • *Technologie de l'électronique, page 76*	*Diplôme de baccalauréat (Bac)* • *Communication graphique, page 192*

Matières scolaires en relation avec la famille La communication
(ordre d'enseignement secondaire)

- ■ Régime actuel
- ▲ Nouveau régime
- ● Éducation des adultes

	Régime actuel	Nouveau régime	Éducation des adultes
Anglais	■	▲	●
Art dramatique	■	▲	
Art			●
Arts plastiques	■	▲	
Démocratie et culture au Québec			●
Espagnol et autres langues	■	▲	●
Français	■	▲	●
Informatique	■		●
Musique	■	▲	
Science et technologie		▲	

Autoportrait

Découvrez le profil personnel des travailleurs de la famille **La communication** et vérifiez si leurs caractéristiques correspondent à votre propre réalité.

PROFIL PERSONNEL COMMUN

Les travailleurs de la famille **La communication** présentent des traits de personnalité, des goûts, des talents et des valeurs semblables.

Ils sont…
- débrouillards;
- dynamiques;
- originaux et créatifs;
- perspicaces et attentifs aux autres;
- spontanés, expressifs et persuasifs.

Ils aiment…
- animer des rencontres, rédiger ou transmettre de l'information;
- entretenir des relations dynamiques avec leur entourage;
- être branchés sur l'actualité;
- faire de la recherche et préparer des textes de nature scientifique, sociale, politique ou publicitaire;
- travailler avec du matériel audio et vidéo.

Ils ont…
- beaucoup de facilité à s'exprimer oralement ou par écrit;
- de la rigueur et de la méthode;
- le sens du service et de la collaboration;
- une bonne capacité de travailler en équipe.

Ils privilégient…
- l'audace;
- l'initiative;
- la créativité;
- le contact avec le public.

Typologie de Holland – R I A S E C Z
Artistique • Entreprenant • Écologiste

L'ANALYSE DE VOS EXPÉRIENCES

Les indices d'orientation qui suivent vous permettront de vérifier, à partir de vos diverses expériences, dans quelle mesure les caractéristiques des travailleurs de la famille **La communication** correspondent aux vôtres.

• **Lisez attentivement les deux séries d'indices qui suivent et faites un crochet (√) vis-à-vis des énoncés qui s'appliquent ou pourraient s'appliquer à vous*.**

• **Comptez ensuite le nombre d'énoncés retenus et calculez le pourcentage.**

• **Le résultat obtenu vous donne des indications sur l'étendue de votre intérêt et de votre capacité à entreprendre un projet d'études relevant de la famille La communication.**

* Voir la remarque « Important », au n° 7 de la page 19.

Indices d'orientation tirés de mon expérience personnelle

1. ☐ Je m'intéresse aux langues et à différentes cultures.
2. ☐ Je regarde avec intérêt les émissions d'actualité et d'information à la télévision.
3. ☐ Je trouve fascinants les médias et les modes de communication modernes.
4. ☐ J'ai de la facilité à exprimer ce que je veux dire et à défendre mon point de vue.
5. ☐ Je tiens un journal personnel.
6. ☐ Je suis habituellement peu timide.
7. ☐ Je navigue dans l'Internet et je lis beaucoup.
8. ☐ J'aime voyager, découvrir de nouveaux horizons et entrer en relation avec les gens.

Indices d'orientation tirés de mon expérience scolaire et occupationnelle

9. ☐ J'aime les cours de français (expression orale et écrite), de théâtre, de journalisme, de communication, de langues ou d'informatique.
10. ☐ J'aime suivre des cours où l'on met l'accent sur les échanges et les discussions.
11. ☐ Je suis souvent le porte-parole d'un groupe.
12. ☐ Je fais de la radio étudiante ou communautaire.
13. ☐ J'écris des articles pour le journal étudiant ou le journal local.
14. ☐ J'aime exercer mon sens critique et débattre de sujets touchant différents domaines : activités culturelles, communautaires, sportives ou politiques.
15. ☐ Je fais de la télé étudiante ou communautaire.
16. ☐ Je fais partie d'un club de radioamateurs.
17. ☐ J'aime m'occuper de la publicité pour divers comités.
18. ☐ Je fais partie d'un ciné-club.
19. ☐ J'ai participé à des montages vidéo.
20. ☐ Je me sers de logiciels permettant de traiter les images.

Résultat : _____ énoncés sur 20 = _____ %

VOS ATTENTES PAR RAPPORT À VOTRE FUTUR TRAVAIL

La série d'énoncés qui suit se rapporte aux exigences auxquelles doivent se soumettre les travailleurs de la famille **La communication**. Seriez-vous prêt ou prête à accepter ces exigences pour vous-même?

- **Lisez attentivement chaque énoncé et faites un crochet (√) vis-à-vis de ceux qui correspondent à vos attentes par rapport à votre futur travail.**

Exigences liées à mon futur travail

- ☐ Accepter que mon travail soit soumis à la critique d'un public.
- ☐ Accomplir un travail de relations publiques où mes talents en communication seront régulièrement mis à l'épreuve.
- ☐ Devoir produire vite et bien dans certains cas.
- ☐ Être à l'aise avec les nouvelles technologies.
- ☐ Être capable de soutenir la concurrence.
- ☐ Me déplacer dans différents milieux.
- ☐ Me plier aux règles établies dans les différentes sphères des communications et respecter les règles d'éthique en vigueur dans ma profession.
- ☐ Partager des responsabilités avec les autres membres d'une équipe.
- ☐ Travailler à des heures irrégulières si nécessaire.

VOS PRÉFÉRENCES PROFESSIONNELLES

La prochaine étape introduit une réflexion sur vos préférences professionnelles. Les énoncés proposés correspondent à des fonctions de travail propres à la famille **La communication**.

- **Lisez attentivement les 13 fonctions de travail suivantes.**

- **Numérotez, selon vos préférences, les trois ou quatre fonctions les plus significatives pour vous, le chiffre 1 indiquant la fonction la plus intéressante à vos yeux.**

- **Reportez ensuite les chiffres correspondant à vos préférences dans l'espace «Mes préférences» du tableau de la page suivante.**

Fonctions de travail

- ☐ **Aménagement/Design** : Aménager des espaces physiques ou agencer des formes et des objets dans un but pratique ou esthétique.

- ☐ **Analyse culturelle** : Jouer un rôle de conseiller, de conseillère ou de critique dans un domaine culturel.
- ☐ **Communication** : S'exprimer devant un petit groupe ou devant un large public.
- ☐ **Conseil** : Agir à titre de consultant ou de consultante auprès de travailleurs pour les aider à exercer leurs fonctions dans divers domaines d'activités.
- ☐ **Coopération** : Travailler en équipe et interagir avec d'autres personnes.
- ☐ **Création** : Créer des objets, des formes, des textures ou des concepts.
- ☐ **Création/Fabrication** : Concevoir et produire quelque chose qui soit beau, esthétique et harmonieux.
- ☐ **Enquête** : Vérifier le profil, l'opinion ou la situation de groupes sociaux ou politiques, de manière à jeter un éclairage nouveau sur différentes situations.
- ☐ **Gestion des affaires** : Gérer un projet commercial ou industriel.
- ☐ **Information** : Avoir la responsabilité de transmettre des renseignements.
- ☐ **Manipulation** : Manipuler des appareils, des outils ou des instruments.
- ☐ **Recherche** : S'interroger, explorer, expérimenter, afin d'innover et de faire progresser son domaine d'activités.
- ☐ **Vente/Marketing** : Persuader des personnes d'adopter une idée ou un produit.

Le tableau qui suit présente, dans l'ordre, les programmes offerts au secondaire, au collégial et au premier cycle universitaire.

- Recherchez, pour les fonctions de travail retenues, les programmes d'études signalés par les points et prenez note de ceux qui vous intéressent particulièrement.

Exemple : Si vous avez une préférence pour la fonction de travail «Communication», vous noterez que le programme universitaire *Animation et recherche culturelles* (Bac) accorde une grande importance à cette fonction, alors qu'elle n'en a aucune pour le programme collégial *Graphisme* (DEC).

Pour faciliter la consultation du tableau

Vous pourriez :
- surligner les colonnes verticales correspondant à vos fonctions de travail préférées;
- prendre connaissance des programmes signalés par des points dans les colonnes retenues et surligner ceux qui vous intéressent particulièrement.

Pour comprendre l'organisation de ce tableau, consultez le premier encadré, page 19.

MES PRÉFÉRENCES

PROGRAMMES	AMÉNAGEMENT/ DESIGN	ANALYSE CULTURELLE	COMMUNICATION	CONSEIL	COOPÉRATION	CRÉATION	CRÉATION/ FABRICATION	ENQUÊTE	GESTION DES AFFAIRES	INFORMATION	MANIPULATION	RECHERCHE	VENTE/ MARKETING
• Faible importance •• Moyenne importance ••• Grande importance													
Secondaire (AFP)													
▶ **Communication et documentation**													
7210 Aide en infographie	•	•				•				•	•		
7138 Aide en production télévisuelle	•	•				•				•	•		
Collégial (DEC)													
▶ **Arts**													
574.B0 Animation 3D et synthèse d'images	••	••	•••	••	•••	•		•••	••	•••	•••	••	••
589.01 Art et technologie des médias, profil Information écrite	••	••	•••	••	•••	•		•••	••	•••	•••	••	••
589.02 Art et technologie des médias, profil Publicité	••	••	•••	••	•••	•		•••	••	•••	•••	••	••
589.03 Art et technologie des médias, profil Radio	••	••	•••	••	•••	•		•••	••	•••	•••	••	••
589.04 Art et technologie des médias, profil Télévision	••	••	•••	••	•••	•		•••	••	•••	•••	••	••
570.AO Graphisme	•••	•		•••	••	•••	•••		•••	•		••	•••
582.AO Techniques d'intégration multimédia	•••	••	••	••	••	•••	•••		•••	••	••	••	•••
Universitaire (Bac) [1]													
▶ **Lettres**													
15590* Communication, rédaction et multimédia	•	•••	•••	••	•••	•••	•••	•••	•••	•••	•	•••	•••
▶ **Sciences humaines**													
15478* Animation et recherche culturelles		•••	•••	•••	•••	•		••	•••	•••	•	•••	•••
15410* Communication		•••	•••	•••	••	••		••	••	•••		•••	••
18000* Communication et politique		•••	•••	•••	•••	•		••	••	•••	•	•••	••

1. Pour accéder à l'information sur le site www.reperes.qc.ca, il faut obligatoirement ajouter l'astérisque (*) à la suite du numéro d'identification du programme.

PROFESSIONS ET MÉTIERS EN RELATION AVEC LES PROGRAMMES D'ÉTUDES

Cette section comprend la liste des professions et des métiers en relation avec chacun des programmes d'études énumérés dans le tableau précédent, sauf ceux qui correspondent aux programmes conduisant à l'obtention d'une attestation de formation professionnelle (AFP).

Dans ce cas particulier, les titres des métiers étant identiques à ceux des programmes, nous avons jugé inutile de reprendre cette information dans la présente section.

Pour comprendre l'organisation de cette section, consultez le second encadré, page 19.

CLÉO	PROGRAMMES ET MÉTIERS

COLLÉGIAL (DEC)

Arts

Animation 3D et synthèse d'images
—	Infographe en animation 3D

Art et technologie des médias
624.08	Réalisateur
624.09	Assistant à la réalisation
624.10	Scripte
624.11	Régisseur
624.18	Technicien d'effets spéciaux
624.51	Cadreur
624.52	Éclairagiste
624.53	Ingénieur du son
624.54	Chef opérateur du son
624.55	Perchiste
624.57	Bruiteur
624.58	Opérateur de télésouffleur
624.59	Sonothécaire
624.60	Discothécaire
624.72	Technicien en radiotélédiffusion
624.73	Aiguilleur de télévision
624.74	Technicien en diffusion et en enregistrement
624.76	Préposé à l'auditoire
624.77	Projectionniste
626.39	Maquettiste
711.06	Publicitaire
712.01	Journaliste (presse parlée)
712.02	Lecteur de nouvelles
712.03	Animateur (radio, télévision)
713.03	Chef de pupitre
713.04	Journaliste (presse écrite)
713.05	Journaliste sportif
722.01	Conseiller en communication électronique

Graphisme
—	Metteur en pages-encolleur
—	Assistant-réalisateur de films d'animation
626.02	Illustrateur
626.03	Illustrateur de publication technique
626.04	Graphiste
626.05	Infographiste
626.06	Technicien infographiste
626.08	Caricaturiste
626.10	Dessinateur d'animation 2D
626.11	Concepteur d'animation 3D
626.12	Héraldiste
626.39	Maquettiste

Techniques d'intégration multimédia
722.03	Concepteur-idéateur de produits multimédias
722.04	Concepteur de jeux électroniques
722.05	Chargé de projet multimédia
722.06	Vidéographe
722.12	Assembleur-intégrateur en multimédia

UNIVERSITAIRE (BAC)

LETTRES

Communication, rédaction et multimédia
621.05	Réviseur
722.07	Scénariste en multimédia

SCIENCES HUMAINES

Animation et recherche culturelles
—	Animateur de vie culturelle
611.22	Animateur de vie étudiante

Communication
333.01	Officier des affaires publiques
624.01	Recherchiste
624.02	Scénariste-dialoguiste
624.03	Producteur
624.08	Réalisateur
624.10	Scripte
711.01	Directeur général des ventes et de la publicité
711.02	Spécialiste des relations publiques
711.06	Publicitaire
711.11	Agent d'information
712.01	Journaliste (presse parlée)
712.02	Lecteur de nouvelles
712.03	Animateur (radio, télévision)
712.04	Commentateur sportif
713.01	Rédacteur en chef de l'information
713.02	Éditorialiste
713.04	Journaliste (presse écrite)
713.05	Journaliste sportif
713.07	Chroniqueur
722.01	Conseiller en communication électronique

Communication et politique
311.11	Lobbyiste
311.12	Chef de cabinet
311.13	Attaché politique

Index alphabétique des programmes d'études

A

A
—
C

C
E

249

E
K

$\dfrac{L}{N}$

T

T
V

Documents complémentaires

Voici quelques outils de référence que nous vous suggérons de consulter afin de compléter votre recherche d'information ou d'activités en rapport avec la démarche CURSUS.

Information

- *Dictionnaire Septembre des métiers et des professions*, Sainte-Foy, Septembre éditeur, 1997, 480 pages.

- *Guide pratique des études collégiales au Québec*, Service régional d'admission du Montréal métropolitain (SRAM), Montréal, édité par le SRAM (édition annuelle).

- *Guide pratique des études universitaires au Québec*, Service régional d'admission du Montréal métropolitain (SRAM), Montréal, édité par le SRAM (édition annuelle).

- *Le guide Choisir Secondaire • Collégial*, Sainte-Foy, Septembre éditeur (édition annuelle).

- *Le guide Choisir Université*, Sainte-Foy, Septembre éditeur (édition annuelle).

- *Le guide de l'emploi*, Sainte-Foy, Septembre éditeur (édition annuelle).

- *Le guide de la formation continue*, Sainte-Foy, Septembre éditeur (2003-2004).

Activités

- MAURAIS, Yves. *Les ateliers Cursus* (trousse pédagogique), Sainte-Foy, Septembre éditeur, 2001.

- MAURAIS, Yves. *Cursus, l'école, l'économie et moi*, fascicule de l'élève et fascicule d'accompagnement, Septembre Éditeur, 2004.

- PELLETIER, Denis. *L'approche orientante : La clé de la réussite scolaire et professionnelle*, tome 1 : L'aventure, Septembre Éditeur, 2004.

Sites Internet

- www.monemploi.com
- www.reperes.qc.ca
- www.emploiquebec.net
- www.inforoutefpt.org
- www.sram.qc.ca